U0648537

王承略　劉心明　主編

二十五史藝文經籍志考補萃編

第八卷

〔清〕曾樸　撰
朱新林　整理

清華大學出版社　北京

圖書在版編目(CIP)數據

二十五史藝文經籍志考補萃編．第八卷/王承略，劉心明主編．—北京：清華大學出版社，2011.10
ISBN 978-7-302-26974-8

Ⅰ．①二… Ⅱ．①王…②劉… Ⅲ．①中國歷史：古代史—紀傳體②二十五史—研究 Ⅳ．①K204.1

中國版本圖書館 CIP 數據核字(2011)第 198528 號

責任編輯：馬慶洲
責任校對：王榮静
責任印製：楊 艷
出版發行：清華大學出版社 **地 址**：北京清華大學學研大厦 A 座
http://www.tup.com.cn **郵 編**：100084
社 總 機：010-62770175 **郵 購**：010-62786544
投稿與讀者服務：010-62776969，c-service@tup.tsinghua.edu.cn
質 量 反 饋：010-62772015，zhiliang@tup.tsinghua.edu.cn
印 刷 者：清華大學印刷廠
裝 訂 者：三河市金元印裝有限公司
經 銷：全國新華書店
開 本：148×210 **印 張**：11 **字 數**：265 千字
版 次：2011 年 10 月第 1 版 **印 次**：2011 年 10 月第1 次印刷
印 數：1～3000
定 價：35.00 元

産品編號：040807-01

《二十五史藝文經籍志考補萃編》編纂委員會

補後漢藝文志并考

［清］曾樸 撰

朱新林 整理

底本：清光緒二十一年(1895)刻《常熟曾氏叢書》本

校本：《二十五史補編》本

目　録

補後漢藝文志并考

補後漢書藝文志并攷自序

昔劉知幾譏班固《藝文志》古今雜糅，失斷代之體，欲變其例，倣宋孝王《墳籍志》，但紀當時著述。國朝史學家多非之，謂此例行而古書存亡之蹟從此泯矣。樸以爲此誠非作史之通言，然若以後人補前史之不及，倣錢文子《補漢兵志》、熊方《補後漢年表》之例，推之以補歷代史之無藝文志者，則此例大可用也。夙挾此懷，未敢語人。光緒己丑之歲，來游京師，聞當世通人有爲補《晋書藝文志》及《南北史藝文志》者，詢其體例，悉依劉氏，頗自喜所見不謬，又竊怪諸君子何用力之勤，而所施之不擇其要也。夫學術之盛，莫盛於我朝，而我朝之學尤莫盛於經史。然觀其師法之所出，《易》則虞氏，《書》則馬、鄭，《詩》、《禮》則鄭氏，《春秋左氏》則賈、服，《公羊》則何氏，小學則許氏。至史注、史攷之流，亦自延篤、胡廣、服虔、應劭等開之。雖間有一二僻傲之士，厭故取新，伸西漢以壓古學，而其大致則不出後漢諸人之範圍也。夫數典者不忘其祖，循流者必溯其源。然則後漢一代之文籍，乃我朝學術之關鍵也。蔚宗《後漢書》志既已蠟車軸矣，司馬彪《書》有志而不志藝文，《七録》言袁山松《書》有藝文志，今已亡佚。奈何有志之士無一人起而網羅之、總括之，以補前史之不逮乎？其秋，自京師歸，方事帖括，未遑從事。明年庚寅春，始於治經之餘，取《後漢書》本傳、《隋書·經籍志》、《經典釋文·敘録》凡涉後漢者寫出之，繼乃博攷羣書，兼及二藏。越五月，而共得書五百餘部，遂迺創立部目，斟酌出入，分爲七志，篇别内、外，葢已裒然成袟矣。方欲仿朱氏《經義攷》之例，徵其恉義，綱其散失。或告之曰："子見錢可廬大昭之書乎？"曰：

"未也。""洪孟慈飴孫、勞桄叔潁、侯君謨康諸家之作見之乎?"曰:"均未之見也。""若是,則寧少待,必盡見四家之書,補其漏畧,糾其謬誤,然後書成,可傳不朽也。"樸韙其言,輟而不作。辛卯之秋,得侯氏書讀之,見其分部悉依《隋志》,且闕集部,出入之間,亦多淩亂,心頗少之。及與樸書對校,則樸書增多者一百八十六部,稍稍自喜。然猶以可廬先生之書在前,未敢輕作也。其時,粤省廣雅書局方刻《史學叢書》,其中有錢氏《補志》,因購得之。其例與侯氏相仿,而得書較侯氏尤少,且無攷證。洪氏、勞氏,雖未見其書,然洪氏書據《授經堂書目》,僅一卷。勞氏書據錢泰吉《甘泉鄉人稿》所言,亦僅以錢氏分部不古,因爲改從《漢志》。錢氏方欲其繼王伯厚《漢志攷證》,而詳博稽之,[①]則其書之不甚詳博可知。樸乃大喜曰:"此前人之留以有待也。"遂發故篋,壹志於此。其年,成《六藝志攷》二卷。壬辰夏,又續二卷。癸巳春,先成《文翰志攷》一卷,《數術》、《方伎》二志攷共一卷。甲午歲,自秋徂冬,成《記傳志》二卷。乙未春,乃作《子兵志》、《道佛志》。至夏五月,各成《攷》一卷,又作前、後兩《録》及《存疑》、《敘録》、《凡例》等。六月甲申之日,而全書告成。嗚呼!歷六年之久,成十卷之書,無論與錢、侯、洪、勞四家高下若何,而搜羅之功、攷核之志,不可謂非勤且苦也。雖然,是惡足自多哉。若世有上通下達之士,取劉氏斷代之例,自上古以迄於今,每代各爲一志,分别部居,準時移易,不爲古牖,不受俗蒙,使學術升降之原,文籍存亡之數,明白軒豁,昭若日星,不誠盡讎校之能事,成目録之大觀哉!則樸之是書,特其先導焉耳。樸

① "詳"原與"證而"互倒,《二十五史補編》本《後漢書藝文志并考》(以下簡稱《二十五史補編》本)誤同。

自幼入塾，家大人即課以經史之學，此書之始，亦本庭聞，其中攷證大篇，均經呈覽，而後敢定。壬辰，入都，又以初稿請益於外舅汪郎亭先生、座主李穆齋先生，咸蒙許可，多所是正。此外，同志之友如唐蔚之文治、曹夔一元忠、丁秉衡國鈞、孫師鄭同康、張映南鴻、蔣子範元慶、胡夐修炳益、沈誦棠鵬、楊辛孟覲元、潘毅遠任、翁又申炯孫，皆獲討論之益，誼不敢没，謹附識之。光緒二十一年歲次乙未夏六月丁亥，常熟孟樸曾樸序。

補後漢書藝文志敘録

時之義大矣哉,溺時者鄙,偭時者愚,得時者通。皇王治人,師儒治士,胥由此術。即讐校家之治書也,何獨不然?昔仲尼没而微言絶,七十子喪而大義乖,百家馳騖,羣言龐雜,不務官守而騁家言,於是荀卿《非十二子》之篇、蒙莊《人間世》之論出焉。並能總括源流,判别宗旨,然部居次弟,畧而不究,此讐校家之鴻荒也。漢興,開獻書之路,建藏書之策,外則有太常、太史、博士之藏,内則有延閣、廣内、祕室之府,經傳、諸子充牣填溢,紛綸而無所歸。於是劉向父子以通博之才,總校書之任,敘黄帝以來聖智奇詭華樸褊小之言,而進之退之分之合之,造篇目,撮義恉,録《七畧》而奏之,班固著之《漢書》,由是羣言大定焉,此讐校家之昇平也。迨至後世,魏有鄭默,晋有荀勗、張華、李充,宋有邱淵之、王儉、殷淳,梁有殷鈞、劉遵、劉孝標、阮孝緒,隋有牛弘、王劭,以及歷代史志、各家私目,孰不欲追鏡劉、班,齊駕《録》、《畧》。而羣言孳乳,部族日豐,如一家之中祖而父,父而子而孫而曾而玄而雲而礽,禪及百年,而曾、玄、雲、礽亦各自爲祖,而蔚爲大族,勢不得不别立名號,加其部類,或標甲乙,或分四部,繁雜泛濫,得失參半,此讐校家之衰世也。雖然,此非讐校家之鴻荒之昇平之衰世之也。葢時有升降,學即因之,學有疏密,讐校家亦因之。悖時而行,雖模仿昇平猶失也;順時而施,即安乎衰世無害也;此殆天意,非人力也。然則後漢一代,葢由昇平而轉衰世之樞也。作之志者,使如侯氏之例,分部立目,悉仿《隋志》,彼出此入,漫無古心,是則以魏、晋之尺而量商、周之鐘,以鄭、衛之器而奏《蕭》、《韶》之樂,其爲乖戾,固不待言,此所謂溺時者鄙也。勞頴謂錢大昭書分四部，司馬紹統時無此例，改從前志分七畧，此則稽古之懿言而亦非通時之核論也。夫天下大勢，十年一小變，百年一大變。自前漢王莽之亂，迄于後漢孝獻之終，二百餘年中，方聞瑰瑋之士各出其學，震爍一世。其引申而曼衍者，實非二劉、班氏之例所可囿鑰。使沿而不變，是猶使軒轅强袉其鞋冕而紩攣，蒼頡重棄其書契而結繩也，牽合割析，弊在必然，此所謂緬時者愚也。惘慬乎溺鄙緬愚之失，斟酌乎昇平衰世之間，可仍者仍之，宜變者變之，毋虚造，毋雜厠。樸葢有志而未逮也，今特著其改革之故，出入之由，列之於左，以俟世之博雅君子攷而正之。若曰能通，則我豈敢。凡從《漢志》無疑義者，例中不贅論，疑則論之。

漢時史家流派，大畧粗具，惟椎輪之始，作者尚尠，不能自立蔀類，故班氏《志》分隸《尚書》、《春秋》各類。如春秋家《世本》十五篇、《太史公》百三十篇，此即正史也；《太古以來年紀》二篇、《漢大年紀》五篇，此即古史也；《楚漢春秋》九篇、儒家《高祖傳》十三篇、《孝文傳》十一篇、小说家《周考》七十六篇，固自注："考周事。"此即雜史也；春秋家《漢著記》百九十卷，此即起居注也；儒家《周法》九篇，固自注："法天地立百官。"此即職官也；禮家《古封禪羣祀》二十二篇、《封禪議對》十九篇、《漢封禪羣祀》三十六篇、儒家《河間獻王對上下三雍宫》三篇，此即儀注也；陰陽家《五曹官制》五篇，此即刑法也；儒家劉向所序有《列女傳》、《世説》，陰陽家于長《天下忠臣》九篇，《别録》云："傳天下忠臣。"此即雜傳也；兵家《地典》六篇、形法家《山海經》十三篇，此即地理也。至後漢而史家大盛，自成專門。如肆仁、晋馮、班固、劉珍等之正史，何英、荀悦、劉艾等之古史，馬皇后、杜撫等之起居注，吴君高、周樹、侯瑾等之雜史，王隆、胡廣等之職官，衛宏、曹褒等之儀注，陳寵、應劭等之律令，趙岐、袁湯等之雜傳，楊終、班勇、盧植等之地理，各就一端，互相祖述，卷帙繁重，勢難分隸。茲特別立一志，次之經後，依阮孝緒《七録》之例，曰《記傳志》。

漢張良、韓信，敘次兵法，凡百八十二家，刪取要用，定著三十五家。武帝時，楊僕射捃摭遺逸，紀奏《兵録》。成帝又詔任宏校兵書，故《七畧》兵書别立一畧，《漢志》因之。王儉《七志》亦有《軍書志》紀兵書。此《志》兵書衹有楊由一家，不能自立一志，若附之他類，殊失古法。茲特次于諸子之後，存其目，依《七録》之例，曰《子兵志》。

《七畧》有《詩賦畧》，《漢志》因之，分爲四類，皆不紀雜文。《中經》丁部有詩賦圖讚。後漢重文，文士往往自裒所著，凡詩賦雜文，合爲一袟，已開後代别集之端，故《隋志》曰别集，東京所創也。若仍題詩賦，未免名實不符，直題文集，則後漢究無集名，觀范《書》諸列傳，載其人平生文章，但曰所著某某若干篇，不曰文集若干卷可知。茲斟酌二者之中，依王儉《七志》之例，曰《文翰志》。

道家之學，尚清虚，尊柔弱，一變而爲導引服餌，再變而爲金石爐火。至後漢張道陵、宫崇、戴孟等，始以符籙齋醮之術，號召天下，僞造神書，則道經之出，蓋自後漢始。佛家先不行於中國，明帝感夢，廼令郎中蔡愔、博士弟子秦景等，使于天竺，遇釋摩騰，乃要還漢地，譯《四十二章經》一卷，明帝甚重其書，緘之蘭臺石室。自後，竺法蘭、安世高、支讖等，俱自其國來漢，繙繹佛經。至桓、靈之代，佛經譯出數百部，是中國之有佛經亦自後漢始。志之以昭世變也，依《七録》之例，曰《道佛志》。又依王儉《七志》道佛附見之例，名之曰《外篇》。以上論諸志大目。

《六藝志》子目，悉遵《漢志》。惟緯候之學，後漢獨盛，光武即位,中元元年,即宣圖讖於天下。明、章二帝,祖述此意,故後世争習圖緯,謂之内學,曹褒以之定禮,樊儵取之正經,引堯後之言而《左氏》以行,據名余之说而樂章以改。鄭興忤之而見疏,桓譚非之而遠貶。葢當時尊信過於六經,使如王儉《七志》之例,入之陰陽,不足以昭時尚也。特升之六藝之末,依《隋志》之例,名爲緯候。

史部子目,《中經》曰史記、舊事、皇覽簿、雜事;《七志》曰史記、雜傳,而地域入之《圖譜志》;《七録》曰史傳;《隋志》曰正史、古史、雜史、霸史、起居注、舊事、職官、儀注、刑法、雜傳、地理、譜系、簿録。茲并正史、古史、起居注爲一,《漢志》三類並附春秋,餘則散歸各類,從《中經簿》之例,曰史記。史者,時王詔定;記者,近侍所録也。各家私述古今者,則從《隋志》之例,曰雜史。職官、儀注、刑法,皆國家之舊事也,從《中經》之例,總曰舊事,而仍分爲三類,曰舊事職官、舊事禮制、舊事律令,葢竊取《漢志》兵家、詩賦之例也。記一方之先賢,傳一人之逸事者,從《七志》、《隋志》之例,曰雜傳。地域亦史官之職,王儉入之《圖譜》,失之。茲以殿記傳也。

《子兵志》中陰陽、名、墨三家,皆無其書。茲存其目,以俟能者補之。 以上論子目。

《周官經》,古聖人設官分職之書也。至儀法度數,所謂“禮經三百”者,則《儀禮》乃其本經。韋昭以《禮經》屬《周官》,此不知本也,當從臣瓚説。《隋志》《周官》先《儀禮》,失之。茲從《漢志》。

鄭衆《婚禮》、何休《冠禮約制》、鄭玄《五宗圖》、劉表《新定禮》,皆《儀禮》之流裔也。《冠禮約制》、《新定禮》,参酌古今,非禮家專學,原其義類,近儀注也,然非時王所頒行,悉隸《儀禮》之後。

曹褒《演經雜論》,鄭玄《禮議》、《魯禮禘祫志》,俱雜論禮事,有類《禮記》,次《禮記》後。

劉熙《謚法注》,蓋《大戴禮》也。大戴本有《謚法篇》,《白虎通》嘗稱之《書鈔》九十三引《大戴謚法》。《御覽》五百六十二引《大戴禮》曰:"周公旦、太師望相嗣王,作《謚法》。"故《七録》熙《注》附之《大戴禮》之後,《隋志》禮類小注引"梁有劉熙《謚法》",蓋《七録》入禮類也。《隋志》隸入論語類,非是。茲仍隸禮家。

古之小學,形聲訓故而已。其論點畫之疏密,結構之純雜,則道而近乎藝矣。然後漢之時,曹喜、崔瑗、張芝、蔡邕之倫,並以此術擅名一時,著爲論説,以啟後學,雖無關宏旨,亦小學之支流别派,不可廢也。茲仍隸之小學家。

《春秋》,編年家之鼻祖也。《世本》,紀傳家之權輿也。《世本》有紀,以闡五德之運,見《左傳・襄二十一年》正義及《路史》注。紀傳家法之以爲本紀。有譜,以章治忽久暫之序,《隋志》有《世本王侯大夫譜》,《史記・三代世表》"余讀牒記,黄帝以來皆有年數"云云,皆可徵《世本》之有譜。紀傳家法之以爲表。有世家及傳,以明人道善惡之故,紀傳家法之爲世家、列傳。故簿録記傳,當以《世本》爲首。《漢志》列之《太史公》之上,班氏知此意也。後來目録家多隸譜系,失其恉矣。茲録宋衷《世本注》四卷,升居史記之首。

劉艾《漢帝傳》,《隋志》入雜史類。然裴松之《三國志注》引此書多首列年號。尋其體例,蓋編年史也。《唐志》入編年,不誤。茲入史記家。何英《漢德春秋》,蓋法《楚漢春秋》而作,亦編年史。茲入史記。

《伏侯古今注》,紀古今之事,上自黄帝,下盡漢質。《唐志》入之子部,非其義類。茲從《隋志》入雜史。

《牟子》二卷,據今《道藏》所存《牟子理惑論》三十七篇,則係牟子博傳,非太尉融作也,其言蓋以道家爲宗,畧引聖賢之言證解之。《隋志》列於儒家,誤。茲從《唐志》入道家。

梁鴻通《禮》、《詩》、《書》、《春秋》，郅惲理《韓詩》、《嚴氏春秋》。周黨動必以禮，赤眉避其邑里。梁竦闔門著書，孟堅比之《春秋》。並恂恂儒者也。其所著述，定符其學。侯氏入之雜家，恐非其倫，兹改隸儒家。

《華陽國志》稱馮顥修黄老，作《刺奢説》，則其書乃道家清静之旨也，侯氏入儒家，兹改隸道家。

王充、李尤《政務》二書，皆與崔寔《政論》相似。侯氏隸雜家，兹改隸法家。

仲長統《昌言》，其所陳説，意尚刻削，則近於法；長於辯説，則近縱横；疾奢尚儉，則近於墨；而儒理亦往往雜出其間，蓋雜家言也。《新唐志》改入儒家，非。兹從《隋志》、《舊唐志》入雜家。

明帝《五家要説章句》，蓋亦五行占候之屬，故《册府元龜》注曰："五家，五行之家也。"侯氏誤爲《洪範五行》，入尚書，兹改隸五行家。

郗萌《春秋災異》、《秦災異》，皆占候之書，諸書所引，統稱郗萌占可證也。《隋志》入《春秋災異》於緯候，入《秦災異》於五行，此條《隋志》注引"梁有"，蓋《七録》入五行，《隋志》因之耳。兹均隸之五行家。

《墨子》上、下經，多言變化之道，後世五行家多依託之。《隋志》五行家有《墨子枕中五行要記》、《五行墨子變化》二書。劉根之書，亦其類耳，故隸之五行家。

《漢志》形法末有《相六畜》三十八卷，蓋形法之學，大而九州之勢，中而城郭宫室人相，小而六畜器物，均以形容聲氣以辨貴賤吉凶，至精微也。《隋志》無形法家，《相馬經》等，並入五行，《唐志》亦然。兹從《漢志》，别出馬援《銅馬相法》爲形法家，以存一家之學。以上論諸書出入。

《六藝志》書之次弟,悉分家數,每家之中,仍以時代先後爲次,家數無攷,則附於末。如易類景注,施氏《易》也;袁樊,孟氏《易》也;馬、鄭、荀、宋,皆費氏也;馮、袁則家數無攷者也。餘志則一以時代爲次,目下小注,或紀字里爵位,或撮書中大旨,葢倣班氏自注之例也。惟作者范《書》有傳,則字里爵位,概從闕如,其書現存及無攷者,亦不撮括旨義。

古書著之簡册者爲篇,寫之絹素者爲卷,《漢志》録書,篇卷並存。裴松之《三國志・蜀志・秦宓傳》注引《中經簿》:《孔子三朝紀》八卷、《目録》一卷,餘者所謂七篇。范書《方術傳》注引今書《七志》有《武王須臾》一卷、《師曠》六篇。據此,則《中經》、《七志》亦皆有篇有卷。至《七録》而後始有卷無篇。玆志篇卷,悉從稱引最先者。最先稱篇,則亦稱篇,稱卷亦稱卷,卷數多寡,亦同其例。其篇卷無攷者,則注"卷數佚"三字於旁。

《隋志》述《七志》、《七録》,每曰某某志紀某某,此葢其書體例,玆從其例。

《漢志》每部每志,總計書數,稱凡若干家若干卷。《廣弘明集》載《七録》則稱凡若干部若干卷,《隋志》仿之,玆亦依其例。

補志與作志不同。作志者當羣書完備之時,篇卷均無闕佚,故每部總計書數,可直稱凡若干部若干卷。補志則不然,書既亡多而存少,偶存目録,篇卷可稽者,十不四五,故玆特變例,於總計書數凡若干部之下,加卷數可攷者,或稱篇卷數可攷者,或稱章篇卷數可攷者數語,其卷數無攷者不列。以上論雜例。

補後漢書藝文志攷凡例

一、樸既爲《補後漢書藝文志》畢，慨然曰："振綱挈領者，通儒之旨也；搜殘孴闕者，樸學之責也。使篇章卷袟，備哉燦爛，而遺文斷句，聽其湮沉，斯亦職古之羞乎。遠之伯厚攷孟堅之《志》，近之逢之緝長孫之書，前型具在，後步可循。"於是雜取史傳、簿録、類書、文集、碑版之屬，以及佛、道二藏，攷其同異，辨其是非，復成《補後漢書藝文志攷》十卷。或疑之曰："昔《詩》、《書》既成，而毛、鄭立傳；《史》、《漢》行世，而應、服作注，並以今語釋彼古言。王、章之書，亦同是例。蓋攷者即注之變體，但有言、事之分，裴松之《三國志》注、劉昭《續漢志》注皆攷事，亦名注。玆分言、事，言其大畧耳。其於辨疑釋滯則一也。今子乃自作之而自攷之，殆非古之制乎？"應之曰："陋哉！客也，何讀書之少乎！《漢書·地理》便列子注，《蜀志》傳贊，亦下細書。蔡邕《勸學》、諸書引《勸學篇》皆勗學之言，編爲韻語，惟《一切經音義》引兩條，《釋文》一條，皆訓釋之語，蓋自注也。《易正義》晋卦引與《釋文》同，正作《勸學篇》注，可證。譙周《古史》、《史通·模擬篇》引《古史》書李斯棄市云"秦殺其大夫李斯"，蓋仿《春秋》者也。而《史記索隱》所引不窋處父等事，詞意多主辯駁，蓋其自注也。董巴《輿服》之志、《御覽》六百八十二引巴《志》佩綬采組之制，有注文徵引《漢官儀》。巴以魏人及見胡公、應劭之書，故秦御史服楚官一事，巴稱太傅胡公説，則知注文乃巴自作。孔衍《春秋》之語、《御覽》引孔衍《春秋後語》六十餘事，皆有注文，既徵同異，復釋詞旨。周處之《陽羨風土》、見《史通》。又《史記·司馬相如傳》索隱，《初學》卷三、卷四，《御覽》卷二十九、三十一、三十三，皆引《陽羨風土記》注文。宗懔之《荆楚歲時》、現存。蕭大圜《淮海離亂志》、羊衒之《洛陽伽藍記》、孝王之傳《關東》、君懋之志《北齊》；並見《史通·補注篇》；注中列注，則道元之

《水經》;父託之子,則羅泌之《路史》。並現存。斯並史傳成規,記載恒例。即詩賦小技,詞章末學,如王逸《九思》與《楚辭》而並釋,靈運《山居》效經生而作詁。古之自作自注,更僕難終,子何見之少乎? 雖然,此皆文史之舊聞,而非目録之通論也,則更爲子述讐校之例、箸録之志可乎? 昔劉向校書,每一書已,輒條其篇目,撮其指義,名爲《别録》,爲卷二十。歆卒父業,又纂《七畧》,葢《七畧》即其標目,而《别録》乃其解題也。諸書引之都並稱《七畧别録》,《隋志》標目亦如是,可見《七畧》是其總目,《别録》乃其攷證,二書皆向所欲作,未成而卒,故歆補成。觀《漢書》"卒父前業"一語可知。今觀諸書稱引《别録》之文,敘《禮記》,則詳述其篇目;見鄭康成《三禮目録》。箸《儀禮》,則具言其次第;見《儀禮疏》。鄒子《終始》,則攷五德之運;《文選·長門賦》注。趙氏《雅琴》,則下禁正之訓。《文選·長門賦》注。至如《曲臺》之記、《文選·竟陵王行狀》注。《盤盂》之書、《文選·刻漏銘》注。九師之《道訓》《文選·竟陵王行狀》注。逄門之《射法》,《史記·龜策傳》正義注。或徵氏里,或言體例,務極翔實,不憚攷稽,撏撦殘文,隱約可覩。迨後鄭默《中經》、荀勗《新簿》,並以不置論斷見譏通雅。然如述周生之名烈,《三國志·魏志》注。説《計然》之有録,《漢書·貨殖傳》注。未始不言作者之意也。王儉作《志》,體仍鄭、荀,而於書名之下每立一傳,阮氏《七録》,無改斯例。穀梁名俶,字元始;《經典·敘録》。文逸姓唐,官侍中;同上。甘公,楚人;石申,魏産;《史記正義》。孟喜《章句》無《旅》至《節》,無上《繫》;《經典·敘録》。孔氏《書傳》缺'粤若稽'至'於帝'。《書正義》。凡此所引,皆其攷訂之逸文,訓釋之碎義也。由斯而談,則既編目録,復加攷辨,正讐校之定體而箸録之宗旨。我方矻矻焉古之是規,而子乃以變古疑之,豈不陋哉! 豈不陋哉!"於是客慚而退。爰書其語,以冠條例之首。

一、古人引書,單詞隻語,足伸己説而已,從未有不分朱紫,列若案牘,然後辨其異同,斷其然否也。自石渠箸論,羣儒務博,必先列衆説,後加折衷。其後班固《白虎通義》、許慎《五經異義》互相祖述,益復詳備。然目録之家,猶鮮此例。自宋馬貴與著《文獻通攷》,其《經籍》一志,全效其體,惟前人論説,則高一字,自下案斷則低一字,此爲小異耳。自是朱彝尊之《經義攷》、謝啟昆之《小學攷》,並沿用之。樸謂斯體實便學者省讀,通人攷核,兹用其例。若其不引論説者,則必其書無攷;不加案斷者,則必其説已定者也。

一、凡引前人論説,空言泛論則不引,郢書燕説則不引,神奇怪誕則不引,家知户曉則不引。如《詩序》,石經一字、三字之類。然文籍實廣,採摭難徧,景伯著書,季長猶譏其不博;劉芳攷古,李玉未許其多聞。搜羅無漏,古今所艱。世有河東文學,來助謝該釋經;延陵後裔,能正宋祁新史。則補其遺漏,糾其繆誤,樸之本心實所深望。若採其捐棄,指爲闕畧,此知幾所謂"捃吐核,拾藥滓",則作者不任咎也。

一、凡范《書》本傳每記所著,往往但存其目,不條厥旨,凡屬此類,悉不贅登。若其採引,則有六例。讐校通恉,務述源流。經生説經,恒重家法,如洼丹《通論》衍孟喜之《傳》,樊英《章句》守京房之學。不採范《書》,傳授莫著,其例一。更生録書,撮其旨義。文憲緝志,各立小傳。蔚宗生典策完備之時,述作者纂輯之意,如子瑜皇德,謂權輿中興;仲瑗輯序,謂論著季漢。不採范《書》,大指奚聞?其例二。他若杜撫傳《詩題約義》,劉攽疑爲奪文;趙煜傳《詩細歷淵》,《隋志》正其譌字。盧植注《禮》,有三禮、一禮之辨;蔡邕刊經,有五經、六經之異。不採范《書》,攷證曷明?其例三。其有作者行事,寥落無聞,偶於他傳牽率而及。如注《爾雅》之李巡附於《吕強傳》,首傳《穀梁》之段肅見於班固奏言。不採范《書》,姓名曷攷?其例四。官家著述,作非一人,而著録之例,但舉其首。如《東觀漢記》創於班固,終於楊彪,而但以班固統之;《建武注記》先有杜撫,後有馬嚴,而僅以杜撫括之。不採范《書》,事理曷備?其例五。至於《臨邑》之頌,著於永平之際;《平望》之論,獻於元初之年。不採范《書》,歲月曷見?其例六。凡書不著所出者,皆採自范《書》。

一、凡現存完備之書,謹遵《欽定四庫全書提要》照録全文,不敢增損。原書表文有云:"原原本本,總歸聖主之持衡;是是非非,盡掃迂儒之膠柱。"洵推定論,萬世爲昭。即館閣殘缺之篇,臣士纂緝之本,亦但補其篇目,拾其殘零。至於黑白之分,進退之辨,仍秉宸斷,無待贅言焉。

一、《隋志》目下每稱"梁有,今亡",或稱"宋有,今亡"。梁者《七録》,宋者《七志》,並羅陳卷數,以攷異同。茲依其例,凡稱篇稱卷,或多或寡,悉次時代,概行編列。大約以《漢》、《隋》、兩《唐》、《宋》志爲主,餘如原出之書、私家之目,但有稱述,無不登載。若夫馬融《易注》,分傳解之異;孔奇《春秋》,有删詁之歧;延篤《策論》,或稱《音義》;太尉《牟子》,别名《理惑》,一書兩名,亦附注之。攷中凡《隋志》稱"梁有"者,皆題《七録》。

一、凡案語之例,亦有數端,試括大指,揚榷陳之。夫書之有序,始於《書》、《詩》,古文十六篇佚而序不删,《南陔》三篇詞無而敘亦録,誠欲藉此小文,存其大義。茲依其例,序文必録。如敬仲《訓旨》,録其伏、鼂傳授之言;康成《論注》,録其游、夏撰定之語是也。至文字之異同,本讐校之專責。《尚書》則中文之與今文,異者七百;《孝經》則孔氏之校江氏,多出四章,並著在《緝畧》,記於《漢志》。兹依其例,異同必舉。如高密《易注》,舉其俞滕熇陽之異;司農《詩傳》,舉其衈鄺決佽之文是也。此例《六藝志》最多。其異義者倣此。《漢志》云:"劉向校書,每一書已,輒條其篇目。"葢篇目者,誠造述之機括而考索之鍵鑰也。故通論制度分列《戴記》之篇,見鄭康成《三禮目録》引《别録》。《爰歷》、《博學》備敘《蒼頡》之目。見《漢書》注引《别録》。兹依其例,篇目悉著。如《五經異義》著其《天號》、《罍制》,《漢官儀注》著其《名秩》、《鹵簿》是也。至於《勸學》韻語,偶雜自注之文,《陳留風俗》定爲邑志之祖,平子《渾天儀圖》上有注,叔堅《戰國策注》而近論。若此之類,作者不言其體裁,書傳莫著其恉例,而排比殘闕,可悟涯畧,則體例必攷也。若夫薛君章句,漢夏異論;劉氏《釋名》,珍、熙各録;盧植之禮,兼注其三;蔡邕之經,祇刊其七;應劭《人紀》,不繫《漢官》之篇;許慎《淮南》,并入《道藏》之本。凡斯糾葛,悉爲整齊,則謬誤必辨也。亦有兩人著述,異代同名,如袁、圈、蘇、江,並有《陳留》之傳;楊、陳、曹、薛各著《異物》之志;《十三州志》,應、闞並傳;《兖州先賢》,統、穀同志,羣書所引,誰何莫分。兹特取其首列姓名者,始加徵録,則稱名必標也。昔方興獻《舜典》之逸字,季長記《泰誓》之殘文,拾此斷珪,寶若周鼎,况此書之志在綱散失,存殘缺乎?故孤文隻義,斷句零章,必據録全文,不遺一字,則單辭必存也。凡此七端,均其大畧。雖然,刻舟求劍,通人所戒,言惟其是,體各有宜,小有變通,不復縷覼焉。

一、昔郭象注《莊》,盜向秀之説;法盛作史,奪郗紹之書。志在藏山,行同胠篋,傳爲口實,適資渠軒。茲《志》前有錢、洪,後有勞、侯,洪、勞未見其本,錢氏本無所論。惟君謨之《志》,攷證畧具,知自信鈎稽,可謂勤苦。而謬版盈尺,削之而不盡;譌言在牘,檢之而愈多。此則駑馬負轅,祇許跼步;狶膏棘軸,不能運方。限於材識,徒費研鑽,震聵發聾,静俟魁碩。

補後漢書藝文志

常熟　曾樸　纂

六藝志　内篇第一

紀易、書、詩、禮、樂、春秋、論語、孝經、小學、緯候。

景鸞　易説 卷數佚。

洼丹　易通論七篇

袁京　易難記 卷數佚。

樊英　易章句 卷數佚。

馬融　周易傳十卷

鄭康成　周易注九卷 合《彖》、《象》於經，《彖傳》加"彖曰"二字，《象傳》加"象曰"二字。

荀爽　周易注十一卷 得八卦逸象三十有一。

劉表　周易章句十卷

宋忠　周易注十卷 字仲子，南陽章陵人，荊州五業從事。"忠"或作"衷"。

馮顥　易章句 卷數佚。字叔宰，郪人，官至越巂太守。

袁太伯　易章句 卷數佚

凡易十一部，篇卷數可攷者七篇五十卷。

牟長　尚書章句 卷數佚。

桓氏　大小太常章句 卷數佚。榮及子郁。

張奂　尚書記難 卷數佚。

張奂　減定牟氏尚書章句 卷數佚。

周防　尚書雜記三十二篇

衛宏　尚書訓旨 卷數佚。

賈逵　古文尚書訓 卷數佚。

張楷　尚書注 卷數佚。

馬融　尚書傳十一卷

盧植　尚書章句 卷數佚。

鄭康成　尚書注九卷

劉陶　尚書訓故 卷數佚。

荀爽　尚書正經 卷數佚。

賈逵　尚書今古文同異三卷

劉陶　中文尚書 卷數佚。推三家《尚書》及古文,是正文字七百餘事。

鄭康成　尚書大傳注三卷

凡書十六部,篇卷數可攷者三十二篇二十六卷。

伏氏　齊詩解説九篇 黯及子恭。

景鸞　詩解文句 卷數佚。

薛氏　韓詩章句二十二卷 創於方邱,成於漢,弟子杜撫定之。

杜撫　韓詩注 卷數佚。

趙長君　韓詩譜二卷①

趙長君　詩神淵一卷

張匡　韓詩章句 卷數佚。

謝曼卿　毛詩訓 卷數佚。

鄭衆　毛詩傳 卷數佚。

賈逵　毛詩傳 卷數佚。

賈逵　毛詩雜議難十卷 論《齊》、《魯》、《韓》與《毛詩》異同。

衛宏　毛詩傳 卷數佚。

---

① "長君",原誤倒,據中華書局點校本(以下簡稱中華本)乙正。按,趙日華字長君,曾樸避清諱,稱其字。下"詩神淵"條、"吴越春秋"條及考證同。

衛宏　毛詩序 卷數佚。

馬融　毛詩傳十卷

鄭康成　毛詩箋二十卷

鄭康成　毛詩譜二卷

荀爽　詩傳 卷數佚。

凡詩十七部,篇卷數可攷者九篇六十七卷。

馬融　儀禮注 卷數佚。《喪服經傳注》一卷别行。

盧植　儀禮解詁 卷數佚。

鄭康成　儀禮注十七卷

鄭康成　喪服變除一卷 以戴德《喪服變除》爲本,而附以己意。

鄭衆　婚禮 卷數佚。

何休　冠儀約制 卷數佚。據古禮而參以漢制。

鄭康成　五宗圖一卷

劉表　新定禮一卷 言喪禮。

杜子春　周官注 卷數佚。河南緱氏人,劉歆弟子。

鄭興　周官解詁 卷數佚。

鄭衆　周官解詁 卷數佚。

衛宏　周官解詁 卷數佚。

賈逵　周官解故 卷數佚。

張衡　周官訓故 卷數佚。

馬融　周官傳十二卷 欲省學者兩讀,始具載本文,就經注之。

盧植　周官禮注 卷數佚。

鄭康成　周官禮注十二卷

臨碩　周禮十論七難 卷數佚。字孝存,北海人。以《周官》爲末世瀆亂不驗之書,作此以排棄之。

鄭康成　答臨碩周禮難 卷數佚。

曹充　慶氏禮章句辨難 卷數佚。

曹褒　禮記傳四十九篇
馬融　禮記注 卷數佚。
盧植　禮記解詁二十卷
鄭康成　禮記注二十卷
蔡邕　月令章句十二卷
荀爽　禮傳 卷數佚。
景鸞　月令章句 卷數佚。
曹褒　演經雜論百二十篇
鄭康成　禮議二十卷
鄭康成　魯禮禘祫志 卷數佚。
景鸞　禮畧二卷
鄭康成　三禮目録一卷
鄭康成及阮諶等　三禮圖九卷
劉熙　謚法注三卷 字成國,北海人,官至南安太守。
凡禮三十四部,篇卷數可攷者一百六十九篇一百三十一卷。
桓譚　樂元起二卷
桓譚　琴操二卷
蔡邕　琴操二卷
凡樂三部六卷。
賈逵　春秋三家經本訓詁十二卷
陳元　春秋左氏訓故 卷數佚。
許淑　春秋左氏傳注 卷數佚。字惠卿,魏郡人,官至太中大夫。
孔奇　春秋左氏傳義詁三十一卷 字子異,扶風人。
孔嘉　春秋左氏説 卷數佚。字山甫,扶風人,官至侍中。
賈逵　春秋左氏傳解詁三十卷
延篤　春秋左氏傳注 卷數佚。
彭汪　春秋左氏傳注 卷數佚。字仲博,汝南人。記先師奇説。

服虔　春秋左氏傳解誼三十卷

王玢　春秋左氏達義一卷　漢司徒掾。

賈徽　春秋左氏條例二十一卷

鄭興　春秋左氏條例章句訓故　卷數佚。

鄭衆　春秋左氏傳難記條例九卷

潁容　春秋釋例十卷

賈逵　春秋釋訓一卷

賈逵　春秋左氏經傳朱墨列一卷

鄭衆　春秋删十九篇

服虔　春秋音隱一卷

鄭康成　春秋左氏分野一卷

鄭康成　春秋十二公名一卷

賈逵　春秋左氏長經章句二十卷　難《公羊》、《穀梁》。

何休　春秋左氏膏肓十卷

服虔　春秋塞難三卷

服虔　春秋成長説九卷

服虔　春秋左氏膏肓釋痾十卷

服虔　春秋漢議駮二卷　駮何休。

鄭康成　鍼何氏春秋左氏膏肓　卷數佚。

鄭康成　駮何氏漢議二卷

孔融　春秋雜議難五卷

謝該　左氏釋　卷數佚。

樊儵　删定春秋嚴氏章句　卷數佚。

鍾興　定春秋嚴氏章句　卷數佚。

張霸　減定春秋嚴氏章句　卷數佚。

何休　春秋公羊解詁十二卷

何休　春秋公羊傳條例一卷

何休　春秋公羊文諡例一卷

李育　難春秋左氏義 卷數佚。

戴宏　解疑論 卷數佚。難《左氏》。

何休　公羊墨守十四卷

鄭康成　發公羊墨守 卷數佚。

何休　春秋議十卷

何休　春秋漢議十三卷 以《春秋》駮漢事六百餘。

荀爽　公羊問五卷

段肅　春秋穀梁傳注十四卷 "段"一作"殷"。弘農功曹史。

何休　穀梁廢疾三卷

鄭康成　起穀梁廢疾 卷數佚。

北海靖王睦　春秋旨義終始論 卷數佚。

楊終　改定春秋章句 卷數佚。

劉陶　春秋訓詁 卷數佚。

荀爽　春秋條例 卷數佚。

馬融　三傳異同説 卷數佚。

楊終　春秋外傳十二篇

鄭衆　春秋外傳訓注 卷數佚。

賈逵　春秋外傳國語解詁二十卷

服虔　春秋外傳國語注 卷數佚。

凡《春秋》五十五部,篇卷數可攷者三十一篇三百三卷。

馬融　論語訓 卷數佚。

包咸　論語注 卷數佚。

周氏　論語章句 卷數佚。

鄭康成　論語注十卷 校周之本,以《齊》、《古》讀正。

鄭康成　論語釋義一卷

何休　論語注 卷數佚。

鄭康成　孔子弟子目録一卷

程曾　五經通難 卷數佚。

沛獻王輔　五經通論 卷數佚。

班固等　白虎通德論六卷

曹褒　通義十二篇

許慎　五經異義十卷

鄭康成　駮五經異義 卷數佚。

鄭康成　六藝論一卷

劉表　後定五經章句 卷數佚。

凡論語十五部,篇卷數可攷者十二篇二十九卷。

鄭衆　孝經注二卷

馬融　孝經注二卷

何休　孝經注 卷數佚。

鄭康成　孝經注一卷

高誘　孝經解 卷數佚。涿郡人,官至河東監。

樊光　爾雅注三卷 京兆人,中散大夫。

李巡　爾雅注三卷 宦者。汝陽人。

凡孝經七部,卷數可攷者十一卷。

孝靈皇帝　皇羲篇五十章

杜林　蒼頡訓纂一篇

杜林　蒼頡故一篇

衛宏　古文官書一卷

班固　太甲篇一卷

班固　在昔篇一卷

曹喜　筆論一卷 字仲則,扶風平陵人,官至秘書郎。

王育　大篆解説九篇 《大篆》十五篇,王莽亂亡。建武中,得九篇,育作《解説》。

許慎　說文解字十五卷
賈魴　滂喜篇　卷數佚。字升卿,官郎中。
賈魴　字屬一卷
劉珍　釋名三十篇
崔瑗　飛龍篇一卷
張芝　筆心論五篇
酈炎　酈篇　卷數佚。
酈炎　州書　卷數佚。
蔡邕　勸學篇一卷　皆勗學之言,編爲韻語。
蔡邕　聖皇篇一卷
馬日磾　集羣書古文　卷數佚。
梁孔達　草書篇一卷　漢陽西縣人。
姜孟穎　草書篇一卷　漢陽西縣人。
服虔　通俗文一卷
劉熙　釋名八卷
曹壽　史游急就章解一卷
郭訓　雜字指一卷　字顯卿,官至太子中庶子。
郭訓　古文奇字一卷
一字石經周易三卷
一字石經尚書六卷
一字石經魯詩六卷
一字石經儀禮九卷
一字石經春秋一卷
一字石經公羊傳九卷
一字石經論語二卷
凡小學三十三部,章篇卷數可攷者五十章四十六篇七十三卷。
翟酺　孝經援神鈎命解十二篇

鄭康成　易緯注九卷

鄭康成　尚書緯注六卷

鄭康成　尚書中候注八卷

鄭康成　詩緯注三卷

鄭康成　禮緯注三卷

鄭康成　禮記默房三卷

鄭康成　樂緯注　卷數佚。

鄭康成　春秋緯注　卷數佚。

鄭康成　孝經緯注　卷數佚。

鄭康成　洛書注　卷數佚。

宋衷　易緯注　卷數佚。

宋衷　樂緯注　卷數佚。

宋衷　春秋緯注　卷數佚。

宋衷　孝經緯注　卷數佚。

景鸞　河洛交集　卷數佚。

朱倉　河洛解　字雲卿,什邡人,官至治中從事。

楊統　内讖解説二卷　即孔子内讖。

楊統　家法章句　卷數佚。

荀爽　辨讖　卷數佚。

凡緯候二十部,篇卷數可攷者十二篇三十四卷。

凡六藝二百十一部,章篇卷數可攷者五十章三百十八篇七百三十卷。

記傳志　内篇第二

紀史記、雜史、舊事、雜傳、地域。

宋衷　世本注四卷

孝明皇帝　光武皇帝本紀 卷數佚。

肆仁　晋馮等　續史記 卷數佚。

楊終　删太史公書 卷數佚。

延篤　史記音義一卷

班固　漢書一百二十卷

胡廣　漢書音義 卷數佚。

失名　漢書舊注 卷數佚。

蔡邕　漢書音義 卷數佚。

服虔　漢書音訓一卷

應劭　漢書集解百十五卷

班固　劉珍等　東觀漢記一百四十三卷 起光武,至靈帝。

荀悦　漢紀三十卷

應劭　注荀悦漢紀三十卷

劉艾　漢帝傳六卷 紀靈、獻二帝事。艾官至御史大夫。

何英　漢德春秋十五卷 字叔俊,郫人。

杜撫等　建武注記 卷數佚。

馬明德皇后　孝明皇帝起居注 卷數佚。

長樂宫注 卷數佚。

漢靈帝起居注 卷數佚。

漢獻帝起居注 卷數佚。

凡史記二十一部,卷數可攷者四百六十五卷。

延篤　戰國策論一卷

高誘　戰國策注二十一卷

衛颯　史要十卷 約《史記》要言,以類相從。

吴君高　越紐録 卷數佚。會稽人。

周樹　洞歷十篇 字長生,會稽人,辟從事。上自黄帝,下至漢朝,上通下達,故曰《洞歷》。

侯瑾　皇德傳三十卷　中興以後行事，起光武，至沖帝。

伏無忌　古今注八卷　上自黄帝，下盡汉質。

應奉　漢書述十七卷

應劭　中漢輯序　卷數佚。

荀爽　漢語　卷數佚。集漢事成敗可爲鑒戒者。

袁康　吴平　越絶書十六卷

趙長君　吴越春秋十二卷

凡雜史十二部，篇卷數可攷者十篇一百十五卷。

王隆　小學漢官三篇

胡廣　漢官解詁三篇

胡廣　百官箴四十八篇

應劭　漢官注五卷

應劭　漢官儀十卷

蔡質　漢官典職儀式選用二卷

凡舊事職官之屬六部五十四篇十七卷。

衛宏　漢舊儀四卷

衛宏　中興儀一卷

馬伯第　封禅儀記　卷數佚。

曹褒　漢新定禮百五十篇

胡廣　漢制度　卷數佚。

蔡邕　獨斷二卷

凡舊事禮制之屬六部，篇卷數可攷者一百五十篇七卷。

建武律令故事三卷

陳寵　詞訟比七卷　鮑昱奏定。

陳寵　決事都目八卷　鮑昱奏定。

陳忠　決事比　卷數佚。

叔孫宣　律章句　卷數佚。

郭令卿　律章句 卷數佚。

馬融　律章句 卷數佚。

鄭康成　律章句 卷數佚。

過翔　五曹詔書 卷數佚。兗州刺史。

應劭　律本章句　尚書舊事　廷尉板令　決事比例　司徒都目　五曹詔書　春秋斷獄二百五十篇

應劭　漢朝駮議三十篇 以類相從,凡八十二事。

凡舊事律令之屬十二部,篇卷數可攷者一百八十篇十八卷。

光武皇帝詔饔　京兆耆舊序 卷數佚。

馮翊耆舊序 卷數佚。

扶風耆舊序 卷數佚。

沛國節士序 卷數佚。

魯國名德讚 卷數佚。

廬江先賢讚 卷數佚。

趙岐　三輔決録七卷

袁湯　陳留耆舊傳 卷數佚。字仲河,陳留太守。

鄭廑　巴蜀耆舊傳 卷數佚。字伯邑,臨邛人,官至漢中太守。

趙謙　巴蜀耆舊傳 卷數佚。字彦信①,蜀郡人,官至太尉。

祝龜　漢中耆舊傳 卷數佚。字元靈,南鄭人,官至葭明長。

王商　巴蜀耆舊傳 卷數佚。字文表,廣漢人,官至蜀郡太守。

崔瑗　南陽文學官志 卷數佚。

仲長統　兗州山陽先賢傳讚一卷

圈稱　陳留耆舊傳二卷 字幼舉,官議郎。

曹大家　列女傳注十五卷

馬融　列女傳注 卷數佚。

---

①　"信",原作"言",據《二十五史補編》本改。

劉熙　列女傳注八卷

梁鴻　逸民傳頌　卷數佚。四皓以來二十四人。

應劭　狀人紀　卷數佚。

王閎本事　卷數佚。

楊孚　董卓別傳　卷數佚。

張純別傳　卷數佚。

鍾離意別傳　卷數佚。

樊英別傳　卷數佚。

李郃別傳　卷數佚。

李固別傳七卷

李燮別傳　卷數佚

馬融別傳　卷數佚。

梁冀別傳二卷

鄭康成別傳　卷數佚。

陳寔別傳　卷數佚。

盧植別傳　卷數佚。

何伯求使君家傳一卷

郭泰別傳　卷數佚。

徐穉別傳　卷數佚。

蔡邕別傳　卷數佚。

王允別傳　卷數佚。

趙岐別傳　卷數佚。

孔融別傳　卷數佚。

平原禰衡別傳　卷數佚。

司馬徽別傳　卷數佚。

劉根別傳　卷數佚。

蘇耽傳一卷　《成武丁傳》附。

荀采別傳　卷數佚。

蔡文姬別傳 卷數佚。

鄧氏官譜 卷數佚。

凡雜傳四十七部,卷數可攷者四十四卷。

光武皇帝詔簑　南陽風俗傳 卷數佚。

楊終　哀牢傳 卷數佚。

張衡　地形圖一卷

王逸　廣陵郡圖經 卷數佚。

班勇　西域記 卷數佚。

盧植　冀州風土記 卷數佚。

應劭　十三州記 卷數佚。

應劭　地理風俗記卷數佚。

趙寧　鄉俗記 卷數佚。

楊孚　異物志一卷

楊孚　交州異物志一卷

圈稱　陳留風俗傳三卷

朱瑒　九江壽春記 卷數佚。

凡地域十三部,卷數可攷者六卷。

凡記傳一百一十七部,篇卷數可攷者四百九十四篇六百七十二卷。

子兵志　内篇第三

紀儒、道、陰陽闕**、法、名**闕**、墨**闕**、從横、雜家、農、小説、兵。**

程曾　孟子章句 卷數佚。

劉陶　復孟子 卷數佚。

鄭康成　孟子注七卷

趙岐　孟子章句十四卷

高誘　正孟子章句 卷數佚。

劉熙　孟子注七卷

張衡　太玄經注 卷數佚。

崔瑗　太玄經注 卷數佚。

宋衷　太玄經注九卷

宋衷　法言注十三卷

梁鴻書 卷數佚。

蘇竟　記誨篇 卷數佚。

周黨書二篇

郅惲書八篇

桓譚　新論十七卷

韋卿子十二篇 名彪。

鄒伯奇　元思 卷數佚。東番人。

鄒伯奇　檢論 卷數佚。

唐子三十餘篇 名羌，字伯游。官臨武長。

王符　潛夫論十卷

王逸　正部論十卷

梁竦　七序 卷數佚。

魏子十卷 名朗。

應奉　後序十二卷

荀爽　新書 卷數佚。

李固弟子　德行一篇

陳子 卷數佚。名紀。

荀悅　申鑒五卷

王子五篇 名祐，字平仲，鄭人。弟獲志其遺言，作《王子》。

曹大家　女誡一卷

荀爽　女誡 卷數佚。

蔡邕　女史篇一卷

凡儒三十二部,篇卷數可攷者五十八篇一百一十六卷。

馬融　老子注　卷數佚。

鄭康成　老子注　卷數佚。

王充　養性書十六篇

劉陶　匡老子　卷數佚。

想爾老子注二卷　一云張魯,或云劉表。

牟子二卷　一云太尉牟融,一云牟子博傳。

馮顥　刺奢説　卷數佚。

凡道七部,篇卷數可攷者十六篇四卷。

陰陽　闕。

王充　政務書　卷數佚。

李尤　政務論七篇

劉陶　反韓非　卷數佚。

崔寔　政論六卷

凡法四部,篇卷數可攷者七篇六卷。

名　闕。

墨　闕。

杜篤　明世論十五篇

凡從横一部十五篇。

許慎　淮南子注二十一卷

馬融　淮南子注　卷數佚。

高誘　淮南子注二十一卷

高誘　吕氏春秋注二十六卷

王充　論衡二十九卷

王充　譏俗節義十二篇

唐子二十八篇　名檀。

侯瑾　矯世論 卷數佚。

應奉　洞序九卷　録一卷

應劭　風俗通義三十卷

仲長統　昌言十二卷　録一卷

何汶　世務論三十篇

凡雜十二部,篇卷數可攷者七十篇一百四十一卷。

崔寔　四民月令一卷

凡農一部一卷。

陳寔　異聞記 卷數佚。

張道陵　峨嵋山神異記三卷

凡小説二部三卷。

楊由　兵雲圖 卷數佚。

凡兵一部無卷數。

凡子兵六十部,篇卷數可攷者一百六十六篇二百七十一卷。

文翰志　内篇第四

紀詩、賦、雜文。

馬融　離騷注 卷數佚。

王逸　楚辭章句十七卷

應奉　感騷三十篇

孝明皇帝詔賽　畫讚五十卷 起庖犧,五十雜畫讚。

孝明皇帝太子　歌詩四章

孝章皇帝　靈臺十二門詩十二章

劉復　漢德頌 卷數佚。

劉毅　漢德論並憲論十二篇 元初元年上。

曹朔　漢頌四篇

永平神雀頌　卷數佚。永平十四年,百官上頌。

孝竹頌　卷數佚。章帝三年上。

楊終　述鴻業十五章

東平王蒼所著章奏、書、記、賦、頌、七言、别字、歌詩五卷

北海敬王睦所著賦、頌　卷數佚。

桓譚所著賦、誄、書、奏二十六篇

陳元所著一卷

班彪所著賦、論、書、記、奏事九篇

王隆所著詩、賦、書、銘二十六篇

夏恭所著賦、頌、詩、勵學二十篇

夏牙所著賦、頌、讚、誄四十篇

朱勃所著二卷　雲陽令。

馮衍所著賦、誄、銘、説、問交、德誥、慎情、書記説、自序、官録説、策五十篇

杜篤所著賦、誄、弔、書、讚、七言、女誡、雜文十八篇

衛宏所著賦、頌、誄七首

班固所著典引、賓戲、應譏、詩、賦、銘、誄、頌、書、文記、論議、六言四十一篇

賈逵所著詩、頌、誄、書、連珠、酒令九篇

賈逵　東平王蒼世祖受命中興頌訓故　卷數佚。

傅毅所著詩、賦、誄、頌、祝文、七激、連珠二十八篇

梁鴻所著二卷

崔駰所著詩、賦、銘、頌、書、記、表、七依、婚禮結言、達旨、酒警二十一篇

崔瑗所著賦、碑、銘、箴、頌、七蘇、歎辭、移社文、悔忻、草書勢、七言五卷

崔琦所著賦、頌、銘、誄、箴、弔、論、九咨、七言十五篇

崔寔所著碑、論、箴、銘、答、七言、祠文、表、記、書十五篇[①]

崔烈所著詩、書、教、頌四篇

張衡所著詩、賦、銘、七言、應間、七辨、巡誥十二卷

馬融所著賦、頌、碑、誄、書、記、表、奏、七言、琹歌、對策、遺令二十一篇

李固所著章、表、奏、議、教、令、對策、記、銘十一篇

高彪所著二卷

劉珍所著誄、頌、連珠七篇

劉騊駼所著賦、頌、書、論四篇

皇甫規所著賦、銘、碑、讚、禱文、弔、章表、教令、書、檄、牋記二十七篇

張奐所著銘、頌、書、教戒、述志、對策、章表二十四篇

朱穆所著論、策、奏、教、書、詩、記、嘲二十篇

趙壹所著頌、箴、誄、書、論、雜文十六篇

黄香所著賦、牋、奏、書、令五篇

蘇順所著賦、論、誄、哀辭、雜文十六篇

曹衆所著誄、書、論四篇　字伯師，扶風人。

楊厚所著二卷　字仲桓，廣漢新都人。

葛龔所著文、賦、碑、誄、書、記二十篇

竇章所著二卷

張綱所著　卷數佚。

李尤所著詩、賦、銘、誄、頌、七歎、哀典二十八篇

李勝所著詩、誄、論、頌　卷數佚。字茂通，官東觀郎。

胡廣所著詩、賦、銘、頌、箴、弔二卷　録一卷

王逸所著賦、誄、書、論、雜文二十一篇

---

① “祠”，原作“詞”，據中華本《後漢書》改。

王逸　漢詩百二十三篇

王延壽所著三卷

荀爽所著三卷　録一卷

荀悦所著　卷數佚。

盧植所著碑、誄、表、記六篇

鄭康成所著二卷　録一卷

廉品所著二卷　議郎。

侯瑾所著二卷

桓麟所著碑、誄、讚、説、書二十一篇

桓彬所著七説、書三篇

邊韶所著詩、頌、碑、銘、書、策十五篇

延篤所著詩、論、銘、書、應訊、表、教令二十篇

蔡邕所著碑、誄、銘、讚、連珠、箴、弔、論議、獨斷、裁出入舊事。勸學、入小學。釋誨、敘樂、女訓、入儒家。篆勢、祝文、章、表、書、記二十卷　録一卷

蔡邕　典引注一卷

酈炎所著二卷　録二卷

劉陶所著上書、條教、賦、奏、書、辨疑二卷　録一卷

張升所著賦、誄、頌、碑、書六十篇

劉梁所著二卷　録一卷

士孫瑞所著二卷　字君榮,扶風人。

張超所著賦、頌、碑文、薦、檄、牋、書、謁文、嘲十九篇

服虔所著賦、碑、誄、書、記、連珠、九憤　卷數佚。

應劭所著四卷

孔融所著詩、頌、碑文、論、議、六言、策文、表、檄書、教令、書、記二十五篇

張劭所著五卷

禰衡所著二卷　録一卷

傅幹所著 卷數佚。字彦材,或作"彦林",北地人,官丞相曹屬。

周不疑所著文、論四篇 字元直,零陵人。

班昭所著賦、頌、銘、誄、問注、哀辭、書、論、上疏、遺令十六篇

蔡文姬所著一卷

徐淑所著一卷 黄門郎秦嘉妻。

凡文翰八十六部,章篇卷數可攷者三十一章八百一十一篇一百六十五卷。

數術志　内篇第五

紀天文、曆譜、五行、雜占、形法。

張衡　靈憲一卷

張衡　渾天儀注一卷

張衡　懸圖一卷

張衡　算罔論 卷數佚。

劉陶　七曜論 卷數佚。

鄭康成　日月交會圖注一卷

鄭康成　天文七政論 卷數佚。

劉叡　荆州星占二十卷 武陵太守。

趙嬰　周髀算經注一卷 字君卿。"嬰"或作"爽"。

凡天文九部,卷數可攷者二十五卷。

李梵　四分曆四卷 清河人。

霍融　漏刻經一卷 待詔太史。

劉洪　乾象曆注五卷 字元卓,泰山蒙陰人,官山陽太守。

劉洪　七曜曆 卷數佚。

鄭康成　乾象曆注 卷數佚。

蔡邕　中台要解 卷數佚。

凡曆譜六部,卷數可攷者十卷。

孝明皇帝　五家要説章句 卷數佚。五家,五行之家也。

王景　大衍元基 卷數佚。集衆家術數文書、冢宅禁忌、堪輿日相之屬,適於事用者爲之。

楊由　其平 卷數佚。元氣風雲占候之屬。

張衡　黄帝飛鳥曆一卷

何休　風角七分注 卷數佚。

鄭康成　九宫經注一卷

鄭康成　九宫行棊經注三卷

鄭康成　九旗飛變一卷

郗萌　春秋災異十五卷

郗萌　秦災異一卷

劉根　墨子枕内記 卷數佚。

景鸞　興道一篇

凡五行十二部,篇卷數可攷者一篇二十二卷。

王喬　解鳥語經一卷

王喬　鳥情占一卷

許峻　易新林一卷

許峻　易訣一卷

許峻　易雜占七卷

許峻　易災條一卷

凡雜占六部,卷數可攷者十二卷。

馬援　銅馬相法 卷數佚。

凡形法一部,無卷數。

凡數術三十四部,篇卷數可攷者一篇六十九卷。

方伎志　內篇第六

紀醫經、經方、神仙、房中。

涪翁　鍼診脉法 卷數佚。

蔡邕　本草七卷

衛汎　四逆三部厥經一卷

衛汎　婦人胎藏經一卷

華陀　枕中灸刺經一卷

華陀　内事五卷

華陀　觀形察色并三部脉經一卷

凡醫經七部，卷數可攷者十六卷。

郭玉　經方頌説 卷數佚。

李助　經方頌説 卷數佚。

張機方十五卷

張機　辨傷寒論十卷

張機　評病要方一卷

張機　療婦人方二卷

衛汎　小兒顱顖方一卷

凡經方七部，卷數可攷者二十九卷。

王喬　養性治身經三卷

陰長生　金丹訣注一卷 新野人。

陰長生　修真君五精論一卷

魏伯陽　周易參同契二卷

魏伯陽　五行相類一卷

魏伯陽　内經一卷

魏伯陽　大丹記一卷

魏伯陽　大丹九轉歌訣一卷

魏伯陽　七返靈砂歌一卷

魏伯陽　火鑑周天圖一卷

魏伯陽　龍虎丹訣一卷

魏伯陽　感應訣一卷

魏伯陽　蓬萊山東西竈還丹歌一卷

魏伯陽　百章集一卷

徐氏　周易參同契注三卷　青州人,官從事。

張道陵　中山玉櫃神氣歌一卷　字輔漢,沛國豐人。

張道陵　剛子丹訣一卷

張道陵　神仙得道靈藥經一卷

張道陵　二十四治圖　卷數佚。

華陀　老子五禽六氣訣一卷

凡神仙二十部,卷數可攷者二十四卷。

甘始　容成玄素法一卷

凡房中一部一卷。

凡方伎三十五部,卷數可攷者七十卷。

道佛志　外篇全

太平清領書百七十卷　順帝時,宫崇上云:"其師于吉得於曲陽泉上。"或云即崇作。

上清金液神丹經一卷　馬明生授陰長生。

玉佩金璫經　卷數佚。裴君授戴孟,孟本姓燕,名濟,字仲微,又字公柏,明帝時人,入武當山。

太微黄書　卷數佚。裴君授戴孟。

陰長生　修三皇經一卷

樊英　石壁文三卷

魏伯陽　太上金碧經二卷

凡道經七部,卷數可攷者一百七十七卷。

攝摩騰譯　四十二章經一卷

竺法蘭譯　十地斷結經 卷數佚。

竺法蘭　佛本生經 卷數佚。

竺法籣　法海藏經 卷數佚。

竺法蘭　佛本行經 卷數佚。

安世高譯　道地經一卷

安世高　安般守意經二卷

安世高　大小十二門論一卷

安世高　百六十品經

安世高　陰持入經二卷

安世高　明度校計經二卷

安世高　漏分布經一卷

安世高　是法非法經一卷

安世高　一切流攝守因緣經一卷

安世高　七處三觀經二卷

安世高　九橫經一卷

安世高　分正道經一卷

安世高　五陰譬喻經一卷

安世高　轉法輪經一卷

安世高　普法義經一卷 一名《是法行經》。

安世高　梵網六十二見經一卷

安世高　惟思經一卷 一名《惟思要畧》。

安世高　請賓頭盧法一卷

安世高　阿含口解十二因緣經一卷

安世高　阿毗曇五法行經一卷
支讖譯　泥洹經二卷
支讖　孛本經二卷
支讖　遺日說般若經一卷
支讖　佛說兜沙經一卷
支讖　般若道行經十卷
支讖　般舟經
支讖　首楞嚴經
支讖　阿闍王　寶積經百二十卷
安元譯　法鏡經二卷
嚴佛調十慧
支曜譯　成具定意經一卷
支曜　小本起
康巨譯　問地獄事經
康孟詳譯　中本起二卷
康孟詳　修行本起二卷
凡佛經四十部,卷數可攷者一百六十七卷。
凡道佛四十七部,卷數可攷者三百四十四卷。
大凡書内、外篇,七志,三十七種,五百九十部,章篇卷數可攷者八十一章一千七百九十篇二千三百二十一卷。

補後漢書藝文志終

補後漢書藝文志攷卷一

常熟　曾樸　纂

六藝志内篇第一之一

紀易、詩、書。

景鸞　易説　卷數佚。

范蔚宗《後漢書》："鸞能理施氏《易》，兼受《河》、《洛》圖緯，作《易説》。"

陳壽《益部耆舊傳》："鸞少隨師學，涉七州之地，作《易説》。"

洼丹　易通論　《東觀漢記》：七卷。范《書》七篇；陸德明《經典釋文·敘録》：七篇。

范《書》："世傳孟氏《易》，作《易通論》七篇，世號《洼君通》。"

《東觀漢記》："丹作《通論》七卷，世傳之，號曰《洼君通記》。"

案虞世南《北堂書鈔》九十五引"兩儀，天地也；四象，春木、夏火、秋金、冬水；八卦，乾坤之屬"，稱《易通論》。

袁京　孟氏易難記　卷數佚。

范書《袁安傳》："子京習孟氏《易》，作《難記》三十萬言。"

樊英　易章句　卷數佚。

范《書》："英習京氏《易》，著《易章句》，世名樊氏學。"

馬融　周易傳　阮孝緒《七録》：九卷。《隋書·經籍志》："梁有一卷。"新、舊兩《唐書·藝文志》均作"十卷"，《釋文·敘録》同，均稱"章句"。又作"解"，又作"注"。

范書《儒林傳》："陳元、鄭衆皆傳費氏《易》，其後馬融亦爲其傳。"

荀悦《漢紀》:“孝桓帝時,故南郡太守馬融著《易解》,頗生異説。”

顔延之《庭誥》曰:“馬、陸得其象數,取之於物;荀、王舉其正宗,得之於心。”

虞翻《易注·自序》曰:“馬融名有俊才,其所解釋,不及荀諝。”

朱震《漢上易傳》曰:“費氏之《易》,至馬融始作《傳》。融傳康成,康成始以《彖》、《象》連經文。”

朱彝尊《經義攷》云:“馬氏《易傳》見於《釋文》。與今《易》異者:‘聖人作而萬物覩’作‘聖人起’;‘婚媾’作‘冓’,云重昏也;‘擊蒙’作‘繫蒙’;‘血去’作‘恤去’;‘履愬愬’作‘虩虩’;‘天道虧盈’作‘毁盈’;‘介於石’,‘介’作‘扴’,云觸小石聲;‘由豫’作‘猶豫’,云疑也;‘盍簪’作‘臧’;‘天命不祐’作‘右’;‘百果草木皆甲拆’作‘甲宅’,云根也;‘萃亨’无‘亨’字;‘德之修也’,‘修’作‘循’”。

張惠言《易義别録》曰:“費氏古文《易》,後漢陳元、鄭衆皆無著書,有書自馬融始。融爲《易傳》,授鄭康成,大抵以《乾》、《坤》十二爻論消息,以人道政治議卦爻,此鄭所本於馬也。馬於象疎,鄭合之以爻辰;馬於人事雜,鄭約之以《周禮》;此鄭所以精於馬也。”

侯康《補志》曰:“虞氏所譏馬者,如以《坤》西南、東南爲孟秋、孟春;以《大過》初爲女妻,上爲老婦;以《艮卦》厲閽心爲熏灼其心,皆是也。”又曰:“朱氏所引異文猶未備,如《訟》‘有孚室’作‘咥’,‘失得勿恤’作‘矢得夷於’,‘左股’作‘左般’,‘後説之弧’作‘壺’,‘範圍天地’作‘犯違’,《繫辭傳》‘覆公餗’作‘公粥’,皆與今本異者也。”

又曰:“馬《傳》中如以爻辭爲周公作,以王用三驅爲乾豆、賓客、君庖，以盥而不薦爲灌爵牲，以利用禴爲殷春祭名，以大衍之數五十爲太極、兩儀、日月、四時、五行、十二月、二十四氣，皆鄭所不從。”

案朱氏所引“聖人作而萬物覩”，“聖人作”作“聖人起”，蓋據《釋文》。今攷裴駰《史記集解》引馬融《易傳》“聖人作而萬物覩”注：“作，起也。”據此則“起”字爲馬氏訓解，非本文有異。又朱氏曰“婚媾作冓”，案《釋文》云：“馬云重婚，本作冓。”據此，則“重婚”爲馬解，“本作冓”三字，隨文連及，未必定指馬本，朱氏失之。

又案《釋文》引《有孚》“咥惕中吉”，馬云：“咥讀爲躓，猶止也。”而“成位乎其中”，“成”字上有“易”字，此亦與今《易》異者。至於“需有孚光亨貞吉”，《釋文》引馬，總爲一句。又《易正義》云“馬季長又分白茅章後取負且乘别爲一章”，此則其章句亦多與今不同。

鄭康成　周易注　《隋志》：九卷。《舊唐志》同。《釋文·序録》、《新唐志》：十卷。

《自序》曰：“爲袁譚所逼，來至元城，乃注《周易》。”

陸澄曰：“王弼注《易》，玄學之所宗。今若宏儒，鄭注不可廢。”

《北史》曰：“鄭氏所注《周易》，徐遵明以傳盧景裕及清河崔瑾，景裕傳權會郭茂。”

《隋書》曰：“鄭康成、王弼二注，梁、陳列於國學，齊代惟傳鄭義。至隋，王注盛行，鄭學寖微，今殆絶矣。”

王堯臣等《崇文總目》曰：“今惟《文言》、《説卦》、《序》、《雜卦》，合四篇止，餘皆逸。”

朱震曰：“鄭氏傳馬融之學，多論互體。”

《三國志·魏志·高貴鄉公紀》：“淳于俊曰：‘鄭康成合《彖》、《象》於經，欲使學者尋省易了。’”

《周易正義》:"鄭玄作《易贊》及《易論》。"

吴仁傑《易圖説》曰:"鄭康成《易》省去六爻之畫,又省去用九用六。《覆卦》之畫移上下體於卦畫之下,又移卦名於兩體之下,又移初九至用九爻位之文加之爻辭之上。又合《彖傳》、《象傳》於經,於《彖傳》加'彖曰'二字,於《象傳》加'象曰'二字。"

馮椅《厚齋易學·序》曰:"鄭氏《易》,《隋志》:九卷。《唐志》:十卷。不知何緣增一卷。《崇文總目》止有一卷,'惟《文言》、《説》、《序》、《雜卦》合四篇,餘皆逸'。《中興書目》:亡。"

王應麟輯本序曰:"康成注《易》九卷,多論互體。江左與王輔嗣學並立,顔延之爲祭酒,黜鄭置王。齊陸澄《貽王儉書》云:'《易》自商瞿之後,雖有異家之學,同以象數爲宗,數年後乃有王弼之説。'王濟云:'弼所誤者多,何必能頓廢前儒? 河北諸儒專主鄭氏。隋興,學者慕弼之學,遂爲中原之師,唐因之。今鄭注不傳,此景迂晁氏所慨歎也。'李鼎祚云:'鄭多參天象,王全釋人事,《易》道豈偏滯於天、人者哉。'合《彖》、《象》於經,葢自康成始,其説間見於鼎祚《集解》及《釋文》、《易》、《詩》、三《禮》、《春秋義疏》、《後漢書》、《文選注》,乃於讀《易》之暇,輯爲一卷,庶使先儒象數之學,猶有攷焉。"又曰:"鄭康成《詩箋》多改字,其注《易》亦然。如'包蒙',謂'包'當作'彪',文也;《泰》'包荒',謂'荒'讀爲'康',虚也;《大畜》'豶豕之牙',謂'牙'讀爲'互';《大過》'枯楊生荑',謂'枯'音'姑',山榆也;《晋》'錫馬蕃庶'讀爲'蕃遮',謂蕃遮,禽也;《解》'百果艸木皆甲拆'作'甲宅','皆'讀如'解','解'謂拆,呼皮曰甲,根曰宅;《困》'劓刖'當爲'倪仉';《萃》'一握爲笑'讀爲'夫三爲屋'之'屋';《繫辭》'道濟天下'之'道'當作'導';'言天下之至賾','賾'當爲'動';《説卦》'爲乾卦'當爲‘幹’,其説多鑿。”

又曰:“何休見鄭玄注《易》,謂其道出繫表。”

《經義攷》曰:“鄭氏之《易》與王輔嗣本不同者甚多,如‘爲其嫌於无陽也’,‘嫌’作‘謙’;‘君子以經綸’作‘論’;‘君子幾’作‘機’;‘包蒙’,‘包’作‘彪’;‘需’讀爲‘秀’;‘需於沙’作‘沚’;‘致寇’作‘戎’;‘患至掇也’,‘掇’作‘惙’;‘終朝三褫’之‘褫’作‘拕’;‘王三錫命’,‘錫’作‘賜’;‘乘其墉’作‘庸’;‘明辨晢也’,‘晢’作‘遰’;‘裒多益寡’,‘裒’作‘捊’;‘舍車而徒’,‘車’作‘輿’;‘賁如皤’,‘皤’作‘蹯’;‘頻復’作‘顰復’;‘枯楊生梯’作‘荑’;‘不鼓缶而歌’作‘擊缶’;‘則大耋之嗟’下無‘凶’字;‘離王公也’,‘離’作‘麗’;‘浚恒’作‘濬恒’;‘或承之羞’,‘或’作‘咸’;‘羸其角’,‘羸’作‘纍’;‘不詳也’,‘詳’作‘祥’;‘失得勿恤’作‘矢得勿恤’;‘文王以之’作‘似之’;‘夷於左股’,‘夷’作‘睇’;‘其牛掣’作‘犁’;‘先張之弧,後説之弧’,‘弧’作‘壺’;‘宜待也’作‘宜待時也’;‘懲忿窒欲窒’作‘躓’;‘壯于頄’作‘頯’;‘其行次且’作‘趑且’;‘姤’作‘遘’;‘后以施命誥四方’作‘詰四方’;‘升’作‘昇’;‘劓刖’作‘倪仉’;‘其形渥’作‘剭’;‘列其夤’作‘膑’;‘遇其配主’,‘配’作‘妃’;‘豐其蔀’作‘菩’;‘豐其沛’作‘韋’;‘日中見沬’作‘昧’;‘天際翔也’,‘翔’作‘祥’;‘麗澤兑’作‘離澤’;‘所樂而玩者’,‘玩’作‘翫’;‘故君子之道鮮矣’,‘鮮’作‘尟’;‘藏諸用’,‘藏’作‘臧’;‘議之而後動’作‘儀之’;‘有功而不德’作‘不置’;‘冶容’作‘野容’;‘又以尚賢也’作‘有以’;‘暴客’作‘虣客’;‘雜物撰德’,‘撰’作‘算’;‘爲廣顙’作‘黄顙’;‘爲科上槁’作‘槀’;‘爲黔喙之屬’作‘黚喙’;‘蠱則飭也’,‘飭’作‘節’。當日河北諸儒專主鄭學,今則王伯厚所集一卷外,見於陸氏《釋文》者僅此爾。”

盧見曾重校本序曰:“往余讀《五經正義》所采鄭《易》,間及爻辰,初未知爻辰爲何物,及攷鄭注《周禮》太師與韋宏嗣昭注《周語》,乃律家合辰、樂家合聲之法。葢乾、坤十二爻,左右相錯,《乾鑿度》所云‘間時而治六爻’,故謂之爻辰也。漢儒説《易》,並有家法,其不苟作如此。”

孫堂重校輯本跋云:“宋王應麟集鄭康成《易注》一卷,明姚士麟又增入二十五條,見《秘册彙函》《易解》附録後語。惠徵君棟因其摭采未備,復取而補正之,每條注明原書出處,釐爲三卷,較王氏原本共多九十二條,又作《十二月爻辰圖》、《爻辰所值二十八宿圖》,以闡明鄭學,好古者咸快心焉。然此書止有雅雨堂槧本,内尚有訛脱者,有未注書所出者,堂因爲之正其訛,補其脱。其所未注者,并有所出,不一書;玄注未備列者,今備列之。其古文之異於今文者,則别爲《補遺》一卷,附録惠氏原書之後。葢不敢與惠書相亂故也。”

案朱氏所引異文猶未備,其見於《釋文》者,“渝安貞吉”,“渝”作“俞”,云“然也”。《釋文》但云:“渝,然也。”然攷《爾雅·釋言》“渝,變也”,“俞,然也”。鄭既以然釋渝,則其本作“俞”可知。《釋文》作“渝”者,傳刻之譌。見於《正義》者,“滕口説也”,“滕”作“媵”。見於吕氏《古易音訓》者,“家人嗃嗃”,“嗃”作“熇”,云“苦熱之意”;“爲羊”,“羊”作“陽”,云“此陽謂養无家女,行賃炊爨,今時有之,賤於妾也”。又朱氏云:“‘爲其嫌於无陽也’,‘嫌’作‘謙’。”樸案《詩·采薇》正義引鄭《周易注》云:“慊,本作‘嫌’,據阮元説校正。讀如‘羣公溓’之‘溓’。本誤作‘慊’,據阮説校正。古書篆作立心,與水相近,讀者失之。慊,雜也。”據此,則漢時“嫌”本作“慊”,鄭君據義知其形譌,改讀爲溓,非謙也。《釋文》亦作“溓”,不作“謙”。

又案王氏謂鄭説《易》多改字,今攷除王氏已引外,如“履霜堅冰至”,“履”讀爲“禮”;“天造草昧宜建侯而不寧”,“而”讀爲“能”,能,安也;“順以巽也”,“巽”當作“遜”;《需卦》之“需”讀爲“秀”,六四“撝謙”讀“撝宣”,上六“冥豫”,“冥”讀爲“鳴”,九五“衹既平”,“衹”當爲“坻”,小邱也。以上均見《釋文》。“爲龍”,“龍”讀爲“龙”,云“取日出時色雜也”。見《漢上易傳》。此類皆是。

又案《宋史·藝文志》載有鄭玄《文言注義》一卷,此即宋時鄭《易》殘本。攷《崇文總目》云:“鄭康成《周易注》一卷,存《文言》、《説卦》、《序》、《雜卦》,合四篇止,餘皆佚。”可知《宋志》所載即此。

荀爽　周易注 《隋志》:十一卷。《新》、《舊唐志》:十卷。

《漢紀》曰:“臣悦叔父故司徒爽著《易傳》,據爻象承應陰陽變化之義,以十篇之文解説經意。由是兖、豫之言《易》者咸傳荀氏學。”

虞翻曰:“漢初以來,海内英才其讀《易》者解之率少。至孝靈之際,潁川荀諝號爲知《易》,臣得其注,有愈俗説,至所説西南得朋,東北喪朋,顛倒反逆,了不可知。孔子歎《易》曰:‘知變化之道者,其知神之所爲乎?’以美大衍四象之作,而上爲章首,尤可怪笑。”

鄒湛《易統畧》曰:“《易》‘箕子之明夷’,荀爽訓‘箕’爲‘荄’,詁‘子’爲‘滋’,漫衍無經,不可致詰。”

程迥《古周易章句》曰:“荀爽於《説卦》添物象以足卦爻所載,查元章謂不須添,添亦不盡。”

朱震曰:“秦漢之時,《易》亡《説卦》。孝宣時,河内女子發老屋,得《説卦》。至後漢荀爽,又得八卦逸象三十有一。”

吴仁傑曰:“《易》爻三百八十六,諸儒但知三百八十四爻耳。獨荀爽論八純卦之爻,通用九用六而爲五十,他未有以爲言者。”

王應麟曰:“荀爽《易》,其説見於李鼎祚《集解》,若《乾》升於《坤》曰雲行,《坤》降於《乾》曰雨施;《乾》起《坎》而終於《離》,《坤》起《離》而終於《坎》,《離》、《坎》者,乾坤之家而陰陽之府,故曰大明終始。皆諸儒所未發。”

朱彝尊曰:“荀氏《易注》,見於《釋文》所引,其文不同於今者,‘陰疑於陽’,‘疑’作‘凝’;‘爲其嫌於无陽也’,‘嫌’作‘嗛’;‘財成天地之道’作‘裁成’;‘裒多益寡’,‘裒’作‘桴’;‘朋盍簪’作‘宗’;‘賁如皤如’,‘皤’作‘波’;‘蔑貞凶’作‘滅’;‘其欲逐’,‘逐’作‘悠悠’;‘大耋之嗟’作‘差’,下‘戚嗟若’亦爾;‘出涕沱若’,‘沱’作‘池’;‘咸其拇’作‘母’,‘解而拇’同;‘咸其腓’作‘肥’;‘有疾憊也’,‘憊’作‘備’;‘文王以之’作‘似之’;‘家人嗃嗃’作‘確確’;‘其牛掣’作‘觭’;‘以正邦也’,爲漢諱作‘國’;‘已事遄往’,‘遄’作‘顓’;‘惕號’,‘惕’作‘錫’;‘包有魚’,‘包’作‘胞’;‘聚以正也’,‘聚’作‘取’;‘君子以除戎器’,‘除’作‘慮’;‘劓刖’作‘臲甈’;‘井谷射鮒’,‘射’作‘耶’;‘并收勿幕’,‘收’作‘甃’;‘震來虩虩’作‘愬愬’;‘震遂泥’作‘隊’;‘列其夤’作‘腎’;‘厲薰心’,‘薰’作‘動’;‘婦孕不育’,‘孕’作‘乘’;‘歸妹以須’作‘嬬’;‘月幾望’作‘既望’,《中孚》同;‘雖旬’作‘均’;‘匪夷所思’,‘夷’作‘弟’;‘婦喪其茀’作‘紱’;‘言天下之至賾而不可惡也’,‘惡’作‘亞’;‘可與祐神矣’,‘祐’作‘侑’;‘六爻之義易以貢’,‘貢’作‘功’;‘爲矯輮’作‘撓’;‘爲亟心’作‘極心’;‘豐多故親’,句。‘寡旅也’,别爲句。”

馬國翰《玉函山房輯佚書》《周易荀氏注序》:“鄒湛譏荀爽訓‘箕’爲‘荄’,詁‘子’爲‘滋’,謂漫衍無經,不可致詰。查元章譏荀於《説卦》添物象,謂不須添,添亦不盡。不知‘箕子’之義，取蜀趙賓傳孟喜之説也。八卦逸象，費氏古文有之，三家脱佚耳。荀傳費學，參用孟氏，正其篤古之深，非有所失。況陰陽升降，洞見本原。虞仲翔稱潁川荀諝號爲知《易》，且謂馬融有俊才，解釋復不及之，亦何可淺窺虚擬，妄生詆訾耶！”

侯康曰：“荀傳如解《大過》以初爲女妻，二爲老夫，五爲士夫，上爲老婦。解《艮卦》以‘厲薰心’爲誤，而改作‘動’。皆虞氏所譏。”

案荀氏異文，其見於《釋文》者，如“君子體仁足以長人”，“體仁”作“體信”；“利物足以和義”，“利物”作“利之”；“由辯之不早辯也”，“辯”作“變”；“艮其趾”，“趾”作“止”；“聖人以此洗心”，“洗”作“先”；“以神明其德夫”，“夫”字絶句；“爲瘠馬”，“瘠”作“柴”；“爲馬足”，“馬足”作“末足”。見於李鼎祚《周易集解》者，“君子以懲忿窒欲”，“懲”作“徵”，“欲”作“慾”，皆朱氏所未及。

又案荀解“西南得朋，東北喪朋”，謂陰起於午，至申三陰，得坤一體，故曰“西南得朋”；陽起於子，至寅三陽，喪坤一體，故曰“東北喪朋”。又解“臨至於八月，有凶”，謂《兑》爲八月。此二條皆爲虞氏所譏，見《集解》。

劉表　周易章句　荀勗《中經簿録》：十卷。《七録》：九卷，《目録》一卷。《隋志》：五卷。《新》、《舊唐志》同。

王粲《漢末英雄記》：“表開立學官，博求儒士，使綦毋闓、宋忠等撰定《五經章句》。”

《易義别録》：“景升《章句》，闕畧難攷。”

侯康曰：“其義於鄭爲近，大要費氏《易》也”。

案正義引“君子以經綸”，“綸”作“論”。鄭本同。《古易音訓》引“以律否藏凶”，“否”作“不”。荀本同。晁氏《録古周易》引“月幾望”，“幾”作“近”；“顛頤拂經”，“拂”作“弗”。《釋文》

引“其欲逐逐”,“逐逐”作“悠悠”,謂“遠也”;“習坎”,“坎”作“欿”,謂“陷也”;“寘於叢棘,“寘”作“示”;“其牛掣”,“掣”作“觢”;“懲忿窒欲”作“澂忿躓欲”;“孚乃利用禴”,“禴”作“爚”;“知以藏往”,“藏”作“臧”,謂“善也”。案劉氏此書,《集解》、《釋文》、晁氏《古周易》、吕氏《古易音訓》引之甚多,兹標異於今《易》者。

宋忠或作“衷”。**周易注**　《七志》、《七録》:十卷。《新》、《舊唐志》卷数同。《釋文·敘録》:九卷。

《釋文·敘録》:“衷字仲子,南陽章陵人,荆州五等從事。”《隋志》:“荆州五業從事。”

虞翻曰:“北海鄭康成、南陽宋忠,雖各立注,忠小差康成,而皆未得其門,難以示世。”

惠棟《易漢學》曰:“忠注見羣龍一節,獨勝諸儒。”

《易義别録》曰:“以殘文推之,仲子言《乾》升《坤》降、卦氣動静,大抵出入荀氏,虞君以爲差勝康成者,或以此大要費氏《易》也。然費氏《易》無變動,而仲子注《革》五云‘九者變爻’,則其異於鄭、荀者,不可得而聞云。”

馬國翰曰:“其説莧,莧菜也;陸,商陸也;羸豕孚蹢躅,云羸,大索,所以繫豕者,巽爲股,又爲進退,股而進退則蹢躅也。説金铉,曰兑爲金;玉铉,曰乾體爲玉。説飛鳥遺之音,曰震爲聲音,飛而且鳴,鳥去而音止。此皆見乎發揮旁通之妙,洵可刊輔嗣之野文,而輔康成之逸象,學非仲翔,未可輕議之也。”

案宋氏經文異於今本者,“水火不相逮”無“不”字;又《泰卦》象曰:“无往不復,天地際也。”今唐石經及《注疏》岳本、閩、監、毛本皆如此,惟《釋文》云:“象曰:‘無平不陂。’一本作‘無往不復’。”則似“无往不復”爲“無平不陂”之異文。今攷《集解》引宋注曰:“位在乾極,應在坤極,天地之際也。

地平極則險陂，天行極則還復，故曰‘无平不陂，无往不復也’。”據此，則宋氏經文二句並有，非異文也，此亦與今《易》不同者。

馮顥　易章句　卷數佚。

常璩《華陽國志》：“顥字叔宰，郪人也。少師事楊仲桓及蜀郡張光超，後又事虞叔雅。初爲謁者，威儀濟濟，爲成都令，遷越巂太守，爲梁冀所不善，隱居，作《易章句》。”

袁太伯　易章句　卷數佚。

王充《論衡・案書篇》：“臨淮袁太伯，位雖不至公卿，誠能知之囊橐，文雅之英雄也。觀太伯之《易章句》，劉子政、揚雄不能過也。”

凡易十一部，篇卷數可攷者七篇五十卷。

牟長　尚書章句　卷數佚。

范《書》：“少習《歐陽尚書》，著《尚書章句》，皆本之歐陽氏，俗號《牟氏章句》。”

桓氏榮及子郁。**大小太常章句**　卷數佚。

范《書》：“榮受朱普學章句四十萬言，浮辭繁長，多過其實。及榮入授顯宗，減爲二十三萬言，郁復删省定成十二萬言。由是有《桓君大小太常章句》。”

張奂　尚書記難　卷數佚。

張奂　減定牟氏尚書章句　卷數佚。

范《書》：“奂師事太尉朱普，學《歐陽尚書》。初，《牟氏章句》浮辭繁多，有四十五萬餘言，奂減爲九萬言。辟大將軍梁冀府，乃上書桓帝，奏其《章句》。”

周防　尚書雜記　范《書》三十二篇。

范《書》：“師事徐州刺史蓋豫，受《古文尚書》，撰《尚書雜記》三十二篇四十萬言。”

衛宏　尚書訓旨　卷數佚。

范《書》:“從大司空杜林受《古文尚書》,爲作《訓旨》。”

案張守節《史記·袁鼂列傳》正義引“伏生,徵之,老不能行,遣太常掌故鼂錯往讀之。年九十餘,不能正言,言不可曉,使其女傳言教錯。齊人語與潁川異,錯所不知者凡十二三,畧以其意屬讀而已”。又《儒林傳》正義引“秦既焚書,恐天下不從所改更法,而諸生到者拜爲郎,前後七百人,乃密種瓜於驪山陵谷中温處,瓜實成,詔博士諸生説之,人言不同,乃令就視。爲伏機,諸生賢儒皆至焉,方相難不決,因發機,從上填之以土,皆壓,終乃無聲也”。《尚書正義》、《類聚》引作“《古文奇字》”。皆稱衛宏《詔定古文尚書序》。許氏《説文解字·黹部》“黺”下引“衮衣山龍華蟲。黺,畫粉也”;《史記·五帝本紀》司馬貞索隱引“摯立九年,而唐侯德盛,因禪位焉”;《釋文》《尚書·酒誥》音義引“成王爲戒成康叔以慎酒,成就人之道也,故曰成”。或稱“衛宏云”,或稱“衛宏説”,皆此書逸義。

賈逵　古文尚書訓　卷數佚。

范《書》:“扶風杜林傳《古文尚書》,同郡賈逵爲之作訓。”

案《魏志·高貴鄉公紀》引“曰若稽古”爲“順考古道”;《祭法》正義載《五經異義》引“六宗謂天宗三、地宗三。天宗,日、月、北辰。地宗,岱、河、海。日月爲陰陽宗,北辰爲星宗,河爲水宗,海爲澤宗,岱爲山宗”;《書·禹貢》正義引“甸服之外,百里至五百里采,特有此數,去王城千里。其侯、綏、要、荒服,各五百里,是而三千里相距爲方六千里”;《詩·商頌·殷武》正義引“侯服之外,每言三百、二百里者,還就其服之内,別爲名耳,非是服外更有其地也”;《釋文》《尚書·酒誥》音義引“成王若曰爲戒成康叔以慎酒,成就人之道，故曰成”。與衛同引。皆其逸義。

張楷　尚書注　卷數佚。

范書《張霸傳》:“子楷通《古文尚書》,作《尚書注》。”

馬融　尚書傳　《隋志》:十一卷。《新》、《舊唐志》:十卷。

虞翻曰:“馬融訓注,亦以琩爲同,云同者大同。”

《書序》正義云:“馬融稱注爲傳。”

又曰:“馬、鄭之徒,百篇之敘爲一篇。”

《隋志》:“後漢扶風杜林傳《古文尚書》,馬融爲之作傳。”

孔穎達《書正義·序》:“馬、鄭諸儒,莫睹其學,所注經傳,時或異同。”

王應麟曰:“鳥獸蹌蹌,馬融注以爲筍簴。《七經小傳》用其説。”

朱彝尊曰:“馬氏《尚書注》本於杜林漆書,故多與今文異。如‘至於北岳,如西禮’,作‘如初’;‘天敘有典’,‘有’作‘五’;‘天明畏’作‘威’;‘暨稷播奏庶艱食鮮食’,‘艱’作‘根’,云‘根生之食謂百穀’;‘日月星辰山龍華蟲作會’,‘會’作‘繪’;‘作十有三載,‘載’作‘年’;‘瑤琨篠簜’,‘琨’作‘瑻’;‘沿於江海’,‘沿’作‘均’;‘滎波既豬’,‘波’作‘播’,云‘滎播,澤名’;‘導岍及岐’,‘岐’作‘開’;[1]‘天用勦絶其命’,‘勦’作‘巢’;‘誕誥用亶’作‘單’;‘用乂讐斂’,‘讐’作‘稠’,云‘數也’;‘自靖作清’,云‘潔也’;‘弗迓克奔’,‘迓’作‘禦’,云‘禁也’;‘無虐煢獨’作‘亡侮煢獨’;‘我之弗辟’作‘避’,謂‘避居東都’;‘信噫’作‘懿’,云‘猶億也’;‘大誥爾多邦’作‘大誥繇爾多邦’;‘降割’作‘害’;《酒誥》‘王若曰’作‘成王若曰’;‘皇天既付中國民’,‘付’作‘附’;‘非我小國,敢弋殷命’,‘弋’作

① “岐”,文淵閣四庫全書本《經義考》作“岍”。

‘翼’;‘大滛泆有辭’,‘泆’作‘屑’,云‘過也’;‘嚴恭寅畏’,‘嚴’作‘儼’;‘文王卑服’,‘卑’作‘俾’,云‘使也’;‘譸張爲幻’,‘譸’作‘輈’;‘其終出於不祥’,‘終’作‘崇’,云‘克也’;‘我道惟寧王德延’,‘道’作‘迪’;‘有若南宫括’,‘宫’作‘均’;[①]‘迪簡在王庭’,‘迪’作‘攸’,云‘所也’;‘爾罔不克臬’作‘劓’;‘王不懌’作‘釋’,云‘不釋,疾不解也’;‘在後之侗’作‘詷’,云‘共也’;‘冒貢’作‘勗贛’,云‘陷也’;‘王崩’作‘成王崩’,注‘安民立政曰成’;‘四人綦弁’,‘綦’作‘騏’,云‘青黑色’;‘三咤’作‘詫’;‘折民惟刑’,‘折’作‘悊’,云‘智也’;‘王曰吁’作‘于’;‘惟來’作‘求’,云‘有求請賕也’;‘仡仡勇夫’作‘訖訖’,云‘無所省録之貌’;‘諞言’作‘偏言’,云‘少也,辭約損明,大辨佞之人’。蓋其書唐初尚存,此陸氏《釋文》采之。”

馬國翰曰:“季長治古文學,而所注止今文二十九篇,《序》謂《太誓》後得,頗以神怪爲疑。然觀注中佚説,亦止是今文《太誓》,其本多異字。蓋典校秘府時,能見古文真本,間有參三家今文而用之者,以視僞孔傳,判霄壤矣。”

案《書序》正義引“上古有虞氏之書故曰”,《尚書·堯典》正義引“逸十六篇,絶無師説”,《太誓》正義引“《太誓》後得,案其文似若淺露,‘八百諸侯,不召自來,不期同時,不謀同辭’,及‘火復於上,至於王屋,流爲雕,至五以穀俱來’,舉火神怪,得無在子所不語中乎”,《春秋·襄三十一年》正義引“又《春秋》引《太誓》曰:‘民之所欲,天必從之。’《國語》引《太誓》曰:‘朕夢協朕卜,襲予休祥,戎商必克。’《孟子》引《太誓》曰:‘我武惟揚,侵于之疆,取彼凶殘,我伐用張,

① “均”,文淵閣四庫全書本《經義考》作“君”。

于湯有光。'《孫卿》引《太誓》曰:'獨夫受。'《禮記》引《太誓》曰:'予克受,非予武,惟朕文考無罪。受克予,非朕文考有罪,惟予小子無良。'今文《泰誓》皆無此語,吾見《書》傳多矣,所引《太誓》而不在《太誓》者甚多,弗復悉記,畧舉五事以明之,亦可知矣"。皆引馬融《書序》。

又案馬氏異文甚多,不止如朱氏所引,其見於《釋文》者,"平秩東作","平"作"苹",云"使也";"寅餞納日","餞"作"淺",《集均》引"淺,滅也";"嚚訟","訟"作"庸";"輯五瑞","輯"作"揖",云"歛也";"僉曰益哉","僉"作"禹";"自我五禮有庸哉","五"作"有";"惟朕小子,其新迎","新"作"親";"梓材","梓"作"杍";《釋文》云:"梓本亦作杍。"據所引馬注,則正作杍。"迪見冒","冒"作"勗";"天齊於民,俾我一日","俾"作"矜"。見於《史記集解》者,"幽洲","洲"作"陵";"東至於灃","灃"作"醴"。

又案《釋文》載馬本《書序》,亦多不同,如"西旅獻獒,太保作《旅獒》","獒"作"豪";"武王有疾"作"有疾不豫";"遷其君於蒲姑","蒲"作"薄";"肅慎來貢","肅"作"息";"王俾榮伯","俾"作"辨";"康王既尸天子","康王"上有"成王崩"三字;"平王錫晋文侯秬鬯圭瓚","平王"無"平"字,"錫"作"賜";"東郊不開","開"作"闢"。

盧植　尚書章句 卷數佚。

司馬彪《續漢書》:"植作《尚書章句》"。《三國志·盧毓傳》注。

鄭康成　尚書注 《隋志》:九卷。《釋文·敘録》、《新》、《舊唐志》同。

范《書》:"扶風杜林傳古文《尚書》,鄭玄爲之注解,由是《古文尚書》遂顯於世。"

《虞翻别傳》曰:"北海鄭玄所注《尚書》,以《顧命》康王執瑁,古'冃'似'同',從誤作'同',既不覺定,復訓爲杯,謂之酒杯;

成王疾困憑几，洮頮爲濯，以爲澣衣成事，‘洮’字虛更作‘濯’，以從其非。又古大篆‘丣’字讀當爲‘桺’，古‘桺’、‘丣’同字，而以爲昧；‘分北三苗’，‘北’古‘別’字，又訓北，言北猶別也。若此之類，誠可怪也。”案此四事，近孫星衍、王鳴盛、趙坦、汪家禧等皆申鄭難虞。

高貴鄉公曰：“鄭云：‘稽古同天，言堯同於天也。’王肅云：‘堯順考古道而行之。’二義不同。仲尼稱‘惟天爲大，惟堯則之’，堯之大美在乎則天，順考古道，非其志也。”

《書·堯典》正義曰：“鄭於伏生二十九篇之内，分其《盤庚》二篇、《康王之誥》，又《泰誓》三篇，爲三十四篇，更增益僞《書》二十四篇爲五十八。”

《隋志》曰：“梁、陳所講，有孔、鄭二家。齊代惟傳鄭義。至隋孔、鄭並行，而鄭氏甚微。”

《北史》曰：“齊時儒士罕傳《尚書》之業，徐遵明兼通之。遵明受業於屯留王聰，傳授浮陽李周仁及渤海張文敬、李鉉、河間權會，並鄭康成所注，非古文也。”

王應麟曰：“鄭康成《書》注，間見於疏義，如作服十二章、州十二師，孔注皆所不及。”

又曰：“康成注《禹貢》九河曰：‘齊桓公塞之同爲一。’按《春秋緯·寶乾圖》曰：‘移河爲界，在齊吕填閼入流以自廣。’鄭葢據此文。”

又曰：“康成云：‘祖乙居耿，後奢侈踰禮，土地迫近，山川嘗圮焉。至陽甲立，盤庚爲之臣，乃謀徙居湯舊都。上篇是盤庚爲臣時事，中篇、下篇是盤庚爲君時事。’《正義》以爲謬妄，《書裨傳》云：‘鄭大儒必有所據而言。’”

顧炎武曰："馬融、鄭玄注《古文尚書》載於《舊唐書·經籍志》，[①]則開元之時尚有其書而未嘗亡也。"

侯康曰："《正義》謂鄭更增益僞《書》二十四篇爲五十八。案鄭所增益者，乃真古文，非張霸僞書，孔誤。鄭雖增此二十四篇，而作注則仍止三十四篇，馬季長所謂'逸十六篇絶無師説'，十六篇即二十四篇，葢合《九共》九篇爲一也。故馬、鄭諸儒皆不注之也。"

案《隋志》及《釋文》均有鄭康成《尚書音》，陸德明以爲漢人不作音，後人僞託。玆據其説斥之，後凡鄭氏諸經音同。

又案《正義》引康成《書贊》及《書論》云："鄭玄避序名，故謂之贊。"據此，則《書贊》即《尚書注》之《序》，非别一書也。其《書論》當亦在《書注》九篇之中，觀《易經注》有《易贊》、《易論》可知，體例畧同。《經義考》别出箸録，失之。

又案侯康書載有《尚書義問》三卷，鄭康成及晋王肅、孔晁撰。樸謂侯氏載此非是，王肅、孔晁，一爲魏人，一爲晋人，安得以魏晋之人攙入後漢之志？樸意此書必係孔晁采集鄭、王二家之注，參以己見，故王欽若《册府元龜》云："晁爲五經博士，撰《尚書義問》三卷。"以此書專屬之晁，即其確證。

劉陶　尚書訓故　卷數佚。

荀爽　尚書正經　卷數佚。

賈逵　尚書今古文同異　范《書》：三卷。

范《書》："肅宗好《古文尚書》，逵數爲帝言《古文尚書》與經傳《爾雅》訓詁相應，詔令撰歐陽、大、小夏侯《尚書》、古文同異。逵集爲三卷，帝善之。"

---

① "舊唐"原互倒，據《補編》本乙正。

《尚書·堯典》正義曰:"百篇次第,鄭依賈氏所奏别録爲次。"

又曰:"賈逵、馬融之學,題爲《古文尚書》,篇與夏侯等同,而經字多異。"

又曰:"後漢初,賈逵亦傳孔學。"

案《詩·齊風·載驅》正義引《洪範稽疑論》云:"卜兆有'五曰圛'。注:'圛者,色澤光明。'蓋古文作'悌',今文作'圛',賈逵以今文校之,定以爲'圛'。"此條猶存古今同異之崖畧。

劉陶　中文尚書　卷數佚。

范《書》:"陶推三家《尚書》及古文,是正文字三百餘事,名曰《中文尚書》。

惠棟《後漢書補注》:"陶傳作是正文字三百餘事,今從北宋本改正作七百餘事。《藝文志》曰:'劉向以中、古文校三家經文,文字異者,七百有餘。'蓋古文與今文異者,本有此數,故陶從而是正也。"

侯康曰:"《玉海》、《藝文》引陶傳,亦作七百餘事。"

鄭康成　尚書大傳注　《隋志》:三卷。

朱彝尊曰:"梁劉昭注《續漢書·五行志》引《尚書大傳》文曰:'凡六沴之作,歲之朝、月之朝、日之朝,則后王受之;歲之中、月之中、日之中,則正卿受之;歲之夕、月之夕、日之夕,則庶民受之。'鄭注曰:'自正月盡四月爲歲之朝,自五月盡八月爲歲之中,自九月盡十二月爲歲之夕。上旬爲月之朝,中旬爲月之中,下旬为月之夕。平旦至食時爲日之朝,隅中至日昳爲日之中,晡時至黄昏爲日之夕。受之,受其凶咎也。'又《大傳》文云:'其二辰以次相將,其次受之。'鄭注曰:'二辰,謂日月也。假令歲之朝也,日月中則上公受之,日月夕則下公受之。歲之中也,日月朝則孤卿受之,日月夕則大夫受之。歲之夕也，日月朝則上士受之，中則下士受之。其餘差以尊卑多少則悉矣。'此外所引尚多，不録。"

陳壽祺《大傳定本序》曰："康成百世儒宗，獨注《大傳》，其釋三《禮》，每援引之。及注古文《尚書·洪範》五事、《康誥》孟侯文王伐崇戡耆之歲、周公克殷踐奄之年，咸據《大傳》以明其事。"

又《辨譌》曰："《尚書大傳》，今坊間盛行盧氏雅雨堂本，譌漏不可勝舉。所載鄭氏《大傳注》如下：'刑墨幪'注'幪音蒙'三字，乃《文選·求賢良詔》注及《七命》注之文；'八伯'注'八伯者，據畿外八州，畿内不置，伯鄉遂之吏主之'十九字，乃《鄭志》答張逸問之文；'舞株離'注'《詩》云：彼黍離離'六字，乃《周禮》鞮鞻氏正義文；'鯁魚魚刀'注'鯁'字夾注'渠成切'三字，乃《玉海》《王會解》注後王伯厚語；'高宗梁闇'注'闇讀如鵪，鵪謂廬也'八字，乃《禮記》鄭注文；'決關梁，踰城郭，而略盜者，其刑臏'一條注'此二千里五百罪之目略也'至'閉於宫中'三十九字，乃《周禮》司刑注文；'師乃鼓鼖譟'注'音符'二字，乃《周禮》大司馬《釋文》語。盧學士《攷異》在'旋機玉衡'條載'別本有鄭注云：轉運者爲機，持正者为衡'，案此乃鄭《尚書注》文，見《文選·李蕭遠運命論》注。'白魚入于舟中'條載'別本有鄭注云：燔魚以祭，變禮也'，亦鄭《尚書注》文，見《後漢書·杜篤傳》注。'四年營侯衛'條載'別本有鄭注云：建侯衛是封衛侯'云云五十四字，乃毛氏《豳風譜》正義文。'遂踐奄'條載'《詩正義》引此云《多方》，《傳》鄭有注云：奄國在淮夷之旁'云云三十字，案《破斧》正義引《書傳》'三年伐奄'下引《多方》云云，注云云，乃孔穎達所引《尚書》及鄭君《尚書注》之文。凡此皆舛謬之甚，不可不正者也。"

凡書十六部，篇卷數可攷者三十二篇二十六卷。

伏氏黯及子恭。**齊詩解説** 范《書》:九篇。

范《書》:"湛傳弟黯,字稚文,以明《齊詩》,改定章句,作《解説》九篇。位至光禄勳。"

又云:"恭少傳黯學,以黯章句繁多,恭迺省減浮辭,定爲二十萬言。"

景鸞 詩解文句 卷數佚。

范《書》:"能理《齊詩》,作《詩解文句》。"

薛氏 韓詩章句 《隋志》:二十二卷。

范《書》:"漢世習《韓詩》,父子以章句著名。漢少傳父業,當世言《詩》者,推漢爲長。"

謝承《後漢書》:"杜撫受業於薛漢,定《韓詩章句》。"

《唐書·宰相世系表》:"薛夫子名方,字夫子,廣德曾孫,傳《韓詩》,以授子漢。"

王應麟曰:"薛漢世習《韓詩》,父子以章句著名。《馮衍傳》注引薛夫子《韓詩章句》,即漢也。"

惠棟曰:"《唐書·世系表》曰:'廣德生饒,饒生愿,愿生方丘,方丘生漢。'《經籍志》云:'《韓詩》二十二卷,薛氏章句。'棟案唐人所引《韓詩》,其稱薛君者,漢也;稱薛夫子者,方丘也。後人以章句專屬之漢,失之。"

桂馥《晚學集》曰:"薛君恐是魏之薛夏,魚豢《魏畧》云:'薛夏字宣聲,天水人。博學有才,黄初中爲秘書丞。帝每與夏推論《詩》傳,未嘗不終日也,每呼之不名,而謂之薛君。'是薛君之名,由此而起。"

案桂氏之言臆度耳,惠氏亦未能盡當也。攷薛夏,《三國志》無傳,附見《王肅傳》,裴松之注引魚豢《魏畧》,述夏生平甚詳,謂夏與董遇、賈洪、邯鄲淳、隗禧等七人爲儒宗,又載文帝呼爲薛君一事,並無箸書之目。徧檢《隋》、《唐志》,

亦無薛夏所箸之書，三國時著《韓詩章句》者惟杜瓊一人，時人亦稱杜瓊爲杜君，见《蜀志》。其不可信者一也。又《隋志》之例，凡著書之人與注書之人不同時者，必曰某書某代某人撰、某代某人注。如史部《三國志》六十五卷，晋太子中庶子陳壽撰，宋太中大夫裴松之注；《秦記》十一卷，宋殿中將軍裴景仁撰，梁雍州主簿席惠明注之類是也。其同時者，則但標某書某代某人撰、某人注。如經部《毛詩》二十卷，漢河間太守毛萇撰，鄭氏箋；史部《漢書》一百一十五卷，漢護軍班固撰，太山太守應劭集解之類是也。今攷《韓詩》二十卷，《隋志》但云"漢常山太傅韓嬰薛氏章句"，不標薛氏爲何代人，則薛氏爲漢人可知，如謂薛夏，則當云魏薛氏矣，其不可信者二也。由斯觀之，桂氏之説特以"薛君"二字偶然相合，遂附會其説。惠氏似稍近理，然亦有不然者。攷《史記集解》、《後漢書注》、陳彭年《重修玉篇》、徐堅《初學記》、李善《文選注》、李昉等《太平御覽》諸書所引《韓詩章句》，大率標薛君者居多，或但標《韓詩章句》。其標薛夫子者，惟《後漢書·馮衍傳》注一條，云："薛夫子《章句》曰：'詩人言雎鳩貞潔，以聲相求，必於河之洲，隱蔽無人之處。故人君動静，退朝入於私宫，妃后御見者，[①]去留有度。今人君内傾於色，大人見其萌，故詠《關雎》，説淑女，正容儀也。'"而《明帝紀》注亦引此文，則仍標薛君章句，其文大畧相同。所異者不過"貞潔"下多"慎匹"二字，"隱蔽"下多一"於"字，"退朝"上少"動静"二字，"有度"上少"去留"二字，"有度"下有"應門擊柝，鼓人上堂，退反宴處，體安志明"四句，"今"字下多一"時"字，"人君"作"大人"，"大人"作"賢人"，

① "妃后"原互倒，據中華本《後漢書》乙正。

"容儀也"無"也"字,多"以刺時"三字。此皆由引書者删改原文,實無異。由是言之,則所謂薛夫子章句者,仍是薛君章句無二也。定宇之説,未爲核實。樸以爲桂、惠兩家,皆泥薛君、薛夫子之名,其實章句之書,蓋創於方丘,成於薛漢,非兩書也。范《書》本傳云:"世習《韓詩章句》著名,漢少傳父業。"既云"少傳父業",則漢之章句實授於方丘可知。又《杜撫傳》:"撫少有高才,受業於薛漢,定《韓詩章句》。"不云"定漢《韓詩章句》",而但云《韓詩章句》,可見章句非漢一人所成,但至漢始有定本耳。故《隋志》不標薛漢之名,而但曰薛氏,亦此意也。蓋漢人注經,往往歷數世而成,如伏氏之《齊詩》、桓氏之《尚書》皆是,不足爲怪也。

杜撫　韓詩注 卷數佚。

陸璣《草木蟲魚疏》曰:"薛漢弟子犍爲杜撫,撫所作《詩題約義通》,學者傳之,號曰杜君注。"

范《書》:"撫受業薛漢,所作《詩題約義通》,學者傳之,號杜君注。"①

《華陽國志》:"撫作《詩通議説》。"

劉攽《後漢書刊誤》曰:"'題'下當有脱字,蓋合云'文約義通'也。"

杭世駿曰:"《詩題約義通》是杜撫所撰書云,吴陸璣著《毛詩草木蟲魚疏》末敘四《詩》源流,亦有此語,蓋已在范史前百餘年矣,劉攽説誤。"

案書名《詩題約義通》,於文義究梗。漢人著書名"通"者,如《白虎通義》、《風俗通義》,唐、宋人引之往往去末一字,單稱"通",此習已久,並不自唐人始。此書據《華陽國志》,

① "注",中華本《後漢書》作"法"。

蓋亦爲後人所改。杭氏據陸璣《疏》以證范史之不誤，然安知非陸璣《疏》已經唐人臆改耶？樸謂范《書》及陸璣《疏》皆云“學者傳之，號爲杜君注”，則不必題其本名，稱之曰注可耳。

趙長君　韓詩譜　《七録》：二卷。范《書》作“詩細”，字譌。

趙長君　詩神淵　《七録》：一卷。范《書》作“歷”。

范《書》：“詣杜撫受《韓詩》，著《詩細》、“譜”字之譌。《歷“詩”字之譌。神淵》。蔡邕至會稽，讀《詩細》而歎息，以爲長於《論衡》。邕還京師，傳之，學者咸誦習焉。”

虞翻曰：“有道山陰趙曄徵士、上虞王充，各洪才淵懿，學究道源，著書垂藻，絡繹百篇。釋經傳之宿疑，解當世之槃結；上窮陰陽之奥秘，下據人情之歸極。”

案《吴越春秋·吴太伯傳》曰：“公劉慈仁，行不履生草，運車以避葭葦。”以《行葦》爲公劉之詩，亦其注《詩》之一班也。

張匡　韓詩章句　卷數佚。

《草木蟲魚疏》又有光禄勳九江召訓、山陽張匡皆習《韓詩》，匡作《章句》。

范書《趙曄傳》：“時山陰張匡，字文通。亦習《韓詩》，作《章句》。後舉有道，博士徵，不就。卒於家。”

謝曼卿　毛詩訓　卷數佚。

《草木蟲魚疏》：“九江謝曼卿善《毛詩》，乃爲其訓。”

范《書》：“賈徽學《毛詩》於謝曼卿。”

《隋志》：“後漢有九江謝曼卿，善《毛詩》，又爲之訓。”

《釋文·敘録》：“謝曼卿，元始五年，公車徵，説《詩》。”

侯康曰：“賈徽、衛宏，後漢初人，皆受學於曼卿，則曼卿似前漢人。而《隋志》稱爲後漢，蓋曾入光武時也。”

鄭衆　毛詩傳 卷數佚。

《隋志》:"鄭衆、賈逵、馬融,並作《毛詩傳》。"

侯康曰:"其説今絶無存,惟旁見《周禮》注者,《宰夫》之職注引《詩》曰'家伯維宰',以宰爲宰夫,[①]與鄭《箋》冢宰異;王肅從之。《典瑞》注引《詩》曰'卹彼玉瓚,黄流在中',與今本'作瑟作瓚'異;《大司馬》注引《詩》曰'言私其豵,獻肩于公','一歲爲豵,二歲爲豝,三歲爲特,四歲爲肩,五歲爲慎',與《傳》、《箋》俱異;'獻豜'作'獻肩'亦異。至如《天官·膳夫》注引'仲允膳夫',[②]《䱷人》注引'敝笱在梁',《大司徒》注引'錫之山川,土田附庸',《大司馬》注引'邦畿千里',《射人》注引'不出正兮',《隸僕》注引'有扁斯石',《小司寇》注引'詢於芻蕘',則固無異解也。"

案《周禮·載師》注,司農曰:"《詩》云'抱布貿絲',抱此布也。或曰布,泉也。"《繕人》注,司農引《詩》"決拾既佽","決"作"抉","佽"作"次",云"《詩》家説或謂抉謂引弦彄也,拾謂鞲扞也"。韋昭《國語解》引鄭云:"《常棣》,穆公所作。"皆與毛、鄭異。餘如《周禮·大師》注引司農"古而自有《風》、《雅》、《頌》之名"一事,韋昭《國語解》引鄭云"言昊天有所成命,文、武則能受之,謂修己自勤以成其王功,非謂周成王身也",雖非釋《詩》之文,亦足徵其家法。

賈逵　毛詩傳 卷數佚。

案應劭《風俗通·祀典篇》靈星引賈逵説,以爲龍第三有天田星,靈者,神也,故祀以報功。辰之神爲靈星,故以壬辰日祀靈星於東南,金勝木,爲土相也。當是《絲衣篇》逸義。

---

① "以宰",原作"以宰以宰",據《補編》本删。

② "天",原作"序",據阮刻本《十三經注疏》(以下簡稱阮刻本)改。

賈逵　毛詩雜議難　《七録》：十卷。

范《書》："永平中，帝令逵撰《齊》、《魯》、《韓詩》與《毛氏》異同。八年，廼詔諸儒各選高才生，受《左氏》、《穀梁春秋》、《古文尚書》、《毛詩》，由是四經遂行於世。"

衛宏　毛詩傳　卷數佚。

范《書》："初，九江謝曼卿善《毛詩》，宏從曼卿受學。"

案《釋文》《毛詩》音義上引"芣苢，木也，實似李，食之宜子，出於西戎"，稱"衛氏《傳》、許慎並同"。諸書不言衛宏作《毛詩傳》，然徧檢《隋》、《唐志》及漢後諸史列傳，無别有衞氏能治《毛诗》学者。且《釋文》引於許慎前，次王肅，再次王基，時代朗然，非宏而何？葢此書久佚，元朗從他書轉採耳。

衛宏　毛詩序　卷數佚。

范《書》曰："九江謝曼卿善《毛詩》，宏從受學，作《毛詩序》，善得《風》、《雅》之旨，今傳於世。"

沈重曰："或云《小序》是東海衛敬仲所作。"

案唐以後論《詩序》者詳矣，其不涉衛宏者，不具論。以爲宏潤飾者，沈重、《毛詩義疏》二卷，見《隋志》。陸德明、《經典釋文》。長孫無忌、《隋志》。李樗、《毛詩詳解》三十六卷，見《宋志》。曹粹中《放齋詩説》三卷，見《宋志》。是也。以爲"發端"二語下宏續者，蘇轍、《詩集傳》二十卷。黄櫄、《詩解》二十卷、《總論》一卷。程大昌《詩議》一卷。是也。以爲宏作《序》注者，成伯瑜《毛詩指説》一卷，見《通志堂經解》。是也。直以爲宏作者，葉夢得、鄭樵、朱子是也。惟蔡卞、《毛詩名物解》二十卷，見《通志堂經解》。范處義、《詩補傳》三十卷，見《通志堂經解》。沈鯉則皆辨《序》非宏作，至國朝諸家，亦多持此論。然猶有未盡者，樸嘗尋攷故籍，研求翔實，以爲今之《詩序》非宏作者，其驗有七也。攷《毛詩》自毛公作《傳》

以後，貫、解、徐、陳遞相傳授，至鄭眾、賈逵作《傳》而其學大行，至鄭康成作《箋》而其學乃大成。今鄭、賈之傳均亡佚，而鄭《箋》獨存，然則説《毛詩》者固當以鄭説爲指歸，即論《詩序》者，亦宜以鄭言爲圭臬矣。今攷《詩・常棣》正義引《鄭志》張逸問《常棣》箋云："周仲文以《左氏》論之，三辟之興，皆在叔世，謂三代之末，即二叔宜爲夏殷末。"鄭君答曰："此注《左氏》者，亦云管、蔡耳。又此《序》子夏所爲，親受聖人，足自明矣。"據此，則鄭以《序》爲子夏作。又《緇衣》正義引答張逸曰："高子言非毛公，後人著之。"據此，是鄭以《序》"發端"二語下皆毛公作，今忽云高子，故以非毛公別出之，俱不言衛宏。且如《序》爲宏作，范蔚宗時尚曰"今傳於世"，是宏有别行之本，不附正經可知。鄭君去宏未遠，豈容不見而尚曰"後人箸之"？不曰衛宏箸之，是鄭意中無宏作之一説也。此一驗也。又范書《儒林傳》："賈逵、鄭眾皆傳《毛詩》。"攷逵傳，父徽，學《毛詩》于九江謝曼卿。又宏傳曰："宏少與河南鄭興俱好古學。初，九江謝曼卿善《毛詩》，宏從受學。"又《鄭興傳》："興好古學，自杜林、桓譚、衛宏之屬，莫不斟酌焉。"觀此可見《毛詩》授受，逵受於徽，徽受於曼卿，眾受於興，興則得之衛宏，宏亦受於曼卿，是賈、鄭《毛詩》之學皆與宏同出曼卿者也，師法既同，時又相接，其所稱述，當可據信。今攷韋昭《國語解》引賈逵《國語解詁》曰："《常棣》之篇，所以閔管、蔡而親兄弟。"又引鄭眾《國語章句》曰："昔正考父校商之名《頌》十二篇於周太師，以《那》爲首。"一據《常棣》詩序爲解，一據《那》詩序爲解。案賈、鄭注經，引同時人説，皆標出其名，如賈逵《左氏傳章句》桓三年"有年"注引稱劉氏曰："諸言有，皆不宜有也。"鄭眾《周禮解詁》引稱杜子春説"以矢行告，告白射事於王，王則執矢也”。如《詩序》爲宏作，亦當如劉氏、杜子春之例，標出衛氏。而今不然者，是賈、鄭以爲以經典釋經，故不箸誰何。又服虔《左傳解誼》襄二十九年“此之謂夏聲”，服虔曰：“秦仲始有車馬禮樂之好，侍御之臣，戎車四牡，田獵之事，與諸夏同聲，故曰夏聲。”明引《車鄰》、《駟鐵》等序，[①]亦不言衛宏，是賈、鄭、服三君皆不以《詩序》爲宏作也。此二驗也。然猶曰此皆説解偶同，並非明標《詩序》之文。今攷蔡邕《獨斷》載《周頌》三十一章，自《清廟》至《般》，盡録《詩序》，曰“《清廟》一章八句，洛邑既成，諸侯朝見，宗祀文王之歌也”云云，與今《詩序》一字不異。攷邕作《獨斷》，皆據經典，如引先儒舊説，則標出之。如“君子無幸而有不幸，小人有幸而無不幸”引王仲任，“趙武靈王效胡服，始施貂蟬之飾”引太傅胡公，“珠冕爵冔收”一條引曹褒《漢禮》，至“論璽”一條引“秦以前民，皆金玉爲印”，“龍虎紐”一條並稱“衛宏曰”，而載《詩序》不及衛宏一字，是邕亦不知《詩序》有宏作之説也。此三驗也。王肅平生喜難鄭學，而於《毛詩》爲尤甚，作《毛詩義駁》、《毛詩奏事》、《毛詩問難》三書，以排康成。苟得一證可以難鄭者，無不搜羅詳盡。若《詩序》有宏作之説，肅正可據以駁鄭，而今僞《家語》“子夏習於《詩》而通於義”，王氏注曰：“子夏所敘《詩》，今之《毛詩序》是也。”説亦同鄭。且正義《序》疏“哀窈窕”下引王肅曰“哀窈窕之不得”云云，《車鄰》正義引王肅《序》注“秦爲附庸”云云，《伐柯》正義引王肅《序》注“朝廷斥成王”云云，《魚麗》序正義引王肅“《常棣》之作在武王既崩，周公誅管、蔡之後”云云，則肅且爲之注，是肅亦

① “駟鐵”原互倒，據阮刻本《毛詩正義》乙正。

不知《詩序》有宏作之説也。此四驗也。觀此四驗，是漢、魏人皆無宏作《詩序》之説。樸攷晋、宋以來説《詩》者，如郭璞、徐邈、崔靈恩等。《釋文》引徐邈音多爲《詩序》作音，如云"《敝笱》，刺文姜也。敝，符滅反"；《鴻鴈》序"至於矜寡"，"矜，古頑反"；《賓之初筵》序"上下沈湎"，"湎，莫顯反"；《雲漢》序"百姓見憂"，"憂，於救反"；又引崔靈恩《集注》《東門之墠》序"男女有不待禮而相奔"，"崔本有，鄭注：'時亂，故不得待禮而行。'"或爲《序》音，或爲《序》注，皆不言衛宏作《序》。至宋徵士鴈門周續之、字道祖，及雷次宗俱事慧遠法師。豫章雷次宗、字仲倫，宋通直郎。齊沛國劉瓛，則并專爲《詩序》作注，名其書曰《詩序義》，載在《隋志》。今雷氏之注不可見。周氏之注，《書鈔》九十五引"四方之風謂之雅"注、《釋文》引"故正得失"注，皆無論及《詩序》之語。惟《書鈔》九十五引劉瓛《序義》曰："《詩序》，子夏所敘，毛公附焉。"則劉瓛亦不以爲宏作。是晋、宋以來，亦不知《詩序》有宏作之説也。此五驗也。又葉夢得曰："漢世文章，未有引《詩序》者。"樸案此説不然，《詩序》之引，始于孟子説《北山》之詩，今姑弗論。專論漢文，如司馬相如《難蜀父老》云"王事未有不始於憂勤，而終於逸樂"，此《魚麗》序也；王子淵《四子講德論》"昔周公詠文王之德而作《清廟》，建爲《頌》首，吉甫歎穆，如清風列於大雅"。一引《清廟》序，一引《烝民》序也。相如、子淵，皆前漢人，在宏前。若《序》係宏作，相如、子淵何由先知？此《序》非宏作之六驗也。又《御覽·禮儀部》引宏《舊儀》曰："祀后稷於東南，嘗以八月祭，以二人爲民祈農報功。"案《載芟》序"春藉田而祈社稷也"，《良耜》序"秋報社稷也"，衛曰"祈農報功"，是明用此二序文語。又《史記·封禪書》正義引《舊儀》："漢修周室舊祀，以壬辰祀靈星於東南。靈者，神也。辰之神曰靈星。"羣經言周祀無及靈星，惟《絲衣篇》序高子曰"靈星之尸也"，則高子以《絲衣》爲祀靈星之詩，宏《舊儀》葢據以爲説，故曰"修周舊祀"也。[①] 倘序是宏自作，宏又自用之而自據之，雖甚愚人，亦知其不足取信於人，謂宏大儒而出此乎？此《序》非宏作之七驗也。范書《衛宏傳》言"宏作《詩序》，頗得《風》、《雅》之旨"，本未嘗實指爲今之《詩序》。至後周沈重作《詩義疏》，誤會范意，遂著之曰："或云《小序》是東海衛敬仲所作。"《正義》引。所謂或者，葢即指范而言。後來長孫無忌作《隋志》，陸德明著《釋文》，並依沈言，於是聚六州之鐵，鑄成此錯矣。今既得此七證，則《序》非宏作，固可昭然無惑。惟范書傳之所謂"宏作《詩序》"一語，反無所著。樸曰："此宏别爲之《序》，非即《大序》、《小序》也。宏有《毛詩傳》，此葢其《傳》首之《序》，猶之孟喜《序卦》，朱新仲引一行《易纂》孟喜《序卦》云："陰陽養萬物，必訟而成之；君臣養萬民，亦訟而成之。"鄭氏《序易》，見《世説·文學篇》。非即'十翼'之《序》。馬融《書序》，見《書·泰誓》正義。非即百篇之《序》。范蔚宗在劉宋時猶及見衛氏《傳》與其《敘》，故云'善得《風》、《雅》之旨，於今傳於世也'。"此説樸得之嚴氏可均，竊謂從來論宏《詩序》者，以此爲最得。彼或謂衛宏潤飾，或謂宏續，或謂宏作者，皆誤讀范書，未能細攷之也。茲故除范書外論《詩序》者，但録沈重一家，以志首誤之人，餘盡削去，而爲之詳辨如此。

馬融　毛詩傳　《敘録》：十卷，無下袟。《隋志》同。

范《書》："中興後，鄭衆、賈逵傳《毛詩》，後馬融作《毛詩傳》。"

---

① "舊"，原作"群"，據中華本《史記》改。

案《釋文》引"南有樛木","樛"作"朻",《廣成頌》曰"詩詠圃草",皆與《韓詩》合。又《廣成頌》"旃旝摻其如林",與《説文》引《詩》"其旝如林"合。又"施罛濊濊"釋文引馬融曰"大魚罔目大豁豁",以下文"鱣鮪發發"釋文引馬融曰"魚著罔尾發發然"例之,則馬本"濊濊"正作"豁豁",皆與今毛本有異。

鄭康成　毛詩箋　《敘録》、《隋志》、《新》、《舊唐志》、《宋志》:二十卷。今《四庫》存孔穎達《正義》本四十卷。後凡稱"今存"者,皆據《四庫》本,民間存者不標,發例於此。

鄭康成　毛詩譜　《敘録》:二卷。《舊唐志》同。《唐志》:三卷。《宋志》同。今存《正義》中。

《四庫全書提要》曰:"漢毛亨傳,鄭玄箋,唐孔穎達疏。案《漢書·藝文志》,《毛詩》二十九卷、《毛詩故訓傳》三十卷,然但稱毛公,不著其名。《後漢書·儒林傳》始云趙人毛長傳《詩》,是爲《毛詩》,其'長'字不從艸。《隋書·經籍志》載《毛詩》二十卷,漢河間太守毛萇傳,鄭氏箋,於是《詩傳》始稱毛萇。然鄭玄《詩譜》曰:'魯人大毛公爲《訓詁傳》於其家,河間獻王得而獻之,以小毛公爲博士。'陸璣《毛詩草木蟲魚疏》亦云:'孔子删《詩》授卜商,商爲之序,以授魯人曾申,申授魏人李克,克授魯人孟仲子,仲子授根牟子,根牟子授趙人荀卿,荀卿授魯國毛亨,毛亨作《訓詁傳》以授趙國毛萇。時人謂亨爲大毛公,萇爲小毛公。'據是二書,則作《傳》者乃毛亨,非毛萇,故孔氏《正義》亦云'大毛公爲其傳,由小毛公而題毛也'。《隋志》所云'殊爲舛誤,而流俗沿襲,莫之能更'。朱彝尊《經義考》乃以《毛詩》二十九卷題'毛亨撰',注曰'佚';《毛詩訓故傳》三十卷題'毛萇撰',注曰'存',意主調停,尤爲於古無據。今參稽衆説,定作《傳》者爲毛亨,以鄭氏後漢人、陸氏三國吴人,併傳授《毛詩》,淵源有自,所言必不誣也。鄭氏發明毛義,自命曰箋。《博物志》曰:‘毛公嘗爲北海郡守,康成是此郡人,故以爲敬推。’張華所言,葢以爲公府用記、郡將用箋之意。然康成生於漢末,乃修敬於四百年前之太守,殊無所取。案《説文》曰:‘箋,表識書也。’鄭氏《六藝論》云:‘注《詩》宗毛爲主,毛義若隱畧,則更表明;如有不同,即下己意,使可識别。’按此論今佚,此據《正義》所引。然則康成特因《毛傳》而表識其傍,如今人之簽記,積而成帙,故謂之箋,無庸别曲説也。自鄭《箋》既行,《齊》、《魯》、《韓》三家遂廢。案此陸德明《經典釋文》之説。然《箋》於《傳》義,亦時有異同。魏王肅作《毛詩注》、《毛詩義駁》、《毛詩奏事》、《毛詩問難》諸書,以申毛難鄭,歐陽脩引其釋《衛風·擊鼓》五章,謂鄭不如王;《見詩本義》。王基又作《毛詩駁》,以申鄭難王,王應麟引其駁《芣苡》一條,謂王不及鄭;見《困學紀聞》,亦載《經典釋文》。晋孫毓作《毛詩異同評》,復申王説;陳統作《難孫氏毛詩評》,又明鄭義。並見《經典釋文》。袒分左右,垂數百年。至唐貞觀十六年,命孔穎達等因鄭《箋》爲《正義》,乃論歸一定,無復歧途。《毛傳》二十九卷,《隋志》附以鄭《箋》,作二十卷,疑爲康成所併,穎達等以疏文繁重,又析爲四十卷,其書以劉焯《毛詩義疏》、劉炫《毛詩述義》爲稾本,故能融貫羣言,包羅古義。終唐之世,人無異詞。惟王讜《唐語林》記劉禹錫聽施士匄講《毛詩》所説‘維鵜在梁’、‘陟彼岵兮’、‘勿翦勿拜’、‘維北有斗’四義,稱毛未注,然未嘗有所詆排也。至宋,鄭樵恃其才辨,無故而發難端,南渡諸儒始以掊擊毛、鄭爲能事。元延佑,科舉條制,《詩》雖兼用古注疏,其時門户已成,講學者迄不遵用。沿及明代,胡廣等竊劉瑾之書,作《詩經大全》,著爲令典,於是專宗朱《傳》,漢學遂亡。然朱子從鄭樵之説,不過攻《小序》耳。至於《詩》中訓詁,用毛、鄭者居多。後儒不考古書,不知《小序》自《小序》,《傳》、《箋》自《傳》、《箋》,鬨然佐鬬,遂併毛、鄭而棄之,是非惟不知毛、鄭爲何語,殆併朱子之《傳》亦不辨爲何語。我國家經學昌明,一洗前明之固陋。乾隆四年,皇上特命校刊《十三經注疏》,頒布學宫,鼓篋之儒,皆駸駸乎研求古學。今特録其書與《小序》,同冠《詩》類之首,以昭六義淵源,其來有自,孔門師授,端緒炳然,終不能以他説掩也。"

荀爽　詩傳　卷數佚。

《漢紀》曰:"臣悦叔父故司徒爽著《詩傳》,皆附正義,無他説。通人學者,多好尚之,然希得立於學官也。"

凡詩十七部,篇卷數可攷者九篇六十七卷。

補後漢書藝文志攷卷一終

補後漢書藝文志攷卷二

常熟　曾樸　纂

六藝志内篇第一之二

紀禮、樂、春秋。

馬融　儀禮注　六朝重喪禮，以《喪服經傳注》别出行之。《隋志》：一卷。《唐志》同。

范《書》："融著三《禮》。"

《詩正義》曰："馬融、盧植、鄭玄注三《禮》，並大題在下。"

《隋志》："《喪服》一篇，子夏先傳之，諸儒多注解，今又别行。"

陸德明曰："自馬融以下，並注《喪服》。"

案《釋文》言馬融注《喪服》，《隋》、《唐志》亦但録馬融《喪服經傳注》一卷，皆不言注《儀禮》，後儒遂疑馬融但注《喪服》，無《儀禮》注。樸謂其説非也，請列數證以明之。范《書》本傳稱融著三《禮》，不言注《喪服》，蔚宗生劉宋時，書籍尚多，必親見其書而著之。倘融但注《喪服》，則當云融著《周官》、《喪服經傳》、《禮記》，何至渾稱若是？且蔡邕、景鸞之《月令章句》，亦是全經别出爲注，蔚宗爲蔡、景二傳皆明稱《月令》，未嘗渾稱爲《禮記》也。豈有明於蔡、景而忽昧於馬融？此一證也。又蔚宗之前爲《後漢書》者共有七家，章懷太子注范《書》，凡七家與范異者，悉爲標出，其同者不著，如《鄭玄傳》范載鄭所著目録，章懷即注曰"謝承《書》無《孝經注》"，今融傳下章懷無一語，則可見七家皆云著三《禮》,與范無異。此二證也。孔穎達著《毛詩正義》,其説以劉焯《毛詩義疏》、劉炫《毛詩述義》爲稾本,二劉皆隋人,所據多六朝人舊説。今攷題疏下云馬融、盧植、鄭玄注三《禮》,皆大名在下,此明是六朝人親見其書之語。倘融但著《喪服經傳》,何得有大名在下等例也?況盧植、鄭玄皆統注三《禮》之人,盧植注三《禮》説見下。與之並列,亦一確據。此三證也。有此三證,馬融之有《儀禮注》決矣。雖然,猶曰此皆後人之詞,不足據也,則請以融所自述及同時人語證之。今攷《周禮興廢序》引融《自序》曰:"六十爲武都守,郡小少事,乃述平生之志,著《易》、句。《尚書》、句。《詩》、句。《禮》、句。《傳》即指《三傳異同説》。皆訖。"案《禮》即指《儀禮》而言,葢漢人無《儀禮》之名,往往稱《儀禮》爲《禮》,或稱《禮記》,故《藝文志》云《禮古經》五十六卷。《漢書·河間獻王傳》:"獻王所得書,皆古文先秦舊書《周官》、《尚書》、《禮》、《禮記》。"案此謂《禮記》即《隋志》所云河間獻王得仲尼弟子及後學者所記一百三十一篇,亦非今之《禮記》也。至小戴之《記》,則但稱《記》,《六藝論》所謂"注《記》時就盧君"者是也。今融自云著《禮》訖,則豈非融注《儀禮》之一大證乎?或難之曰:"融言著《禮傳》,若全經皆注,不當加'傳'字。"此大謬也,所謂傳者,即指融所作《春秋三傳異同説》而言,融著《三傳異同》,自謂過於鄭、賈,葢平生得意之作,《自序》所著,不容不及。且《序》中先《易》,次《書》、《詩》、《禮》,終之以《傳》,五經次第分明,豈得混《禮》、《傳》爲一乎?又《盧植傳》上書曰:"臣少從馬融受古學,頗知今之《禮記》特多回冗。"[①]所謂《禮記》,即指十七篇也。熹平石經,據《後漢書·儒

① "冗",原誤作"穴",據中華本《後漢書》改正。下同。

林》、《宦者傳》，皆云五經；據《蔡邕》、《張馴傳》又云六經；及讀《盧植傳》，云"時始立太學石經，以正五經文字，植上書請刊立《禮記》"，乃知《儒林》等傳所謂五經者，蔡邕所立也；蔡邕等傳所謂六經者，盧植所補立也。陸機《洛陽記》、戴延之《西征記》皆有《禮記》，與植傳合。但植所奏請《禮記》非四十九篇之《戴記》，乃漢、魏所稱十七篇之《禮記》。趙明誠《金石録》引《洛陽記》石經目，無《儀禮》而有《禮記》；其所藏石經遺字，有《儀禮》而無《禮記》，遂謂當時所立，不止六經。豈知彼所謂《儀禮》即《洛陽記》之所謂《禮記》耶？《隸釋》石經殘字，亦有《儀禮》無《禮記》。據此，則可見馬融於《儀禮》之學固嘗融貫全經，非徒注《喪服》一門。特六朝之時，士大夫皆重喪禮，故特别出行之，與《隋志》别標鄭玄《喪服經傳注》一例也。傳之既久，《喪服》盛行而全經反晦，非范《書》本傳及穎達《正義》碩果僅存，後人何由復知此書哉？

又案馬注《喪服經傳》，《通典》引之最多。其見於賈疏者，多爲鄭君所破，如"公之庶昆弟，大夫之庶子，爲母妻昆弟，《傳》曰何以大功也"云云，賈疏引"馬融之等以'昆弟'二字抽之在傳下，而鄭君注此曰'舊讀昆弟在下，其於厭降之義，宜蒙此《傳》，是以上而同之'"。又"大夫之妾爲君之庶子"經，鄭君注曰"舊讀合大夫之妾爲君之庶子、女子子嫁者、未嫁者，言大夫之妾爲此三人之服也"，賈疏謂"馬融之輩，舊讀如此，而鄭君於此傳下以爲文爛在下"，賈疏推鄭之意，謂此傳爲"大夫之妾爲君之庶子"而發，應在"女子子"之上，"君之庶子"之下，以破馬義。又"父爲長子"傳，疏引"長子五世，鄭君《小記》注以爲不繼祖禰，則長子不必五世"。又"無服之殤，以日易月"，疏引王肅、馬融謂"日易月者，以哭之日易服之月"，而鄭君經謂"生一月者，哭之一日也"，此皆其明破馬説者。至於"從母丈夫婦人報"，疏引馬氏云："從母，報姊妹之男女也。丈夫、婦人者，異姓無出入降。若然，是皆成人長大爲號。"又"君母在，則不敢不從”,疏引馬氏義“君母不在,乃可申矣”。《春秋正義》亦引一條,云“蕢者,枲實枲麻之有子者,其色粗惡,故用之”,皆與鄭義無甚異同。其《通典》所引馬氏經文與今《注疏》本次第都異,疑融本與今異也。

盧植　儀禮解詁　卷數佚。

范《書》:“熹平中,以疾去官。作《三禮解詁》。時始立太學《石經》,以正五經文字,植乃上書曰:‘臣少從通儒故南郡太守馬融受古學,頗知今之《禮記》特多回冗。臣前以《周禮》諸經,起發粃謬,[①]敢率愚淺,爲之解詁,而家乏,無力供繕寫上。願得將能書生二人,共詣東觀,就官財糧,專心研精,合《尚書》章句,攷《禮記》得失,庶裁定聖典,刊正碑文。’”

孔穎達曰:“馬融、盧植、鄭玄注三《禮》,並大名在下。”

案予既證明盧植所刊定之石經爲《儀禮》,而非《禮記》,則植之注《儀禮》,固植所自言,不待證而明矣。而或疑《周禮》、《禮記》,何以絶口不提?蒙謂此特未細讀本傳之文耳。按其《書》有云:“前以《周禮》諸經,起發粃謬,敢率愚淺,爲之解詁。”所謂“《周禮》諸經”,即兼《禮記》而言;“起發粃謬”,固是三《禮》互校,非獨起發《儀禮》之粃謬也。細玩文義自知。至《續漢書》之但有《禮記解詁》,此自史家之脱譌,何足爲據?如范《書》鄭君傳之脱“《周禮》注”,謂鄭君未注《周禮》可乎?

鄭康成　儀禮注　《敘録》、《隋志》、《新》、《舊唐志》、《宋志》均十七卷。今存賈公疏本十七卷。

《四庫全書提要》曰:“漢鄭玄注,唐賈公彦疏。《儀禮》出殘闕之餘,漢代所傳,凡有三本。一曰戴德本,以《冠禮》第一、《昏

① “起發”,中華本《後漢書》作“發起”。下同。

禮》第二、《相見》第三、《士喪》第四、《既夕》第五、《士虞》第六、《特牲》第七、《少牢》第八、《有司徹》第九、《鄉飲酒》第十、《鄉射》第十一、《燕禮》第十二、《大射》第十三、《聘禮》第十四、《公食》第十五、《覲禮》第十六、《喪服》第十七；一曰戴聖本，亦以《冠禮》第一、《昏禮》第二、《相見》第三，其下則《鄉飲》第四、《鄉射》第五、《燕禮》第六、《大射》第七、《士虞》第八、《喪服》第九、《特牲》第十、《少牢》第十一、《有司徹》第十二、《士喪》第十三、《既夕》第十四、《聘禮》第十五、《公食》第十六、《覲禮》第十七；一曰劉向《别録》本，即鄭氏所注。賈公彦疏謂，《别録》尊卑吉凶次第倫序，故鄭用之，二戴尊卑吉凶雜亂，故鄭不從之也。其經文亦有二本，高堂生所傳者，謂之今文；魯恭王壞孔子宅，得《古儀禮》五十六篇，其字皆以篆書之，謂之古文。玄注參用二本，其從今文而不從古文者，則今文大書，古文附注，《士冠禮》'闑西閾外'句注'古文闑爲槷，閾爲蹙'是也；從古文而不從今文者，則古文大書，今文附注，《士冠禮》'醴辭孝友時格'句注'今文格爲嘏'是也。其書自玄以前絶無注本，玄後有王肅注十七卷，見於《隋志》。然賈公彦《序》稱'《周禮注》者，則有多門；《儀禮》所注，後鄭而已'，則唐初肅書已佚也。爲之義疏者有沈重，見於《北史》。又有無名氏二家，見於《隋志》，然皆不傳。故賈公彦僅據齊黄慶、隋李孟悊二家之疏定爲今本。其書自明以來，刻本舛譌殊甚，顧炎武《日知録》曰'萬曆北監本《十三經》中《儀禮》脱誤尤多，《士昏禮》脱"壻授綏姆辭曰未教不足與爲禮也"一節十四字，賴有長安《石經》，據以補此一節，而其注疏遂亡。《鄉射禮》脱"士鹿中翿旌以獲"七字，《士虞禮》脱"哭止告事畢賓出"七字，《特牲》饋食禮脱"舉觶者祭卒觶拜長者荅拜"十一字，《少牢》饋食禮脱"以授尸坐取簞興"七字，此則秦火之所未亡而亡於監刻矣'云云。蓋由《儀禮》文古義奥,傳習者少,注釋者亦代不數人,寫刻有譌,猝不能校,故紕漏至於如是也。今參考諸本,一一釐正,著於録焉。"

鄭康成　喪服變除　《隋志》作《譜》一卷。《唐志》作《變除》,同。

馬國翰曰:"《隋書·經籍志》有《喪服經傳》一卷、《喪服譜》一卷,《唐書·藝文志》無《喪服譜》而有《喪服變除》一卷,其《喪服經傳注》即注《儀禮·喪服篇》也。晉、宋諸儒,好治《喪禮》,於是鄭注《喪服》,别有單行之本,故《隋》、《唐志》亦别著於録。《隋志》之《譜》,疑即《唐志》之《變除》,或其書中衍爲圖譜,故《隋志》取以標目歟?"

案杜佑《通典》八十一引"臣爲君不笄纚,不徒跣",又八十四引"子爲父斬縗,始死,笄纚如故"一事,文繁不盡録。俱稱鄭玄《喪服變除》,皆引於戴德《變除》之後。又《禮記·檀弓》正義引戴德《喪服變除》"二十五月大祥"下,即引鄭云"二十七月而禫"。據此,則此書蓋以戴德《喪服變除》爲本而附己意也。

鄭衆　婚禮　卷數佚。

《晋書·禮志》:"鄭氏《醮文》三首具存。"

《通典》:"後漢鄭衆《百官六禮辭》,大畧同於周制。"

案歐陽詢《藝文類聚》四十引"釋六禮名義"一節,稱鄭氏《謁文》,即《晋書》所謂《醮文》三首也。《通典》五十八引納采女家辭一事、又納采禮物一事及《讚》文,《晋書·禮志》下引"羊者,祥也"一句,稱鄭氏《婚物讚》。稱《百官六禮辭》。蓋此書總名《婚禮》,其《謁文》、《百官六禮辭》,皆篇目也。其《讚》文,《類聚》、《御覽》、《書鈔》亦多引之,有較《通典》为詳者。如《通典》引"羊者,祥也",而《類聚》則多"羣而不黨,跪乳有家”二句;[①]又引“九子墨,長生子孫”,而《書鈔》引作“九子之墨,藏於松烟,本性長生,子孫圖邊”;又引“金錢和明不止”,而《御覽》引作“金錢爲質,所歷久長,金取和明,錢用不止”。又《類聚》八十九引“女貞之樹,柯葉冬生,寒涼守節,[②]險不能傾”,則《通典》非特無此《讚》,而所引《百官六禮辭》中亦無此物,則其疏漏也。

何休　冠儀約制　卷數佚。

馬國翰曰:“此編《隋書·經籍志》、《唐書·藝文志》均不載,唯杜佑《通典》引之。意以古《禮》繁重,人多憚行,《冠禮》浸以日廢,乃參酌時制,約而爲此,亦委曲存《禮》之苦衷也。據録一家,欲復古道者或有取焉。”

案《通典》五十七引之,稱後漢何休《冠義約制》。而《宋書·禮志》亦引之,作“何禎”。禎,晋魏間人,見《管甯傳》注。然《通典》明標後漢,則《宋書》所引者誤也。案元北監本《宋書》正作“何休”,今誤刊。

鄭康成　五宗圖　《七録》:一卷。

案《隋志》有《五宗圖》一卷,不著撰人名。《通典》七十三薛綜引之,稱鄭玄《五宗圖》。

劉表　新定禮　《隋志》:一卷。

馬國翰曰:“《隋書·經籍志》有漢荆州刺史劉表《新定禮》一卷,新定即後定,題小異耳。《唐志》不著,佚已久。杜佑《通典》引六節,或僅題劉表,或稱《後定喪服》。案《隋志》列此於《喪服儀》下,《喪服要畧》上,中敘梁有亡書,亦皆《喪服》,知此書渾以禮名,其實專明《喪服》也。”

---

① “家”,原作“義”,據上海古籍出版社汪紹楹校本《藝文類聚》(以下簡稱汪紹楹校本)。改。

② “寒”,原作“守”,據汪紹楹校本《藝文類聚》改。

案《通典》八十三引"既除喪,有來弔者,以縞冠深衣,于墓受之,畢事反吉",又引"君來弔臣"一節,八十四引"爲曾祖父母,不敢以輕服"一節,俱稱劉表《後定喪服》。九十七引"父亡未殯而祖亡"一節,稱劉表云。又九十八引"父亡在祖後,則不得爲祖母三年,以爲婦人之服,不可踰夫;孫爲祖服周,父亡之後,爲祖母服,不得踰祖也",此條稱劉表所作《後定喪服變除》。

杜子春　周官注　卷數佚。

馬融《傳》:"劉歆弟子河南緱氏杜子春,永平之初,年且九十,家於南山,能通《周官》讀,頗識其説。"侯康云:"此謂融所作《周官傳》,非范史本傳也。"

賈公彦曰:"劉歆門徒河南緱氏杜子春,永平初,年且九十,家於南山,通《周官説》。"

陸德明曰:"河南緱氏杜子春,受業於劉歆。還家,以教門徒,好學之士鄭興父子等多師事之。"

馬國翰曰:"《周禮》,漢孝武時出於屋壁。孝成時,劉向、子歆校理秘書,始得列序,著於《録》、《畧》。子春受業於歆,因以教授。觀其於故書之字,正音通讀,實此書之首功矣。康成注述其説,而多所去取。鄭衆從子春受業,而於《夏官》射人'以矢行告'注,以爲杜子春説不與《禮經》合,疑非是也,古人不阿其所好有如此者。"

案此書今天大半存康成《周禮注》中。其不見《周禮注》者,惟《文選·東京賦》注引"蜃,蜯也",《集韻》上平聲十三耕引"硍鍾,病聲",三十諫引"縵,緩也",稱杜子春《周禮注》。至二十阮引"楗,馬行不利也",則即鄭注所引"馬苦蹇"之義,葢隨義易其文也。

鄭興　周官解詁　卷數佚。

鄭康成《周禮序》云:"大中大夫鄭少贛及子大司農仲師、議郎衛敬仲、侍中賈景伯、南郡太守馬季長,皆作《周禮解詁》。"

范《書》:"興好古學,尤明《左氏》、《周官》,長於曆數。"

晁公武曰:"鄭興、鄭衆傳授《周禮》,康成引之,以參釋異同云。大夫者,興也;司農者,衆也。"二鄭《解詁》無所别,即因題焉。

鄭衆　周官解詁 卷數佚。

馬融《傳》曰:"鄭衆、賈逵受業杜子春,衆、逵洪雅博聞,又以經書記轉相證明爲解,逵解行於世,衆解不行。兼攬二家爲備,多所遺闕。然衆時所解説,近得其實,獨以《書序》言'成王既黜殷命,還歸在豐,作《周官》',則此《周官》也,失之矣。"

朱彝尊曰:"鄭康成注稱爲鄭司農,孔氏《正義》呼曰'先鄭',而目康成爲'後鄭'。"

案《釋文》引"政,如字",《文選·潘安仁藉思賦》注引"蹕,謂止行者,清道,若今時警蹕",聶崇義《三禮圖》卷四引"后正寢在前,五小寢在後",卷二十引"雷鼓六面,靈鼓四面,路鼓兩面",丁度《集韻》十三諫引"還,繞也",皆鄭注所未引。

衛宏　周官解詁 卷數佚。

鄭康成《周禮序》:"議郎衛敬仲作《周官解詁》。"

賈逵　周官解故 卷數佚。

馬融《傳》曰:"逵以爲六鄉大夫,則冢宰以下。及六遂爲十五萬家,絙千里之地。甚謬焉。"

《叙録》:"賈景伯亦作《周禮解詁》。"

案賈疏及諸書所引,每與馬融並稱。而鄭君于其説之不合者,時以己意破之。如《天官》"惟王建國",賈疏引賈、馬以爲建諸侯國,而鄭以爲王國;《春官》"守祧,奄八人",賈疏引賈、馬"奄,卿也",而鄭以爲如今之宦官;《巾車》"玉路,鍚樊纓,十有再就",賈疏引賈、馬"鞶纓,馬飾,在膺前",而鄭以爲"纓,今馬鞅";鞅,馬頭夾。《攷工記·玉人》"棗栗十有二列",賈疏引賈、馬"十二列比《聘禮》'醯醢夾碑百甕,十以爲列'",而鄭以爲"十有二列者,勞二王之後也";《詩·小雅·賓之初筵》疏引賈逵《周禮注》"四尺曰正",而鄭於《射人》注"從毛公云二尺",此類皆是。惟《冬官·韗人》"上三正"鄭君注引賈侍中云"晋鼓大而短",此條則顯從之。至其他如《詩·大雅·韓奕》正義引賈逵《大宗伯》"春見曰朝,夏見曰宗,秋見曰覲,冬見曰遇"注曰"一方四分之,或朝春,或覲秋,或宗夏,或遇冬,屏藩不可虚方俱行,故分趣四助時祭也",《魏書·劉芳》引《小宗伯》"兆五帝"注"東郊木帝太皞,八里;南郊火帝炎帝,七里;西郊金帝少皞,九里;北郊水帝顓頊,六里;中兆黄帝之位,并南郊之季,故曰兆五帝于四郊也",酈道元《水經·汾水》注引"漢法,三年祭地汾陰方澤中,澤中有方邱,故謂之方澤",皆與鄭大同而小異。又《隋書·音樂志》引"圜鐘,夾鐘也",則賈逵、鄭玄同引。

張衡　周官訓故　卷數佚。

《文士傳》:"原本《書鈔》五十八卷引。拜侍中,恒居帷幄,從容諷議拾遺左右。校秘書,作《周官解説》。"

劉昭註《續漢書·百官志》:"顺帝時,平子爲侍中,典校書,方作《周官解説》,乃欲以漢次述漢事。會復遷河間相,遂莫能立也。"

馬融　周官傳　《敘録》:十二卷。《隋志》、《新》、《舊唐志》同。

孔穎達曰:"馬融爲《周禮注》,欲省學者兩讀,故具載本文。然則後漢以來,始就經爲注。"

案《周禮興廢》引:"六十爲武都守,郡小少事,乃述平生之志,著《易》、《尚書》、《詩》、《禮》、《傳》皆訖。惟念前業未畢者爲《周官》,年六十有六,目瞑意倦,自力補之,謂之《周官傳》。"章如愚《山堂攷索》一引"欲省學者兩讀,故就經爲注",皆稱馬融《周官序》。今攷其本與今異者,如《大宗伯》"以禬禮哀圍敗","圍"作"國",見賈疏;《巾車》"總組有握","握"作"幄";《梓人》"以胷鳴,""胷"作"胃",見《釋文》。至其解説,多與賈逵同,鄭往往破之,已詳賈逵《周官注》。

盧植　周官禮注 卷數佚。

孔穎達曰:"馬融、盧植、鄭玄注三《禮》,並大名在下。"

案説見上《儀禮注》。

鄭康成　周官禮注 《敘録》、《隋志》、《新》、《舊唐志》、《宋志》均作十二卷。今存賈疏本四十二卷。

《四庫全書提要》曰:"漢鄭玄注,唐賈公彦疏。玄有《易注》,已著録。公彦,洺州永年人,永徽中,官至太學博士。事蹟具《舊唐書·儒學傳》。《周禮》一書,上自河間獻王,於諸經之中,其出最晚,其真僞亦紛如聚訟,不可縷舉。惟《横渠語録》曰:'《周禮》是的當之書,然其間必有末世增入者。'鄭樵《通志》引孫處之言曰'周公居攝六年之後,書成歸豐,而實未嘗行。蓋周公之爲《周禮》,亦猶唐之《顯慶》、《開元禮》,預爲之,以待他日之用,其實未嘗行也。惟其未經行,故僅述大畧,俟其臨事而損益之。故建都之制不與《召誥》、《洛誥》合,封國之制不與《武成》、《孟子》合,設官之制不與《周官》合,九畿之制,不與《禹貢》合'云云。案此條所云,惟《召誥》、《洛誥》、《孟子》顯相舛異;至《禹貢》,乃唐虞之制;《武成》、《周官》乃梅賾《古文尚書》;《王制》乃漢文帝博士所追述,皆不足以爲難其説,蓋離合參半。其説差爲近之,然亦未盡也。夫《周禮》作於周初,而周事之可考者,不過春秋以後。

其東遷以前三百餘年,官制之沿革,政典之損益,除舊布新,不知凡幾。其初去成、康未遠,不過因其舊章,稍爲改易,而改易之人,不皆周公也,于是以後世之法竄入之,其書遂雜。其後去之愈遠,時移勢變,不可行者漸多,其書遂廢。此亦如後世律令條格,率數十年而一修,修則必有所附益,特世近者可考,年遠者無徵,其增删之迹,遂靡所稽,統以爲周公之舊耳。迨乎法制既更,簡編猶在,好古者留爲文獻,故其書閲久而仍存。此又如開元六典、政和五禮,在當代已不行用,而今日尚有傳本,不足異也。使其作僞,何不全僞六官而必闕其一,至以千金購之不得哉?且作僞者必剽取舊文,借真者以實其贋,《古文尚書》是也,劉歆宗《左傳》,而《左傳》所云《禮經》皆不見於《周禮》。《儀禮》十七篇皆在《七畧》所載《古經》七十篇中,《禮記》四十九篇亦在劉向所録二百十四篇中。而《儀禮・聘禮》賓行饔餼之物、禾米芻薪之數、籩豆簠簋之實、鉶壺鼎甕之列,與掌客之文不同;又《大射禮》天子諸侯侯數、侯制,與司射之文不同;《禮記・雜記》載子男執圭,與典瑞之文不同;《禮器》天子諸侯席數,與司几筵之文不同。如斯之類,與二《禮》多相矛盾。歆果贋託周公爲此書,又何難牽就其文,使與經傳相合以相證驗,而必留此異同以啟後人之攻擊?然則《周禮》一書,不盡原文,而非出依託,可概睹矣。《考工記》稱鄭之刀,又稱秦無廬,鄭封於宣王時,秦封於孝王時,其非周公之舊典,已無疑義。《南齊書》稱文惠太子鎮雍州,有盜發楚王冢,獲竹簡書,青絲編,簡廣數分,長二尺有奇,得十餘簡,以示王僧虔。僧虔曰:'是科斗書《考工記》。'則其爲秦以前書,亦灼然可知。雖不足以當《冬官》,然百工爲九經之一,共工爲九官之一,先王原以制器爲大事,存之尚稍見古制。俞庭椿以下,紛紛割裂五官,均無知妄作耳。鄭注,《隋志》作十二卷,賈疏文繁,乃析爲五十卷,《新》、《舊唐志》並同。今本四十二卷,不知何人所併。玄於三《禮》之學,本爲專門,故所釋特精。惟好引緯書,是其一短。《歐陽脩集》有《請校正五經劄子》,欲删削其書。然緯書不盡可據,亦非盡不可據,在審别其是非而已,不必竄易古書也。又好改經字,亦其一失。然所注但曰當作某耳,尚不似北宋以後連篇累牘,動稱錯簡,則亦不必苛責於玄矣。公彦之疏亦極博核,足以發揮鄭學。《朱子語録》稱五經疏中,《周禮疏》最好。蓋宋儒惟朱子深於《禮》,故能知鄭、賈之善云。"

臨碩　周禮十論七難　卷數佚。

范書《孔融傳》:"融爲北海相,到郡,郡人甄子然、臨孝存知名,早卒,命配享縣社。"

賈公彦曰:"林孝存以爲武帝知《周官》末世瀆亂不驗之書,故作十論七難以排棄之。惟鄭玄遍覽羣經,知《周禮》乃周公致太平之迹,故能答林碩之論難,故《周禮》義得條通。"

案《周禮・春官・女巫》疏引"凡國有大災,歌哭而請,魯人有日食而哭。傳曰:非所哭,哭者,哀也;歌者,樂也。有哭而歌,是以樂裁,裁而樂之,將何以請,哀、樂失所,禮又喪矣。孔子曰:'哭則不歌,歌哭而請,道將何爲。'"稱林碩難。此條或輯入《鄭志》,誤。臨,賈疏皆作"林",未知何據。唐史承節《鄭康成碑》亦作"臨孝存"。

鄭康成　答臨碩周禮難　卷數佚。

案《周禮・春官・女巫》疏引《答臨碩難》"凡國有大災,歌哭而請"一條,《禮記目録》正義引《答臨碩》"孟子當赧王之際,《王制》之作,當在其後",又引答"王畿千里"一條,稱答臨碩。

曹充　慶氏禮章句辨難　卷數佚。

范《書》:"褒父充,持慶氏《禮》,作《章句辨難》,於是遂有慶氏學。"

《隋志》:"後漢惟曹充傳慶氏,以授其子褒。"

曹褒　禮記傳　范《書》:四十九篇。

范《書》:"褒又傳《禮記》四十九篇,教授諸生千餘人,慶氏學遂行於世。"

馬融　禮記注　卷數佚。

陳邵《周禮論序》:"後漢馬融、盧植,攷諸家同異,附戴聖篇章,去其繁重,及所敘畧,而行於世,即今之《禮記》是也。"《釋文·敘録》引。《隋志》:"漢末,馬融遂傳小戴之學。融又足《月令》一篇、《明堂位》一篇、《樂記》一篇,合四十九篇。"

侯康曰:"《隋志》所云,似因陳邵之説而傅會之。其實馬融注《禮記》,但有解说,並無去取,邵言微誤。《隋志》謂融增入三篇尤誤,劉向《别録》已稱《禮記》四十九篇,橋仁著《禮記章句》四十九篇,皆在前漢時,不待融足三篇也。"

案《通典》一百四引馬融《禮記注》"舍故而諱新","舍"作"捨";又《後漢書·馬融傳》《廣成頌》曰:"臣聞昔命師於鞬橐。"則融本名之曰建橐,"建"作"鞬";本傳章懷注曰:"鞬以藏箭,橐以藏弓。"臧氏琳據爲馬季長義。此皆與今異者。

盧植　禮記解詁　《敘録》:二十卷。《新》、《舊唐志》同。《隋志》:十卷。

《續漢書》:"植作《禮記解詁》。"《魏志·盧毓傳》注。

陸德明曰:"鄭玄亦依馬、盧之本而注也。"

《唐書·儒學傳》:"元行沖《釋疑》曰:'小戴《禮》行於漢末,馬融爲傳,盧植合二十九篇而爲之解,世所不傳。'"①

王應麟曰:"《詩》疏嘗引盧植《禮記》注。"

---

① 原脱"疑"字、"馬融爲傳"四字、"合"字,據中華本《新唐書》補。

《經義攷》云:"《續漢書·禮儀志》注亦引植注,《通典》亦引之。"

臧琳《經義雜記》云:"盧氏校定《禮記》,今日雖亡,漢、唐人偶有稱述,尚可得其畧。其一《檀弓》下'子顯以致命於穆公',鄭注'使者,公子縶也',盧氏云'古者名字相配,顯當作韅。今攷《詩·白駒》"縶之維之",傳"縶,絆也",《禮記·月令》"則縶騰駒",是縶爲維絆義。《说文》"顯,頭明飾也",與縶義無涉。"韅,著掖鞥也",又《釋名》云"韅,經也,横經其腹下也",與維絆義合,故名縶字子韅。'此校之盡善者。其一《曲禮》'猩猩能言,不離禽獸',《釋文》'禽獸,盧本作走獸',正義曰:'别而言之,羽則曰禽,毛則曰獸;通而爲说,鳥不可曰獸,獸亦可曰禽,故《易》云"王用三驅失前禽",則驅走亦曰禽也。又《周禮》司马職云:"大獸公之,小禽私之。"以此而言,則禽未必皆鳥也。又康成注《周禮》云:"凡鳥獸未孕曰禽。"《周禮》又云:"以禽作六摯,卿羔,大夫雁 。"《白虎通》云:"禽者,鳥獸之總名。"以此諸經證禽名通獸者,以其小獸可擒,故通名禽也。'孔氏所據精博。盧氏定爲走獸,失之拘泥,此校之未盡善。"

案《禮記正義》謂鄭亦附馬、盧之本而爲之注,則植爲鄭所宗矣。然今攷諸書所引盧注,亦頗有與鄭不合者。如《檀弓》上"主人既祖於填池",鄭謂"當爲奠徹,聲之誤也",而《釋文》引盧本如字;《檀弓》下"君之適長殤,車三乘"一節,鄭云"大功之殤,中從上",而《正義》盧植謂"遣車亦中從下";《王制》"喪從死者,祭從生者",鄭謂"從死者衣衾棺椁,從生者謂奠祭之牲器",奠祭兼吉祭、喪祭而言。而《正義》盧植謂"從生者,謂除服之後,吉祭之時;從死者謂喪中之祭";《月令》"迎春于東郊"、"迎夏于南郊"、"迎秋于西郊"、

"迎冬于北郊",鄭據周郊皆五十里,而《後魏書·劉芳傳》引植注曰"東郊八里,南郊七里,中央五里,西郊九里,北郊六里";《郊特牲》"郊之祭也,迎長日之至也",鄭以爲不用建寅而用建卯,《南齊書·禮志》引植云"夏正在冬至後";《内則》"后王命冢宰",鄭謂"后,君也,謂諸侯王、天子也",下二語據《釋文》云然。而《釋文》引盧植謂"后,王后也";《正義》引盧植"后,天子之妃"。《玉藻》"朝日于東門之外",鄭謂春分之時,而《南齊書·禮志》引植以爲立春之日。此皆與鄭異義者。

又案盧本異文,除《經義雜記》未引外,如《曲禮》"爲其拜而蓌拜","蓌"作"蹲",見《釋文》;《檀弓》"舍故而諱新","舍"作"捨",見《通典》。

鄭康成　禮記注　《敘録》、《隋志》、《新》、《舊唐志》、《宋志》均二十卷。今存孔正義本六十三卷。

《四庫全書提要》曰:"漢鄭玄注,唐孔穎達疏。《隋書·經籍志》曰'漢初,河間獻王得仲尼弟子及後學者所記一百三十一篇,獻之,時無傳之者。至劉向考校經籍,檢得一百三十篇,第而敘之。又得《明堂陰陽記》三十三篇、《孔子三朝記》七篇、《王史氏記》二十一篇、《樂記》二十三篇,凡五種合二百十四篇。戴德删其煩重,合而記之,爲八十五篇,謂之大戴記。而戴聖又删大戴之書,爲四十六篇,謂之小戴記。漢末,馬融遂傳小戴之學。融又益《月令》一篇、《明堂位》一篇、《樂記》一篇,合四十九篇'云云。其説不知所本。今考《後漢書·橋玄傳》云'七世祖仁,著《禮記章句》四十九篇,號曰橋君學',仁即班固所謂小戴授梁人橋季卿者,成帝時嘗官大鴻臚,其時已稱四十九篇,無四十六篇之説。又孔疏稱《别録》《禮記》四十九篇,《樂記》第十九、四十九篇之首疏皆引鄭《目録》,鄭

《目録》之末必云此於劉向《别録》屬某門。《月令目録》云'此於《别録》屬明堂陰陽記',《明堂位目録》云'此於《别録》屬明堂陰陽記',《樂記目録》云'此於《别録》屬樂記,蓋十一篇,今爲一篇',則三篇皆劉向《别録》所有,安得以爲馬融所增。疏又引玄《六藝論》曰'戴德傳《記》八十五篇,則大戴《禮》是也;戴聖傳《禮》四十九篇,則此《禮記》是也'。玄爲馬融弟子,使三篇果融所增,玄不容不知,豈有以四十九篇屬於戴聖之理?況融所傳者乃《周禮》,若小戴之學,一授橋仁,一授揚榮,後傳其學者有劉祐、高誘、鄭玄、盧植,融絶不預其授受,又何從而增三篇乎?知今四十九篇實戴聖之原書,《隋志》誤也。元延祐中,行科舉法,定《禮記》用鄭玄注,故元儒説《禮》率有根據。自明永樂中永敕修《禮記大全》,始廢鄭注,改用陳澔《集説》,《禮》學遂荒。然研思古義之士,好之者終不絶也。爲之疏義者,唐初尚存皇侃、熊安生二家。案明北監本以皇侃爲皇甫侃,以熊安生爲熊安,二人姓名並誤,足徵校刊之疏,謹附訂于此。貞觀中,敕孔穎達等修《正義》,乃以皇氏爲本,以熊氏補所未備。穎達《序》稱:'熊則違背本經,多引外義,猶之楚而北行馬,雖疾而去愈遠;又欲釋經文,惟聚難義,猶治絲而棼之手,雖繁而絲益亂也。皇氏雖章句詳正,微稍繁廣;又既遵鄭氏,乃時乖鄭義,此是木落不歸其本,狐死不首其丘。此皆二家之弊,未爲得也。'故其書務伸鄭注,未免有附會之處。然採摭舊文,詞富理博,説《禮》之家,鑽研莫盡,譬諸依山鑄銅,煮海爲鹽。即衛湜之書,尚不能窺其涯涘;陳澔之流,益如莛與楹矣。"

蔡邕　月令章句　《隋志》:十二卷。《唐志》誤戴永,卷同。《宋志》存一卷。

《月令問答》曰:"予讀《記》,以爲《月令》體大經同,不宜與《記》書雜録並行,而《記》家記之,又署及前儒特爲章句者,皆用其意傳,非其本旨。又不知《月令》徵驗,布在諸經,《周官》、《左傳》實與《禮記》通等,而不爲徵驗,他議横生,紛紛久矣。光和元年,余被謗章,罹重罪,徙朔方,内有獫狁敵衝之釁,外有寇虜鋒鏑之艱,危險凜凜,死亡無日。過被學者聞,家就而攷之,亦自有所覺悟,庶幾頗得事情。而訖未有注《記》著於文字也,懼顛蹶隕墜,無以示後來聰直君子而懷之朽腐。竊誠思之,《書》有陰陽升降、天文曆數、事物制度,可假以爲本。敦辭託説,審求曆象,其要者莫大於是,故於憂怖之中,晝夜密勿,昧死成之。旁貫五經,參以羣書,至及國家律令制度,遂定曆數,盡天地三光之情。辭繁多而蔓衍,非所謂理約而達也。道長日短,與危殆競,取其心盡而已,故不能復加删省。蓋所以探賾辨物,庶幾多識前言往行之流。苟便學者,以爲可覽,則余死而不朽也。”

《水經注》曰:“穀水又逕明堂北,漢光武中元元年立。尋其基構,上圓下方,九室,重隅,十二堂,蔡邕《月令章句》同之。”

牛弘曰:“《明堂月令》者,鄭玄曰:‘是吕不韋著《春秋·十二紀》之首章,禮家鈔合爲《記》。’蔡邕、王肅云周公所作,《周書》内有《月令》五十三,即此也。各有明證,文多不載。今案不得全稱《周書》,亦未可即爲秦典。其内雜有虞、夏、殷、周之法,皆聖王仁恕之政也。蔡邕具爲章句,又論之云云。觀模範天地,則行陰陽,必據古文,義不虚出。”

《晋書·天文志》:“十二次,班固取《三統曆》十二次配十二野,其言最詳。又費直説《周易》、蔡邕《月令章句》所言,頗有先後。”

顧廣圻曰:“予向者不撥檮昧,禮文經紀,粗綜諸説。竊以爲北海鄭君,時代正接,《月令》兩注,抑何徑庭。蓋中郎之學以今文家爲主,鄭君之學以古文家爲主,理自有此異同,言非故相出入,求其宏通,並行不悖。”

蔡雲《月令章句》輯本序："伯喈釋《明堂月令》凡三書，曰《論》、曰《章句》、曰《問答》。《續漢志》注引《明堂論》，自《月令》篇名而下不載；又引《命論》文在《月令》篇名後，必《月令論》之脱譌，似前爲《明堂論》，後爲《月令論》者。然《文選注》引《月令論》文在前，蓋論本一通稱，名各省耳。又有引《論》而稱《章句》者，見《水經注》、《禮疏》、《通典》；有引《問答》而稱《論》者，見《藝文類聚》、《太平御覽》；有引《論》而文似《問答》，實《章句》者，見《三國志注》；則三書實一書，故陸機《策紀瞻》有蔡邕《月令》之稱也。"

余蕭客《古經解鈎沈》曰："諸引《月令章句》，大率皆中郎書。然不著姓氏者，十居六七。景氏、戴氏兩家，既與蔡同不傳，亦無以見諸書徵引必無一二偶及。"

王謨輯本序："《隋志》但有《月令章句》，無《明堂月令論》。而陶氏《説郛》又有蔡邕《月令問答》一篇，檢其中'更叟'一條，據《三國志注》亦引作《明堂月令論》；而《御覽》引《明堂論》'門閫'一條，又作章句。大抵此書原衹按《月令》十二月，爲《章句》十二卷，其所問答，乃是卷首發凡。而《明堂論》則又因其中有明堂太廟之文，推而論之者也。要衹《章句》一書，後人各從所引稱謂。"

按《初學記》三十引"命大史釁龜筴"作"太卜"，云官名。杜臺卿《玉燭寶典》一引"蟄蟲始震"，"震"作"振"，云動也；"后妃帥九嬪御"，"帥"作"率"；"乃禮天子所御"，"禮"作"醴"，云飲以醴酒；此二條《御覽》百四十五引同。卷三引"勾者畢出"，"勾"作"區"，云"蓋也，言凡覆蓋者盡出"；"戴勝降於桑"，"勝"作"鵀"；《御覽》十九亦引之。"乃合累牛騰馬"，"騰"作"孕"，云"累、重、孕、任，皆懷胎之名"；下"騰駒"亦作"孕駒"。"螻蟈鳴"作"螻蟣"；卷四引"王瓜生"，"瓜"作"菩"；《御覽》九百九十八作“王萯”。卷五引“百官鳴静事無刑”,“刑”作“徑”,云易也;卷七引“民多瘧疾”,“瘧”作“疫”。此二條與鄭所引今《月令》同。《御覽》百四十五引“蠶事既登”,“登”作“升”,云成也;“無有敢惰”,“惰”作“怠”。此皆與今本異者。

又案日本國卷子本《玉燭寶典》於每月下月令之後,詳載此書,諸搜輯家皆未之見。好古者若能一一輯出,合以《原本玉篇》、慧琳《一切經音義》所引,則中郎此書,雖亡而未亡也。

荀爽　禮傳　卷數佚。

案《通典》七十九引“天子諸侯事曾祖以上,皆稱曾孫”,標荀爽説,當出《禮傳》。

景鸞　月令章句　卷數佚。

《華陽國志》:“鸞游學七州,還,乃撰《禮略》、《河洛交集》、《風角雜書》、《月令章句》,凡五十餘萬言。”

曹褒　演經雜論　范《書》:百二十篇。

案《初學記》二十一引“漢初,朝制無文,叔孫通頗採禮經,參酌秦法。[①] 雖適物觀時,有救崩弊,先王之宏典,蓋多闕矣”,稱曹褒論。

鄭康成　禮義　《唐志》:二十卷。

王謨曰:“諸經正義多引鄭氏《魯禮禘祫志》,本傳作《魯禮禘祫義》,《隋志》俱不著録,而别有《禮議》二十卷,按《隋志》無,見《唐志》。則《禘祫志》乃《禮議》中一篇目也。”

案王説非也。攷鄭《駁五經異義》有“以禮讖所云,故作《禘祫志》”之語,倘此《志》爲《禮議》中篇名,鄭自述所著,不應但稱篇名也。

① 原脱“秦法”二字,據中華本《初學記》補。

鄭康成　魯禮禘祫志　卷數佚。

《駮五經異義》曰："三年一祫，五年一禘，百王通義，以禮讖所云，故作《禘祫志》。"

案《詩·商頌·玄鳥》正義引："《禘祫志》皆據《春秋》魯諸公禘祫，以明禘祫之義，此書名所以題魯禮也。"下又引曰："儒者之説禘祫也，通俗不同，學者競傳其聞，是用訩訩争論，從數百年來矣。竊念《春秋》者，書天子諸侯中失之事，得禮則善，違禮則譏，可以發起是非，故據而述焉。從其禘祫之先後，考其疏數之所由，而粗記注焉。"此條當是康成自述語。餘引見《禮記正義》及《通典》者尚多。

景鸞　禮略　《隋志》：二卷。

案《隋志》有《禮略》二卷，不箸撰人名。以范《書》攷之，則鸞撰也。

鄭康成　三禮目録　《隋志》、《新》、《舊唐志》均作一卷。

案今存三《禮》疏中。

鄭康成及阮諶等　三禮圖　《隋志》：九卷。

《阮氏譜》："武父諶，字士信。徵辟無所就，造《三禮圖》傳於世。"《三國志·杜畿傳》注。

《後魏·禮志》："阮諶《禮圖》，并載秦漢以來輿服。"

張昭《駁議》曰："《四庫書目》有《三禮圖》十二卷，是隋開皇中敕禮官修撰，其圖第一、第二題云'梁氏'，第十後題云'鄭氏'，不知梁氏、鄭氏名位所出。今書府有《三禮圖》，亦題梁氏、鄭氏，不言名位。厥後有梁正者，集前代圖記，更加詳議，題《三禮圖》曰：'陳留阮士信受禮學於綦母君，取其说爲《圖》三卷，多不案禮文，而引漢事，與鄭君之文違錯。'正删爲二卷。"

案《三禮圖》引見諸書甚多。其鄭玄、阮諶二圖同引者，如聶崇義《圖》卷十一引"蒼璧九寸,厚寸",卷二十引"禮天圭璧皆長九寸"是也。其獨引鄭氏而稱鄭玄《禮圖》者,《春秋左氏・襄十一年》正義"鎛,大鐘;磬,大磬。皆特懸之",謂鄭玄《禮圖》如此是也。其稱鄭《圖》者,聶崇義《圖》十一引"琥以玉,長九寸,廣五寸,刻伏虎形,高三寸",卷十四引"雞彝,受三升,宗廟器,盛明水。彝者,法也,言與諸尊爲法也",又引"其舟外漆朱中"是也。其但稱後鄭者,聶崇義《圖》卷十二引"大璋加文飾,中璋殺文飾,半璋半文飾"是也。其獨引阮氏而稱阮諶《三禮圖》者,《文選・顏延年三月三日曲水詩序》注引"筍簴兩頭並爲龍,以銜組",《御覽》八十二引"牛鼎一斛,天子飾以黄金,錯以白銀"《初學記》亦引稱阮氏《三禮圖》。是也。稱阮諶《禮圖》者,《後魏書・禮志》引皇后乘金根輅、桑輅、[1]安車、山軿車、紺罽軿車、閣輿等儀制,《隋書・禮儀志》引"周人立廟,先王居中,以昭穆爲左右"是也。稱《阮氏圖》者,聶《圖》卷十四引"犧尊飾以牛,諸侯飾口以象骨,天子飾以玉",又卷十五引張鎰引。"罍瓦爲之受五升,赤雲氣,畫山文大中身兑,平底有蓋",卷十八引"輁軸與輴長一丈二尺,廣四尺,士漆、大夫以朱,飾與浴牀,則天子畫轅畫爲龍,加赤雲氣",又引"桁制,若今之几,狹而長,以承藏具",卷十九引"柳車,四輪一轅,車長丈二尺,廣四尺,高五尺,《周禮》謂蜃車"是也。其但稱阮諶者,《通典》卷四十三引"雩壇在巳地",《隋書・禮儀志》引"有印章則于革帶佩之"是也。又聶《圖》中每引梁正《阮氏圖》、張鎰《阮氏圖》,此非阮氏原圖也。攷其卷十三"匜受一斗"一條,引作"梁正、張鎰修《阮氏圖》",觀一"修"字,可見

① "桑",原作"乘",據中華本《魏書》改。

前所引梁正《阮氏》、張鎰《阮氏》，皆梁、張所重修也。惟其中有稱“阮氏梁正等圖”，或稱“阮氏張鎰等圖”，冠阮氏于上，此則仍是阮氏舊本。餘書所引不録鄭、阮姓氏，但稱《三禮圖》者不録。

又案如張昭《駁議》所言，則《阮氏圖》三卷，《鄭氏圖》亦似三卷。《隋志》云九卷者，已非鄭、阮原文，當有後人增益。或張昭所謂不知名位之梁氏，原本亦三卷，梁正删阮氏三卷爲二卷，今張昭引《四庫書目》載開皇圖，稱其圖弟一、弟二爲梁氏，則梁氏亦二卷，或即梁正已删之本也。則適合九卷之數。又不知名位之梁氏，據張昭《駁義》，則與梁正判然兩人，且列名於鄭之上，聶崇義《三禮圖》引亦時以梁氏先阮或先鄭，竇儼序聶《圖》亦云梁、鄭、阮，則梁氏亦似後漢人，但無確據，未敢定之耳。

劉熙　謚法注　《七録》：三卷。《新》、《舊唐志》同。

王應麟《玉海》：“劉熙字成國。”

今本《釋名》題“安南太守北海成國劉熙撰”。

沈約《謚法·序》云：“劉熙注《謚法》，惟有七十六名。”又曰：“劉熙注解，或有所發明。”

王應麟曰：“《大戴禮》及《世本》舊有《謚法》，而二書約時已亡其篇。惟取《周書》及劉熙《謚法》，廣謚舊文，仍采乘奧。”

洪頤烜《讀書叢録》云：“《隋志》《大戴禮記》十三篇，注云：‘梁有《謚法》三卷，劉熙注。’案《大戴禮》本有《謚法篇》，見《白虎通》。《北堂書鈔》卷九十三引《大戴禮·謚法》，其時尚未亡。《太平御覽》卷五百六十二引《大戴禮》曰‘周公旦、太師望相嗣王，作《謚法》’一段，與《周書·謚法篇》同。”

又云：“宋蘇洵《謚法解》多引劉熙注。《一切經音義》卷二十引《謚法》曰：‘賤而得幸曰嬖，《釋名》云：“嬖，卑賤，婢妾媚以色事人得幸者也。”’今《釋名》無此文，是劉熙《謚法注》。《文選・景福殿賦》注引劉熙《孟子注》'獻猶軒,軒,在物上之稱也',亦是《謚法注》,皆後人誤改。"

案顧野王《原本玉篇》言部引《謚法》"謚者,行之迹也",劉熙注:"謚,申也,申理述見於後也。"又引《謚法》"名與實爽曰謬",劉熙曰:"謬,差也,名清而實濁也。"糸部引《謚法》"疏遠紹位曰繼",劉熙曰:"無他才德,直以疏遠世族,繼功臣之胤,如立蕭何後之類也。"皆此書逸義。

凡禮三十四部,篇卷數可攷者一百六十九篇一百三十一卷。

桓譚　樂元起　《唐志》:二卷。《舊唐志》同。

《新論》曰:"昔孝成帝時,余爲樂府令,凡所典倡優技樂,蓋且千人。"

案《白虎通德論》引有《樂元語》,蓋河間獻王所譔。此書名《樂元起》者,或起發《樂元語》之粃謬,故以爲名。

桓譚　琴操　《唐志》:二卷。《舊唐志》同。

馬瑞辰輯本序曰:"《唐志》載桓譚《琴操》二卷,按桓譚《新論》有《琴道篇》,不聞有《琴操》。《琴操》言伏羲始作琴,與《琴道》言神農始作琴不合,則《琴操》決非桓譚所作。《文選注》引《新論》'雍門説孟嘗君曰:今君下羅帳,來清風',《北堂書鈔》引作《琴操》,是唐人誤以《琴道篇》爲《琴操》之證也。"

侯康曰:"馬説甚辨,然《唐志》所有,未敢輕删。"

蔡邕　琴操　《隋》、《唐志》均不著録。存二卷。

案或以蔡邕本傳有《敘樂》而無《琴操》,疑《琴操》即在《敘樂》中,猶《琴道》爲《新論》之一篇耳。馬瑞辰説如此。然今攷《書鈔》九十六引蔡邕《敘樂》曰"世祖追修前業,採讖緯之文,太樂曰大予,樂府曰黄門鼓吹",其文與《續漢・禮儀志》所引蔡邕《禮樂意》原作"志",今據《續律曆志》所引邊成上章作"意"改。同,則所謂《敘樂》者,乃《十意》中《禮樂意》之序文,非别有成書也，其不能容二卷之《琴操》可知矣。至以本傳、《隋》、《唐志》不載之，故疑其非邕作，則尤不可。攷《書鈔》引蔡邕《琴賦》言“仲尼思歸”，即《將歸操》也；“梁公悲吟”，即《楚高梁子霹靂引》也；“周公越裳”，即《越裳操》也；“白鶴東翔”，即《别鶴操》也；“樊姬遺歎”，即《列女引》也；與夫“鹿鳴三章，楚曲明光”，俱與《琴操》合。且唐、宋人引之，率標蔡邕。則此書之爲邕作，固信而有徵矣。

凡樂三部六卷。

賈逵　春秋三家經本訓詁　《隋志》：十二卷。《新》、《舊唐志》同。

案《公羊·莊十二年》“宋萬弑其君接”，疏引“《公羊》、《穀梁》作接”；四年“大雨雹”，疏引“《穀梁》作大雨雪”；五年“秦伯罃”，疏引“《穀梁傳》曰秦伯偃”；定十年“宋樂世心出奔曹”，疏引“世字亦作泄字”；哀四年“亳社災”，疏引“《公羊》曰薄社”；皆標賈氏云，當是此書中語。葢此書專釋三家經本之異同，故徐彦疏於其未言者，輒以爲未備。如定十年“叔孫州仇、仲孫何忌帥師圍費”，疏云“《左氏》、《穀梁》，此費字皆爲郈，賈氏不云《公羊》曰費者，葢文不備”；“齊侯、衛侯、鄭游速會鞍”，疏云“《左氏》作安甫，賈氏不云《公羊》曰鞍者，亦是文不備”；十五年“齊侯、衛侯次于籧篨”，疏云“《左氏》作籧挐，賈氏無説，文不備”；此類皆是。想彦時此書猶完好也。

陳元　春秋左氏訓故　卷數佚。

陸德明曰：“司空南閣祭酒陳元作《左氏同異》。”

許淑　春秋左氏傳注　卷數佚。

陸德明曰：“太中大夫許淑，字惠卿，魏郡人。注解《左氏》。”杜預《左氏傳注·序》曰：“賈景伯父子、許惠卿，皆先儒之美者也。”

案此書杜氏《左氏釋例》每引之,據《永樂大典》録出本。如《弔贈葬例》引桓十七年“葬蔡桓侯”注、宣十年“公如齊”注;《大夫卒例》引“盟載詳者,日月備;易者,日月畧”;此條不詳何年傳注,故全引之。《内女夫人卒葬例》引莊四年“夏齊侯葬紀伯姬”注;《書弑例》引文十八年“莒弑其君庶其”注;《及會例》引宣七年“凡師出,與謀曰及”注、僖二十六年“凡師,能左右之曰以”注;終篇引桓三年“有年”注。每與劉、賈、穎並稱,杜多破之。惟《春秋》昭七年“暨齊平”正義引許惠卿,以爲燕與齊平,此條杜從之。此條《釋例》未引。

孔奇　春秋左氏傳義詁　《連叢子》:三十一卷。范《書》作“《左氏删》”,此從《連叢子》。

《連叢子序》曰:“先生名奇,字子異。其先魯人,褒成君之後也。兄君魚,王莽末避地大河之西,以論道爲事,是時先生年二十一矣。每與其兄論學,其兄謝服焉。及世祖即阼,君魚乃仕,官至武都太守、關内侯,以清儉聞海内。先生雅好儒術,淡忽榮禄,不願從政,遂删撮《左氏傳》之難者,集爲《義詁》,發伏闡幽,讚明聖祖之道,以祛學者之蔽。著書未畢,而早世不永。宗人子通痛其不遂,惜兹大訓不行於世,乃校其篇目,各如本第,并敘答問,凡三十一卷。將來君子,儻肯游息,幸詳録之焉。”

孔嘉　春秋左氏説　卷數佚。

陸德明曰:“侍中孔嘉,字山甫,扶風人。”

賈逵　春秋左氏解詁　范《書》:注三十篇。《隋志》:三十卷。《新》、《舊唐志》、《敘録》同。

馬融曰:“賈君精而不博。”

范《書》:“逵弱冠能誦五經,兼通五家《穀梁》之説。尤明《左氏傳》、《國語》,爲之《解詁》五十一篇,永平中,上疏獻之。顯宗重其書,寫藏秘館。"

陸澄曰:"《左氏》,泰元晋孝武年號。取服虔而兼取賈逵經,服傳無經,雖在注中,而傳又有無經者故也。今留服而去賈,則經有所闕。"

侯康曰:"據陸澄,則服虔不注經,賈逵則兼注經傳。今攷賈注經文,有與杜異者,如莊九年'公伐齊,納子糾',賈本無'子'字;宣十二年'宋師伐陳',賈無此句;昭十一年'齊國弱',賈本作'國酌'是也。"

案此書每雜取《公羊》、《穀梁》以釋《左氏》。今攷諸書所引,其兼取《公》、《穀》者,如成十七年"九月辛丑,用郊",正義引"賈逵以二傳爲説,諸言用,不宜用也";襄十六年"戊寅,大夫盟",正義引《公羊》、《穀梁》,云"賈取以爲説,言惡大夫專而君失權也";昭九年"夏四月,陳災",正義引二傳,云"賈、服取以爲説,言愍陳不與楚,故存陳而書之,言陳尚爲國也";定五年"夏,歸粟於蔡",正義引賈逵取二傳爲説,"云不書所會後也"。其獨取《公羊》者,如襄十九年"取洙田,自漷水歸之于我",正義引《公羊》,云"賈、服取以爲説,言刺晋偏而魯貪"。其獨引《穀梁傳》者,如僖三年"春正月不雨,夏四月不雨",正義引"賈逵取《穀梁》爲説";昭十二年"晋伐鮮虞",正義引《穀梁》,云"賈、服取以爲説"。此類皆是。又攷《公羊·桓六年》徐彦疏"秋八月壬午,大閲",賈注:"經簡車馬於廟也。"《左傳·襄三十一年》正義引"賈逵注經云:此言仲尼生哀十六年夏四月己丑,卒七十三年"。《玉燭寶典》四引《春秋·莊七年》"夏四月恒星"經,賈逵注:"恒星,北斗也。一説南方朱鳥星也。"皆引賈逵經注,可證陸澄之言不謬。《正義》諸引,雜取二傳之注,皆在經下,疑亦經注。至《史記集解》所引逵注,其傳文亦多有與今異者,如

“敝於韓”,“敝”作“弊”;《晋世家》集解。“六鷁退飛”,“鷁”作“鶂”;《宋世家》。“公遊於匠麗氏”,“麗”作“驪”;《晋世家》。“見舞《韶濩》”,“濩”作“護”;《吴世家》。“如天之無不幬”作“燾”同上。之類,皆字異而義同也。

延篤　春秋左氏傳注　卷數佚。

《先賢行狀》曰:“篤欲寫《左氏傳》,無紙,唐溪典以廢牋記與之,篤以牋記紙不可寫《傳》,乃借本諷之。糧盡,辭歸。典曰:‘卿欲寫《傳》,何故辭歸?’篤曰:‘已諷之矣。’典聞之歎曰:‘延生雖復端木,聞一知二,未足爲喻。若使尼父更起於洙泗,君當編名七十,與游、夏争匹也。’”

陸德明曰:“京兆尹延篤,受《左氏》於賈逵之孫伯升,因而注之。”

案《春秋左傳·昭十二年》正義引延篤解三墳、五典、八索、九丘用張平子説,謂“三墳,三禮,禮爲大防。《爾雅》曰‘墳,大防也’,《書》曰‘誰能典朕三禮’,三禮,天地人之禮也。五典,五帝之常道也。八索,《周禮》八議之刑,索,空,空設之。九丘,《周禮》之九刑,丘,空也,亦空設之”,此條是其逸義。

彭汪　春秋左氏傳注　卷數佚。

陸德明曰:“汝南彭汪,字仲博。記先師奇説及舊注。”

《春秋正義·序》:“中興以後,陳元、鄭眾、賈逵、馬融、延篤、彭仲博、許惠卿、服虔、穎容之徒,皆傳《左氏春秋》。”

案襄十九年疏“服虔引彭仲博曰:齊欲誅衛,呼而下,與之言,因可取之,[①]無爲揖之復令登城。仲博以爲齊侯號衛,衛槧而下,云‘問守備焉’,問衛之守高唐者。衛無恩信,故

① “因”,阮刻本作“固”。

令守者以無備告，[①]齊侯善其言，故揖之，乃命士卒登城。服虔謂此説近之。”又昭二十七年“是無若我何”疏引“彭仲博曰：‘當言是無我若何’，我母無我，如何，我字當在若上。”皆此書中語。

服虔　春秋左氏傳解誼　《敘録》：三十卷。《新》、《舊唐志》同。《隋志》：十一卷。

張瑩《漢南記》：“虔尤明《春秋左氏傳》，爲作訓解。”

姜岌《三紀甲子元曆》曰：“服虔解《傳》用太極上元，太極上元廼《三統曆》，劉歆所造元也，何緣施於《春秋》？於《春秋》而用漢曆，於義無乃遠乎，《傳》之違失多矣。”

劉義慶《世説新語》：“鄭玄欲注《春秋傳》，尚未成，時行與服子慎遇，宿過舍，先未相識，服在外車上説己《傳》意，玄聽之良久，多與己同。玄就車與語曰：‘吾久欲注，尚未了。聽君向言，多與吾同，今當盡以所注與君。’遂爲《服氏注》。”

又曰：“服虔既善《春秋》，將爲注，欲參攷同異。聞崔烈集門生講《傳》，遂匿姓名，爲烈門人賃作食。每當至講時，輒竊聽户壁間。既知不能踰己，稍共諸生敘其短長。烈聞，不測何人。然素聞虔名，意疑之。明早往，及未寤，便呼：‘子慎！子慎！’虔不覺驚應，遂相與友善。”

《北史》：“江左《左傳》則杜元凱，河洛《左傳》則服子慎。要其會歸，殊方同致。”

《隋志》：“諸儒傳《左氏》者甚眾，其後賈逵、服虔，並爲訓解，至魏遂行於世。晋杜預又爲《經傳集解》，服虔、杜預注並立國學，而後學惟傳服義。至隋，杜氏盛行，服義寖微，今殆無師説。”

---

① “令”，原作“今”，據阮刻本改。

案據《世説》則服注固本於鄭氏。然今攷之,其解亦多與鄭異,如鄭注《尚書・微子篇》以箕子爲紂諸父,而《正義》引服氏以爲紂庶兄;鄭注《禮記・曾子問》曰"三月廟見,謂舅姑亡者也",疏引熊氏曰"如鄭義,則從天子以下至於士,皆當夕成婚",而正義引服氏"先配而後祖"注則曰"大夫以上,無問舅姑在否,皆三月見祖廟,而後乃始成婚";鄭注《内則篇》"接以太牢"曰"接讀爲捷,捷,勝也。謂食其母,使補虚强氣也",而《御覽》百四十四引服氏以爲"接者,子初生,接見於父";又鄭《内則》注曰"《左氏傳》鞶厲爲鞶裂",而《正義》引服氏"以鞶爲大帶,厲是大帶之垂者";《明堂位》鄭注云"周公曰太室,魯公曰世室,羣公稱宫",而《正義》引服氏"太室屋壞"注曰"太廟之室";鄭注《襍記》引《春秋傳》"齊晏桓子卒"云云,《正義》稱服注《左傳》與鄭違;鄭注《周禮・大馭》"鸞和",謂"鸞在衡,和在軾",而《史記・禮書》集解引服氏謂"鸞在鑣,和在衡";《籩人》鄭注"虎鹽,形鹽之似虎者",賈疏以爲自然虎形,而此疏引服氏以爲剋形;太史鄭注引《春秋左氏》"天子有日官,諸侯有日御,日官居卿以底日",解之曰"居猶處也,言六典以處六卿之職",而賈疏引服氏曰"是居卿者,使卿居其官,以主之重曆數也",謂與鄭義異;《小雅》《詩譜》,鄭謂"《大雅・生民》下及《卷阿》,《小雅・南有嘉魚》下及《菁莪》者,周公成王之詩也",而《詩正義》引襄二十九年"爲之歌《小雅》"服注曰"自《鹿鳴》至《菁莪》,道文武修小政,定大亂,致太平",是服氏以《小雅》無成王詩;又引"爲之歌《大雅》"服注曰"陳文王之德、武王之功,自《文王》以下至《鳧鷖》,是謂正《大雅》",是服氏以《生民》、《行葦》、《既醉》、《鳧鷖》爲武王詩;鄭《駁異義》曰"大夫士無昭穆,不得有主",而《正義》引昭十九年服氏"懼墜宗主"注謂"孔悝有主";鄭注《尚書大傳》謂古三十字一簡,而《儀禮》疏引服氏成二十五年"執簡以往"注"古篆一簡八字"。此皆其異於鄭氏者。至如《周禮·典命》疏引服氏"雉長三丈",與鄭《駁異義》合;《曾子問》正義引服説"公之母弟,皆以長幼爲氏,貴適統,伯仲叔季是也",與鄭《儀禮·士冠禮》注合。又《大明》正義引服氏"三辰"注曰"日、月、星也",與鄭《周禮·春官》"掌三辰之法"注合;又《史記集解》引服注"太子祭於曲沃"曰"曲沃,齊姜廟所在",與鄭《周禮·喪祝》注合。若此之類,亦不一而足。葢服氏當日雖參用鄭説,而亦不肯有所苟同也。若其經傳本文之不同於今,諸書稱之甚夥。其見《釋文》者,如"遂扶以下","扶"作"跣",云徒跣也;《正義》亦云。"是棄力與言","力"作"功";《釋文》又云:"公嗾夫獒焉,服本作啾。"臧琳《經義雜記》云:"依《正義》,則服本亦作嗾,但訓嗾爲啾耳。"今依之。"王室之不壞","壞"作"懷";《正義》同。"陪臣干掫有淫者","掫"作"諏",云謀也;"以誣道蔽諸侯","蔽"作"斃",《正義》引云踣也;"大夫敖"作"放",云淫也;"忿纇無期","纇"作"類"。見於《正義》者,"其愛之也","其"作"甚",云"愛之甚,當爲愛桓、莊之族之甚也";"辛巳朝於武宮","辛巳"作"辛未";"軘十五乘","軘"作"淳";"舍不爲壇","壇"作"墠";"祇見多也","多"作"疏";"令尹似君矣","似君"作"以君",云言令尹動作以君儀,故云以君;"今茲火出而章,必火入而伏","必"下重"火"字;"别句明其伍候","伍"作"五";"武王克殷"作"文武克殷",云文王受命,武王伐紂,故云文武克殷;"昔有仍氏生女,黰黑","黰"作"鬒"。其外如《文選·上林賦》注引"皋,澤也",則"澤門之皙"之"澤"作"皋";《釋文》:"澤門,本或作皋門。"《御覽》百四十七引"太子任,即昭王也”,則“太子壬弱”之“壬”作“任”;又引“爲子,爲太子也”,則“諸大夫恐其爲太子也”,無“太”字。皆確與今本異者。若“至於雒”之“雒”作“洛”,書袓《宋世家》集解。[①]“螭魅罔兩”作“魑魅魍魎”,《周禮·春官·宗人》疏。“有死無隕”之“隕”作“隕”,《史記·鄭世家》集解。襄十年“士莊子曰”“子”作“伯”,《御覽》百四十六。[②]“共姬之妾”之“共”作“恭”,《御覽》百四十七。“請野享之”之“享”作“饗”,同上。“晋國其萃於三族”之“族”作“家”,《史記·吴世家》集解。“篳路”之“路”作“露”,《史記·楚世家》集解。皆字異而義同,未可爲據也。

王玢　春秋左氏達義　《七録》:一卷。《新》、《舊唐志》同,作“達長義”,“玢”作“盼”。

《隋志》:“王玢,漢司徒掾。”

賈徽　春秋左氏條例　范《書》:二十一篇。《敘録》:二十一卷。

《蜀志·尹默傳》:“專精《左氏春秋》,自劉歆條例,鄭眾、賈逵父子、陳元、服虔注説,咸畧誦述,不復案本。”

鄭興　春秋左氏條例章句訓故　卷數佚。

《東觀漢記》:“興從博士金子嚴爲《左氏春秋》。”

范《書》:“興少學《公羊春秋》。晚善《左氏傳》,遂積精深思,通達其旨,同學者師之。天鳳中,將門人從劉歆講正大義,歆美興才,使撰條例、章句、訓故。[③]興好古學,尤明《左氏》、《周官》,長於曆數,自杜林、桓譚、衛宏之屬,莫不斟酌焉。世言《左氏》者多祖於興,而賈逵自傳其父業,故有鄭、賈之學。”

鄭眾　春秋左氏傳難記條例　《七録》:九卷。《唐志》作“條例章句”,《舊唐志》作“牒例章句”,卷數同。

---

① “書袓”,疑當作“史記”。

② “覽”,原作“見”,據《補編》本改。

③ “訓”,中華本《後漢書》作“傳”。

馬融曰:"鄭君博而不精。"

《公羊序解》曰:"鄭衆作《長義》十九條,專論《公羊》之短,《左氏》之長。"

案是書《隋志》作《左氏傳條例》,《釋文》作《條例章句》,《舊唐志》作《牒例章句》,《公羊疏》曰《長義》,其實即一書也。鄭樵《通志·藝文畧》、《經義攷》分録之,誤。其書今《春秋正義》、《禮記正義》、《周禮疏》、《史記集解》、《玉燭寶典》引之,多與賈、服同。惟《周官禮·夏官·掌固》司農引《春秋傳》"賓將掫"作"賓將趣",此則其經本之異也。

潁容　春秋左氏釋例　《隋志》:十卷。《唐志》:七卷。

杜預曰:"末有潁子嚴者,雖淺近,亦復名家。"

范《書》:"容善《春秋左氏》,師事太尉楊賜。郡舉孝廉,州辟,公車徵[①],皆不就。著《春秋左氏條例》五萬餘言。"

孔穎達曰:"潁子嚴比於劉、賈之徒,學識雖復淺近,然注述《春秋》,名爲一家。"

陸德明曰:"陳郡潁容作《春秋條例》。"

侯康曰:"潁氏之例,多與劉子駿、賈景伯同。"

案《御覽》六百二引潁容《釋例》又六百十八亦引。曰:"漢興,博物洽聞著述之士,前有司馬遷、揚雄、劉歆,後有鄭衆、賈逵、班固,近即馬融、鄭玄。其所著作,違義之正者,遷尤多闕畧,舉一兩事以言之。《史記》不識畢公文王之子,而言與周同姓;揚雄著《法言》不識六十四卦,云所從來尚矣。"此條葢其自述語。

賈逵　春秋釋訓　《隋志》:一卷。

賈逵　春秋左氏經傳朱墨列　《隋志》:一卷。

---

① 原脱"徵",據中華本《後漢書》補。

鄭衆　春秋删　范《書》:十九篇。

華嶠《後漢書》:"衆爲大司農,在位以清正稱。其後受詔作《春秋删》十九篇。《書鈔》、《類聚》。

服虔　春秋音隱　《唐志》:一卷。《敘録》、《舊志》同。

案《正義》襄九年疏引"棄位而姣,姣讀爲放效之效";三十一年引"以贏諸侯,贏讀爲盈";昭十六年引"刑之頗類,類讀爲纇";《水經·漸江水》注引"前城之前讀爲泉"。皆此書中語。至《釋文》所引"辟,扶赤反","弊,婢世反",皆依其聲而譯爲反切,非服氏原文如此。

鄭康成　春秋左氏分野　《七録》:一卷。

鄭康成　春秋十二分名　《七録》:一卷。

賈逵　春秋左氏長經章句　《隋志》:二十卷。《唐志》同。《舊唐志》:三十卷。

趙岐《三輔決録》:"賈逵建初元年受詔列《春秋公羊》、《穀梁》不如《左氏》四十事,名《春秋左氏長義》,帝大喜,賜布五百匹。"

徐彦曰:"賈逵作《長義》四十一條,云《公羊》理短,《左氏》理長。"

陸德明曰:"賈徽子逵,逵受詔列《公羊》、《穀梁》不如《左氏》四十事。奏之,名曰《左氏長義》,章帝善之。"

孔穎達曰:"章帝時,賈逵上《春秋大義》四十條,以抵《公羊》、《穀梁》,帝賜布五百匹。又與《左氏》作《長義》。"

劉知幾《史通·申左篇》:"賈逵撰《左氏長義》,稱在秦者爲劉氏,乃漢室所宜推先,但取悦當時,殊無足採。"

侯康曰:"本傳稱擿出《左氏》三十事,諸書或言四十事,或言四十一條,皆一書也。据陸德明、徐彦,則四十事即《長義》。而《左傳·序》疏歧爲二,似誤。"

案范《書》本傳注引九條,《公羊疏》引"名不正則言不順,言不順則事不成。今隱公人臣，而虛稱以王，周天子見在上，而黜公侯，是非名正而言順也。如此，何以笑子路率爾？何以爲忠信？何以爲事上？何以誨人？何以爲法？何以全身”。又“宋人執鄭祭仲”疏引“若令臣子得行，則閉君臣之道，啟篡弑之路”，稱《長義》。

何休　春秋左氏膏肓　《隋志》：十卷。《新》、《舊唐志》、《宋志》俱同。

陸德明曰：“何休作《左氏膏肓》、《公羊墨守》、《穀梁廢疾》，鄭康成《鍼膏肓》、《發墨守》、《起廢疾》，自是《左氏》大興。”

徐彥曰：“何氏作《墨守》以距敵《長義》，爲《廢疾》以難《穀梁》，《膏肓》以短《左氏》。蓋在注傳之前，猶鄭君先作《六藝論》訖，然後注書。”

《崇文總目》：“漢司空掾何休始撰答賈逵事，因記《左氏》所短，遂頗流布，學者稱之。後更刪補爲定。今每事左方輒附鄭康成之學，因引鄭説竄何書云。今殘缺，第七卷亡。”

陳振孫《書録解題》曰：“何休著《公羊墨守》等三書，鄭康成作《鍼膏肓》、《起廢疾》、《發墨守》以排之。今其書多不存，惟范甯《穀梁集解》載休之説，而鄭君釋之，當是所謂《起廢疾》者。今此書並存二家之言，意亦後人所録。《館閣書目》闕第七篇，今本亦正闕宣公。而於第六卷分文十六年以後爲第七卷，當并合。其十卷止於昭公，亦闕定、哀，固非全書也。而錯誤殆未可讀，未有他本可正。”

侯康曰：“此三書散見甚多，今皆有輯本，不止見《穀梁》注也。”

服虔　春秋塞難　《隋志》：三卷。《新》、《舊唐志》同。

服虔　春秋成長説　《隋志》：九卷。《新》、《舊唐志》：七卷。

案《公羊・昭三十一年》疏引“邾婁本附庸，三十里耳，而言五分之，爲六里國也”，稱《成長義》。

服虔　春秋左氏膏肓釋痾　《隋志》:十卷。《唐志》:五卷。《舊唐志》:三卷。

案劉昭注《續漢書·禮儀志》上引"漢家郡守行大夫禮,鼎俎、籩豆、工歌縣",《初學記》二十六引何休敏字當衍。曰"遺越人以冠,終不以爲惠",稱《春秋釋痾》。

服虔　春秋漢議駮　《七録》:二卷。《唐志》:十一卷。《舊唐志》作"何氏漢記注",卷同。

范《書》:"虔有雅才,善著文論。以《左傳》駮何休之所駮漢事六十條。"

鄭康成　鍼何氏春秋左氏膏肓　卷數佚。

鄭康成　駮何氏漢議　《隋志》:二卷。

王哲曰:"鄭康成不爲章句,特緣何氏興辭,曲爲二《傳》解紛,不顧聖人大旨。"

孔融　春秋雜議難　《七録》:五卷。

案《太山都尉孔宙碑》云:"少習家訓,治《嚴氏春秋》。"《孔褒碑》云:"治家業《春秋》。"《孔謙碣》亦云:"治家業,脩《春秋》。"據此,則融祖父皆治《公羊春秋》。漢人重家法,融即徙業治《左氏》,不容反而攻之也。然《隋志》列於左氏類,未敢臆斷,姑仍之。

謝該　左氏　卷數佚。

范《書》:"善明《春秋左氏》,爲世名儒。建安中,河東人樂詳條《左氏》疑滯數十事以問該,該皆爲通解之,名曰《謝氏釋》,行於世。"

魚豢《魏畧》曰:"詳字文載,少好學,聞謝該善《左氏傳》,[①]乃從南陽步涉詣許,從該問難諸要。今《左氏問》七十二事,詳所撰也。"

---

① "聞",原作"問",據中華本《後漢書》改。

樊儵 删定春秋嚴氏章句 卷數佚。

范《書》:“就侍中丁恭受《公羊嚴氏春秋》,儵删定章句,世號樊侯學”。

鍾興 定春秋嚴氏章句 卷數佚。

范《書》:“興少從少府丁恭受《嚴氏春秋》。光武召見,詔令定《春秋》章句,去其復重,以授皇太子。又使宗室諸侯從興受章句。”

張霸 減定春秋嚴氏章句 卷數佚。

范《書》:“霸就長水校尉樊儵受《嚴氏公羊春秋》,霸以儵删《嚴氏春秋》猶多繁辭,廼減定爲二十萬餘言,更名張氏學。”

何休 春秋公羊解詁 《隋志》:十一卷。《新》、《舊唐志》:十三卷。《宋志》:十二卷。今存徐彦疏本二十八卷。

《四庫全書提要》曰:“漢公羊壽傳,何休解詁,唐徐彦疏。案《漢書·藝文志》:‘《公羊傳》十一卷。’班固自注曰:‘公羊子,齊人。’案《漢·藝文志》不題顏師古名者,皆固之自注。顏師古注曰:‘名高。’案此據《春秋説題詞》之文,見徐彦《疏》所引。徐彦《疏》引戴宏《序》曰:‘子夏傳與公羊高,高傳與其子平,平傳與其子地,地傳與其子敢,敢傳與其子壽。至漢景帝時,壽乃與齊人胡母子都著於竹帛。’何休之注亦同。休説見隱公二年‘紀子伯、莒子盟於密,條下。今觀《傳》中有子沈子曰、子司馬子曰、子女子曰、子北宫子曰,又有高子曰、魯子曰,蓋皆傳授之經師,不盡出於公羊子。定公元年《傳》‘正棺于兩楹之閒’二句,《穀梁傳》引之,直稱沈子,不稱公羊,是併其不著姓氏者,亦不盡出公羊子。且併有子公羊子曰,尤不出于高之明證。知《傳》確爲壽撰,而胡母子都助成之。舊本首署高名,蓋未審也。又羅壁《識遺》稱公羊、穀梁自高、赤作《傳》外,更不見有此姓。萬見春謂皆姜字切韻腳,疑爲姜姓假託。案鄒爲邾婁、披爲勃鞮、木爲彌牟、殖爲舌職,記載音譌,經典原有是事。至弟子記其先師,子孫述其祖父,必不至竟迷本字,别用合聲。璧之所言,殊爲好異。至程端學《春秋本義》竟指高爲漢初人,則講學家臆斷之詞,更不足與辨矣。三《傳》與經文,《漢志》皆各爲卷帙。以《左傳》附經,始于杜預。《公羊傳》附經,則不知始自何人。觀何休《解詁》,但釋傳而不釋經,與杜異例,知漢末猶自别行。今所傳蔡邕《石經殘字公羊傳》亦無經文,足以互證。今本以《傳》附經,或徐彦作《疏》之時所合併歟?彦《疏》,《文獻通考》作三十卷,今本乃止二十八卷,或彦本以經文併爲二卷,别冠于前,後人又散入傳中,故少此二卷,亦未可知也。彦《疏》,《唐志》不載,《崇文總目》始著録,稱'不著撰人名氏,或云徐彦'。董逌《廣川藏書志》亦稱:'世傳徐彦,不知時代,意其在貞元、長慶之後。考《疏》中"郰之戰"一條,猶及見孫炎《爾雅注》完本,知在宋以前。又"葬桓王"一條,全襲用楊士勛《穀梁傳疏》,知在貞觀以後。中多自設問荅,文繁語複,與丘光庭《兼明書》相近,亦唐末之文體。'董逌所云,不爲無理,故今從逌之説,定爲唐人焉。"

何休　春秋公羊傳條例 《七録》:一卷。《新》、《舊唐志》同。

何休　春秋公羊文謚例 《隋志》:一卷。

徐彦曰:"何氏作《文謚例》,有五始、三科、九旨、七等、六輔、二類、七缺之義。三科九旨者,新周、故宋,以春秋當新王,此一科三旨也;所見異辭,所聞異辭,所傳聞異辭,二科六旨也;内其國而外諸夏,内諸夏而外夷狄,是三科九旨也。按宋氏之注《春秋》説三科者,一曰張三世,二曰存三統,三曰異外内,是三科也;九旨者,一曰時,二曰月,三曰日,四曰王,五曰天王,六曰天子,七曰譏,八曰貶,九曰絶;時與月、日,詳畧之旨也;王與天王、天子,是録遠近親疏之旨也;譏與貶、絶,則輕重之旨也。宋氏此説,賢者擇之可也。五始者,元年、春、王、正月、公即位是也。七等者,州、國、氏、人、名、字、子是也。六輔者,公輔天子,卿輔公,大夫輔卿,士輔大夫,京師輔君,諸夏輔京師是也。二類者,人事與灾異是也。七缺者,惠公妃匹不正,隱、桓之禍生,是爲夫之道缺也;文姜淫而害夫,爲婦之道缺也;大夫無罪而致戮,爲君之道缺也;臣而害上,爲臣之道缺也;晋侯殺其世子申生,宋公殺其世子痤,爲父之道缺也;楚世子商臣弑其君髠,蔡世子般弑其君固,爲子之道缺也;桓八年'正月己卯,烝',桓十四年'八月乙亥,嘗',僖三十一年'夏四月,四卜郊,不從,乃免牲,猶三望',郊祀不修,周公之禮缺。是爲七缺也矣。"

李育　難左氏義 卷數佚。

范《書》:"育少習《公羊春秋》。嘗讀《左氏傳》,雖樂文采,然謂不得聖人深意,以爲前世陳元、范升之徒更相非折,而多引圖讖,不據理體,於是作《難左氏義》四十一事。"

戴宏　解疑論 卷數佚。

徐彦曰:"何氏恨先師觀聽不決,多隨二創。先師,戴宏等也。戴宏作《解疑論》以難《左氏》,不得《左氏》之理,不能以正義決之,故云觀聽不決。多隨二創者,背經任意,反傳違戾,與《公羊》爲一創;援引他經,失其句讀,又與《公羊》爲一創也。"

案《公羊·序》疏引"子夏傳與公羊高,高傳與其子平,平傳與其子地,地傳與其子敢,敢傳與其子壽。至漢景帝時,壽乃共弟子齊人胡母子都著於竹帛,與董仲舒皆見於圖讖者也",稱戴宏《序》。又題疏引"聖人不空生"云云,稱《解疑論》。莊十年疏引"荆楚一物,義能相發,吴楊異訓,故不得州名也",稱戴氏。

何休　春秋公羊墨守 《隋志》:十四卷。《唐志》:一卷。《舊唐志》:二本。

范《書》:"休與其師博士羊弼,追述李育意以難二《傳》,作《公羊墨守》。"

鄭康成　發公羊墨守　卷數佚。

何休　春秋議　《隋志》:十卷。

何休　春秋漢議　《隋志》:十三卷。《唐志》:十卷。《舊唐志》:十一卷。

范《書》:"休又以《春秋》駮漢事六百餘,妙得《公羊》本意。"

案《通典》卷八十:"後漢安帝崩,立北鄉侯,未踰年,薨,以王禮葬。於《春秋》何義也?何休答曰:'《春秋》,未踰年,魯君子野卒,降成君稱卒,[①]從大夫禮可也。'"當即出是書。

荀爽　公羊問　《七録》:五卷。《新》、《舊唐志》同。

段肅　春秋穀梁傳注　《隋志》:十四卷。《唐志》:十三卷。

陸德明曰:"不詳何人。"

《隋志》:"疑漢人。"

惠棟《九經古義》云:"《經典·敘録》不詳肅何人,《隋志》疑漢人。棟案《後漢·班固傳》固奏記東平王云:'弘農功曹史殷肅,達學洽聞,才能絶倫,誦《詩》三百,奉使專對。'章懷注云:'固集殷作段。然則殷肅即段肅也。"

何休　春秋穀梁廢疾　《隋志》:三卷。《唐志》同。

鄭康成　起穀梁廢疾　《隋》、《唐志》"起"作"釋"。

北海靖王睦　春秋旨義終始論　卷數佚。

袁宏《後漢紀》:"王能屬文,善史書,作《春秋旨義終始論》。"

楊終　改定春秋章句　卷數佚。

范《書》:"終著《春秋外傳》十二篇,改定章句十五萬言。"

《華陽國志》:"年十三,能作《雷賦》。明帝時,與班固、賈逵並爲校書郎,删《太史公書》十余萬言。又上《符瑞詩》十五章,

① "降"下原無"成"字,"卒"原作"子",據中華本《通典》改。

制《封禪書》。著《外傳》十二卷,《章句》十五萬言,皆傳於世。"

侯康曰:"本傳不言習《春秋》何家,然終上疏有云'臣聞善善及子孫,惡惡止其身',又云'魯文公毀泉臺,《春秋》譏之曰:先祖爲之而己毀之,不如勿居而已。襄公作三軍,昭公舍之,君子大其復古',又云'《春秋》殺太子母弟,直稱君甚惡之者,坐失教也'。則終所習乃《公羊》氏學。"

劉陶　春秋訓詁　卷數佚。

荀爽　春秋條例　卷數佚。

馬融　三傳異同説　卷數佚。

馬國翰曰:"如馬説,二叔爲夏、殷之叔,世五典爲五行,與賈、鄭殊異,未必如賈、鄭之可從也。"

案本傳云"但著《三傳異同説》",而今考《春秋正義》、《詩正義》、《禮記正義》、《周禮疏》、《史記索隱》、《續漢志補注》、《水經注》、《文選注》所引,皆訓釋《左傳》之語,無涉二傳,不知蔚宗何所據而云。然今以相承已久,姑仍其舊目。

楊終　春秋外傳　范《書》:十二篇。《華陽國志》同。

案此稱《外傳》,葢非章句之書,篇數又與《國語》不合,疑是雜論《春秋》之旨,分一公爲一篇,春秋十二公,故十二篇,猶《韓詩外傳》、《禮記外傳》之類,故附之《春秋》三傳之末。

鄭衆　春秋外傳訓注　卷數佚。

韋昭《國語注・序》曰:"鄭大司農爲《國語訓注》,解疑釋滯,昭晰可觀。至於細碎,有所闕畧。"

宋庠《國語・序》曰:"鄭仲師作《國語章句》,亡其篇數。"

案鄭《訓注》久佚,惟韋昭《國語解》引之。《周語》"周文公之詩"注引"《常棣》,穆公所作",又"鄭伯南也"注引"南爲子男,鄭,今之新鄭,新定之于王城,爲在畿内。畿内之諸侯,雖尊於侯伯,周之舊法,皆食子男之地”,又“昊天有成命”注引“昊天,天大號也;二后,文、武也;康,安也。言昊天有所成命,文、武則能受之,謂修己自勤以成其王功,非謂周成王身也”,《魯語》注引“昔正考父校商之名《頌》十二篇於周大師,以《那》爲首。自考父至孔子,又亡其七篇,故餘五耳”,《楚語》“若易中下,楚必歆之”注引“易行中軍與上下軍,易卒伍也,中軍之卒良,故易之”,皆稱鄭衆。

賈逵　春秋外傳國語解詁 《隋志》:二十卷。

韋昭曰:“侍中逵其所發明大義畧舉,爲已憭矣。然于文間,時有遺亡。”

《經義考》曰:“《太平御覽》引賈氏解平公射鷃篇云:‘徒林,園中林也。言唐叔有才藝,封于晋。’餘見韋注者不少。”

王謨曰:“李善注《文選》,每並引賈逵、韋昭《國語》注,而韋解多,即賈逵注,猶班班可考。且如《類聚》、《書鈔》于耕籍門所引《國語》數條,具載賈注,則賈書固不以韋廢也。”

案賈本與今異者,見于《文選注》,則“高位實疾僨”,“僨”作“顛”;“今君偪于晋”,“偪”作“逼”;“其失彌章”,“章”作“彰”;“膏粱之性難正也”,“正”作“止”;“將焉用飾宫以徼亂也”,“徼”作“邀”;“吾冀爾朝夕”,“冀”作“覬”;“湫舉”作“椒舉”。于《書正義》則有“密伯鯀”,“密”作“崇”。于《春秋正義》“四岳左之”,“岳”作“嶽”;“木之怪夔蛧蜽”,“蛧蜽”作“罔兩”。於《一切經音義》則“戎狄冒没輕儳”,“冒”作“覔”;“天地所胙”,“胙”作“祚”;“地下有之字民歆而德三”,“德”作“得”;“收攟而烝”,“攟”作“捃”,“烝”作“承”;“驕躁淫暴”,“淫”作“婬”。于《初學記》“元王勤商十四世”,“世”作“葉”。于宋庠《補音》“野無奥草”,“奥”作“冥”;“嗛嗛之德”,“嗛嗛”作“謙謙”;“既鎮其甍矣”,“鎮”作“填”;“趙簡子田于螻","螻"作"婁";"東方之士孰爲瘉","瘉"作"愈";"而與剸同","剸"作"專";"而鼁黽之與同陼","陼"作"渚"。于《史記集解》則"樂及徧儛","儛"作"舞"。又其佚文見於慧琳《一切經音義》者甚夥,皆諸搜輯家所未見。

服虔　春秋外傳國語注 卷數佚。

案此書《隋》、《唐志》不著録,韋昭、宋庠均未稱述。惟《周禮·春官·大宗伯》疏引《國語》"使名姓之後,能知四時之生"一段下,引服氏注甚夥,蓋賈氏從他書轉採也。其説每與孔氏並引,攷《隋志》《國語》有孔晁注二十卷,此孔氏當即孔晁。

凡春秋五十五部,篇卷數可攷者三十一篇三百三卷。

補後漢書藝文志攷卷二終

補後漢書藝文志攷卷三

常熟　曾樸　簒

六藝志内篇第一之三

紀論語、孝經。

馬融　論語訓　卷數佚。

何晏曰："《古論》惟博士孔安國爲之訓解，而世不傳。至順帝時，馬融亦爲之訓說。"

《隋志》："張禹本授《魯論》，晚講《齊論》，後遂合而攷之，删其煩惑，除去《問王》、《知道》二篇，號《張侯論》。周氏、包氏爲之章句，馬融又爲之訓。"

陸德明曰："《古文論語》篇次不與《齊》、《魯論》同，馬融亦爲之注。"

邢昺曰："後漢順帝時，南郡太守馬融爲《古文論語》訓説。"

皇侃《論語疏》云："馬融爲《魯論》訓説。"

馬國翰曰："其説'爲力不同科'，云'爲力，力役之事，亦有上、中、下，設三科焉'。阮芸臺相國取之，云此與射對言，若解作釋禮文，則射不主皮，出于鄉射。《禮記》乃孔子之徒所述，何得孔子爲之釋歟？即一端以例其餘，知漢詁深得經旨，實勝後人。何晏採取，不及孔氏之半，要足相輔而行云。"

案《集解》"與與如焉"下引馬曰"威儀中適之貌"，而《原本玉篇》引之入車部輿字下作"輿輿"。攷輿、與二字，形聲相近，古通假。如"楚狂接輿"之作"接與"，見《莊子》釋文。《左傳》"囚闉輿罷"之作"闉與",見《左傳》釋文。《爾雅》"乞蘮"之作"乞蕿",可證此作"輿輿",古文本,馬依之,野王親見馬書,據爲輿字異解。《集解》仍作"與與",非。

包咸 論語注 卷數佚。

范《書》:"咸師事右師細君,習《魯詩》、《論語》,爲其章句。"

何晏《序》曰:"安昌侯張禹,本受《魯論》,兼講《齊》説,善者從之,號曰《張侯論》,爲世所貴,包氏、周氏章句出焉。"

《隋志》:"《張侯論》,當世重之,周氏、包氏爲之章句。"

陸德明曰:"《張侯論》,後漢包咸、周氏不詳何人。並爲章句,列于學官。"

馬國翰曰:"包氏所爲章句,蓋用張禹説而敷暢其旨。度其義例,當若鄭玄之箋《毛傳》。惜全書久佚,《隋》、《唐志》皆不及箸目,猶幸何晏《集解》引之,什存二三。其説如'哀公問社','社'作'主';'有馬者借人乘之',訓'有馬不能調良,則借人乘習之';'三飯四飯',云樂章名;'孰先傳焉,孰後倦焉',云'先傳業者必先厭倦';'爲難能也',云'子張容儀之難及';'允執其中'三句,解'困'爲'極',云'爲政信執其中,則能窮極四海,天祿所以長終'之類。朱子所不取。其餘皆採入《集注》,特文詞小異耳。學者參攷同異,甄覈是非,先河之義,其在斯乎。"

周氏 論語章句 卷數佚。

陸德明曰:"不詳何人。"

邢昺曰:"包氏、周氏就《張侯論》爲之章句訓解,以出其義理焉。不言名而言氏者,蓋爲章句之時,義在謙退,不欲顯題其名,故直云氏而已。"

馬國翰曰:"周氏,名字爵里俱佚,與包咸皆治張侯《論語》,而爲其章句,諸志不著録,惟見何晏《集解序》。顧《集解》列名於序中,而採七家説。凡邢疏所稱周曰者,皇侃本、高麗本俱作'周生烈',無一及漢之周氏。唯'三嗅而作'注,韓愈《筆解》作'周曰',今疏本脱去,可徵者僅此。《春秋正義》引'廟主'云'張、包、周、《石经論語》殘碑',於'賈之哉'下云'包、周',於'而在於蕭蘠之内'下云'盍毛、包、周',此外無顯引者。攷陸德明《釋文》云:'鄭校周之本,以《齊》、《古》讀正,凡五十事。'然則康成注《魯論》,本據周氏也。"

案漢《石經》名列包咸下,《釋文》云"鄭氏校周之本",則其人在包後鄭前也。

鄭康成　論語注　《敘録》:十卷。《隋志》、《新》、《舊唐志》同。

《鄭志·答劉炎》云:"《論語》注,人閒行久,義或宜然,故不復定以遺後。"

何晏《序》:"玄就《魯論》篇章攷之《齊》、《古》,以爲之注。"

《隋志》:"漢末,鄭玄以《張侯論》爲本,參攷《齊論》、《古論》而爲之注。陳、梁之時,惟鄭玄、何晏立於國學,而鄭氏甚微。周、齊,鄭學獨立。至隋,何、鄭並行,鄭氏盛於人間。"

陸德明曰:"鄭氏校周之本,以《齊》、《古》讀正,凡五十事。"

邢昺曰:"康成作注之時,就《魯論》篇章,復考校之以《齊論》、《古論》,擇其善者而爲之注。"

《經義攷》曰:"鄭氏注與今文不同者,'衆星共之','共'作'拱';'先生饌'作'餕',云'食餘曰餕';'舉直錯諸枉','錯'作'措',云'投也',下同;'子張問十世可知也',無'也'字;'必也射乎','必也'句截;'哀公問社'作'主',云'主,田主,謂社';'無適也,無莫也','適'作'敵','莫'音'慕',云'無所貪慕也';'吾黨之小子'句截;'則吾必在汶上矣',無'則我'二字;樸案《史記·仲尼列傳》亦無'則我'二字,與鄭本合。'子之燕居'作'晏';'子疾病'無'病'字;'冕衣裳者','冕'作'弁';'異乎三子者之撰'作'僎,讀曰詮,詮之言善也';'詠而歸'作'饋',云'饋,酒食也';'子之迂也','迂'作'于,往也';[①]'直躬'作'弓',云'直人名弓';'子貢方人','方'作'謗';'丘何爲是栖栖者歟',無'爲'字;'在陳絶糧'作'粻',音長,下糧也;'謀動干戈于邦内'作'封内';'歸孔子豚','歸'作'饋';'惡徼以爲直者','徼'作'絞';'齊人歸女樂'亦作'饋';'朱張'作'侏張,陟留反';'厲已'讀爲'賴',云'恃,賴也'。又以申棖爲孔子弟子,申續子、桑伯子爲秦大夫,陳司敗爲人名,齊大夫,老彭爲老聃、彭祖,太宰爲吴太宰嚭,卞莊子爲秦大夫,與諸家異義。"

案德明《釋文·敘録》引"仲弓、子游、子夏等所撰定",《北史·徐遵明傳》引"書以八寸策",《春秋左氏·敘》正義引《鈎命訣》云"《春秋》二尺四寸書之,《孝經》一尺二寸書之",《儀禮·聘禮》賈疏引"《易》、《詩》、《書》、《禮》、《樂》、《春秋》,皆二尺四寸。《孝經》,謙半之。《論語》,八寸策者,三分居一,又謙焉",皆康成《論語》自序。至鄭本異今,見《釋文》者尚有"未知焉得仁","知音智";"予有亂臣十人",無"臣"字;"見冕者","冕"亦作"弁";"毋我以也","以"作"已";"饑饉","饑"作"飢","年饑"亦作"飢";"子曰衛靈公之無道","子曰"作"子言";"滔滔者天下皆是也","滔滔"作"悠悠";"廢中權","廢"作"發"。又賈昌期《羣經音辨》"裨諶"云"裨,鄭作卑"。

又此書諸家輯本甚夥,然如魏徵《帝範·建親篇》注引一條,《臣軌》引六條,樂史《太平寰宇記》河東道五引一條,慧琳《一切經音義》卷二引一條,皆未之見。

---

① "往",文淵閣四庫全書本《經義考》作"狂"。

鄭康成　論語釋義　《唐志》:一卷。《舊唐志》同。

何休　論語注　卷數佚。

案范《書》稱休注《論語》。今攷《書鈔》卷九十六引"君子儒,將以明道;小人儒,則矜其名",稱何休《論語注》,侯氏謂此二語與何晏《集解》、孔注同,疑"休"爲"晏"字譌。然愚見曹楝亭本《北堂書鈔》引此,但稱何注,並無"休"字,《書鈔》譌脱已久,未知孰是。

鄭康成　孔子弟子目録　《隋志》:一卷。《敘録》同。《唐志》作《論語篇目弟子》,卷同,《舊唐志》亦同。

馬國翰曰:"此書見《隋志》,陸德明《釋文》同,但云鄭某,與《隋志》少異。《唐志》作'篇目弟子',與原書義例不合,當是後人臆改。其書久佚,《史記·弟子列傳》集解引之,凡弟子四十人。顏淵、曾參、子路、子貢、子游、公冶長、南容子賤、澹臺滅明,諸見《論語》之賢,書中自宜詳紀,而裴駰引不之及,意其與史傳不殊也。"

程曾　五經通難　卷數佚。

沛獻王輔　五經通論　卷數佚。

《東觀漢記》:"沛獻王輔善《京氏易》,論集經傳圖讖,作《五經通論》。"梁元帝《金樓子》:"劉輔性矜嚴,有盛名,沈深好經書,善説《京氏易》。論集經傳及圖讖文,作《五經通論》,世號之曰'沛王通論'。"

班固等　白虎通義　《隋志》:六卷。兩《唐志》同。《舊唐志》下注、章帝注、范書《章紀》作"奏議",《班固傳》作"通德論",《隋志》作"通議",《舊唐志》無"義"字,《宋志》同。今存四卷。

《四庫全書提要》曰:"漢班固撰。《隋書·經籍志》載《白虎通》六卷,不著撰人。《唐書·藝文志》載《白虎通義》六卷,始題班固之名。《崇文總目》載《白虎通德論》十卷,凡十四篇。

陳振孫《書録解題》亦作十卷，云凡四十四門，今本爲元大德中劉世常所藏，凡四十四篇，與陳氏所言相符。知《崇文總目》所云十四篇者，乃傳寫脱一‘四’字耳。然僅分四卷，視諸志所載又不同。朱翌《猗覺寮雜記》稱《荀子》注引《白虎通》‘天子之馬’六句，今本無之。然則輾轉傳寫，或亦有所脱佚，翌因是而指其僞撰，則非篤論也。據《後漢書》固本傳稱‘天子會諸儒講論五經，作《白虎通德論》，令固撰集其事’，而《楊終傳》稱‘終言：宣帝博徵羣儒，論定五經於石渠閣。方今天下少事，學者得成其業，而章句之徒，破壞大體。宜如石渠故事，永爲世則。於是詔諸儒於白虎觀論考同異焉。會終坐事繫獄，博士趙博、校書郎班固、賈逵等，以終深曉《春秋》，學多異聞，表請之，即日貰出’，《丁鴻傳》稱‘肅宗詔鴻與廣平王羨及諸儒樓望、成封、桓郁、賈逵等，論定五經同異於北宫白虎觀，使五官中郎將魏應主承制問難，侍中淳于恭奏上，帝親稱制臨決’，時張酺、召馴、李育，皆得與於白虎觀。蓋諸儒可考者，十有餘人。其議奏統名《白虎通德論》，猶不名《通義》。《後漢書·儒林傳序》言：‘建初中，大會諸儒於白虎觀，考詳同異，連月乃罷。肅宗親臨稱制，如石渠故事，顧命史臣，著爲《通義》。’唐章懷太子賢注云：‘即《白虎通義》是。’足證固撰集後，乃名其書曰《通義》。《唐志》所載，蓋其本名。《崇文總目》稱《白虎通德論》，失其實矣。《隋志》删去‘義’字，蓋流俗省畧，有此一名，故唐劉知幾《史通序》引《白虎通》、《風俗通》爲説，實則遞相祖襲，忘其本始者也。書中徵引六經傳記而外，涉及緯讖，乃東漢習尚使然。又有《王度記》、《三正記》、《别名記》、《親屬記》，則《禮》之逸篇。方漢時崇尚經學，咸兢兢守其師承，古義舊聞多存乎是，洵治經者所宜從事也。國朝任啟運嘗舉正其闕，作《白虎通擿譌》，見所自爲制藝序中。今其書不傳,所糾之當否,不可考矣。”

曹褒　通義　范《書》:十二篇。

朱彝尊曰:“劉向、曹褒俱撰《五經通義》,羣書所引,大都皆向之説。惟《太平御覽》一條,竊有可疑。文云:‘歌者象德,舞者象功;君子尚德下功,故歌在堂,舞在庭。何言歌在堂也?《燕禮》曰:“升歌鹿鳴。”以是知之。何言舞在庭也?《援神契》曰:“合炘之樂舞於堂,西夷之樂陳於户。”以是明之。’度劉向時《援神契》未行於世,至褒撰禮,多雜以五經讖記之文,然則此蓋褒十二篇中語也。”

案《通典》八十三引《五經通義》曰:“《春秋説題辭》曰:‘大夫曰卒,精曜終焉。卒之爲言絶於邦焉。士曰不禄,不禄爲言削名章也。’”《説題辭》爲緯書,據朱氏言,則此條亦十二篇中語。又《初學記》引《五經通義》言耀、魄、寶、靈、威、仰等六帝名,其説亦出緯書。

許慎　五經異義　《隋志》:十卷。《新》、《舊唐志》同。

范《書》:“慎以五經傳説臧否不同,於是撰爲《五經異義》。”

陳壽祺輯本序:“《異義》所援古今百家,皆舉五經先師遺説,其體倣石渠論,而詳贍過之。自建武以後,范升、陳元之徒忿争讙譁,頗傷黨伐。永元十五年,司空徐防言太學試博士,皆以意説,不修家法,妄生穿鑿,輕侮道術。以爲博士及甲乙策試宜從其家章句,開五十難以試之,解釋多者爲上第,引文明者爲高説。是時師法已衰。至安帝薄於藝文,博士倚席不講,經術之風微矣。叔重此書,蓋亦因時而作,憂大業之陵遲,捄末師之踳陋也。”

案《周禮·載師》疏引“今《春秋》説:十一而稅”,稱《異義》第五《田稅》;《大宗伯》疏引“今《尚書》歐陽説:春曰昊天”云云,稱《天號》第六;《司尊彝》疏引“《韓詩》説:金罍,大夫器也”，稱第六《矗制》；《天號》第六，《矗制》不得又稱第六，陳壽祺謂必有一處作“第八”者，字之譌也。其説是。此其篇名次第之可見者。又《梓人》疏引“今《韓詩》説：一升曰爵，二升曰觚”，稱《爵制》；《禮記·玉藻》正義《明堂位》正義、《初學記》禮部、《類聚》禮部均引之。引“今禮戴説：《禮盛德記》曰明堂自古有之，凡有九室”云云，稱《明堂制》；《王制》正義引“《公羊》説：諸侯四時見天子及相聘，皆曰朝”，稱《朝名》；此其篇題可見者。至《通典》嘉禮六十引“今《春秋公羊》説：魯昭公娶於吴，爲同姓也，謂之吴孟子”，標諸侯娶同姓；《毛詩·干旄》正義引“《易》孟、京，《春秋公羊》说：天子駕六”，標天子駕數；《尚書·五子之歌》正義、《禮記·檀弓》正義、《儀禮·既夕》疏、《續漢·輿服志》注、《通典》嘉禮九均引之。《禮記·王制》正義引“《公羊》説：遣大夫會其葬”，標諸侯自相奔喪禮；又引“《公羊》説：卿弔君，自會葬”，標諸侯夫人喪；此可徵其大題中復分子目。又《禮記·曲禮》正義引“天子有爵不”下即引孟、京説云云，《通典》九十三引“未踰年之君立廟不”下即引《春秋公羊》説云云，[①]又引“未踰年之君繫父不”下亦引《公羊》説云云。皆設爲問答之詞，葢仿石渠奏議承制問難之旨。今《通典》所引石渠禮論，皆據經發難，每曰經曰某某者何也，下乃列諸儒所對。其七十七所引“宣帝甘露三年三月，黄門侍郎臨奏：經曰鄉射合樂，大射不，何也”，下即云聞人通漢曰云云。此條是其確證。亦有諸儒自相問難者，《通典》一百三引或問蕭太傅云云，又八十三引聞人通漢問曰云云是也。此書葢全擬其例，故每有斷制，必稱許慎謹案，對尊者之詞也。全書體例排比，故書尚可攷見一二，特箸之以告治許

① “廟”，原作“朝”，據中華本《通典》改。

學者。

鄭康成　駁五經異義　卷數佚。

陳壽祺曰:"許君箸《説文解字》,鄭君注《儀禮·既夕》、記《小戴禮·雜記》、《周禮·考工記》嘗三稱之,[①]所以推重之者至矣。顧於《異義》爲之駁者,祭酒受業賈侍中,敦崇古學,故多從古文家説;司農囊括網羅,意在宏通,故兼從今文家説。此其判也。"

鄭康成　六藝論　《隋志》:一卷。《新》、《舊唐志》同。

孔穎達曰:"方叔機注。"

徐彦曰:"鄭君先作《六藝論》,然後注書。"

馬國翰曰:"《六藝論》多用緯候説,宋儒以是詬議。而敘述經學源流,則非唐以後人所能望其項背。"

劉表　後定五經章句　卷數佚。

《漢末英雄記》:"表開立學官,博求儒士,使綦母闓、宋衷等撰定《五經章句》,謂之後定。"

案范《書》稱表有《五經章句》,《隋》、《唐志》不箸録。惟易類載宋、劉《易章句》,想即五者之一。又禮類載荆州牧劉表《新定禮》一卷,尤與本傳"謂之後定"之語合,葢亦其一種。

凡《論語》十五部,篇卷數可攷者十二篇二十九卷。

鄭衆　孝經注　《七録》:二卷。

《隋志》:"劉向典校經籍,以顔芝本比古文,除其繁惑,以十八章爲定。鄭衆、馬融並爲之注。"

陸德明曰:"馬融、鄭衆、鄭玄,並注《孝經》。"

馬融　孝經注　《七録》:二卷。

---

① 原脱"注"字,"考工記"原作"考工攷",據《皇清經解》本《五經異議疏證》自序補正。

陸德明曰:"後漢馬融亦作《古文孝經傳》,而世不傳。"

何休　孝經注 卷數佚。

鄭康成　孝經注 《隋志》:一卷。《新》、《舊唐志》、《宋志》同。

鄭氏《自序》曰:"《孝經》者,三才之經緯,五行之綱紀。孝者,百行之首;經者,不易之名。王應麟《玉海》四十一引。僕避兵於城南之山,棲遲於巖石之下,念昔先人,餘暇,述夫子之志而注《孝經》焉。"《太平御覽》、《太平寰宇記》。

《後漢書》曰:"鄭玄漢末遭黄巾之難,客於徐州。今《孝經序》,鄭氏所作。南城山西上可二里許,[①]有石室焉,周迴五丈,俗云是康成注《孝經》處。"《太平御覽》所引,范《書》無其文,當出七家《書》。

《宋書・陸澄傳》:"時國學置鄭玄《孝經》,澄與王儉書云:'世有一《孝經》,題爲鄭玄注,觀其用辭不與注書相類。案玄《自序》所著衆書,亦無《孝經》。'儉答曰:'鄭注虚實,前代不嫌。意謂可安,依舊立置。'"

王溥《唐會要》:"開元七年三月一日勑:'《孝經》、《尚書》有古文本,孔、鄭注旨趣頗多踳駁,令諸儒質定。'六日,詔曰:'《孝經》,德教所先,頃來獨宗鄭氏,孔氏遺旨今則無聞,其令儒官詳定所長,令明經者習讀。'四月七日,左庶子劉知幾議曰:'謹按今俗所傳《孝經》,題曰鄭注,爰在近古,皆云鄭注即康成,而魏、晋之朝無有此説。至晋穆帝永和十一年及孝武帝太元元年,再聚羣臣,共論經義。有荀茂祖者,撰集《孝經》諸説,始以鄭氏爲宗。自齊、梁以來,多有異論。陸澄以爲非玄所注,請不藏於祕省。王儉不依其請,遂得見傳於時。魏、齊則立於學官,著於律令。蓋由膚俗無議,故致斯訛舛。然則

① "許",原作"所",據中華本《御覽》改。

《孝經》非玄所著,其驗十有二條。按鄭君《自序》云遭黨錮事起,逃難注《禮》。黨錮事解,注《古文尚書》、《毛詩》、《論語》。爲袁譚所逼,來至元城,乃注《周易》,都無注《孝經》之文。其驗一也。鄭君卒後,其弟子追論師著所述及應對時人,謂之《鄭志》。其言鄭所注者,惟有《毛詩》、三《禮》、《尚書》、《周易》,都不言鄭注《孝經》。其驗二也。又《鄭志》目録記鄭之所注五經之外,有《中候書傳》、《七政論》、《乾象曆》、《六藝論》、《毛詩譜》、《答臨碩難禮》、《駁許慎異義》、《發墨守》、《鍼膏肓》及《答甄子然》等書,寸紙片言,莫不悉載。若有《孝經》之注,無容匿而不言。其驗三也。鄭之弟子,分授門徒,各述師言,更相問答,編録其語,謂之《鄭記》。惟載《詩》、《書》、《禮》、《易》、《論語》,其言不及《孝經》。其驗四也。趙商作《鄭先生碑文》,具稱諸所注、箋、駁、論,亦不言注《孝經》。晋《中經簿》:《周易》、《尚書》、《尚書中候》、《尚書大傳》、《毛詩》、《周禮》、《儀禮》、《禮記》、《論語》,凡九書,皆云鄭氏注,名玄。至於《孝經》,則稱鄭氏解,無"名玄"二字。其驗五也。《春秋緯·演孔圖》云:"康成注《禮》、《書》、《易》、《尚書》、《論語》,其《春秋》、《孝經》則有評論。"宋均於《詩譜序》云我先師北海鄭司農,則均是玄之傳業弟子也,師所注述,無容不知,而云《春秋》、《孝經》惟有評論,非玄之所注,於此特明。其驗六也。又宋均《孝經緯》注引鄭《六藝論》敘《孝經》云玄又爲之注,司農論如是,而均無聞焉。有義無辭,令予昏惑,舉鄭之語,而云無聞。其驗七也。宋均《春秋緯》注云爲《春秋》、《孝經》畧説,則非注之謂,所言玄又爲之注者,汎辭耳,非事實。其序《春秋》亦云玄又爲之注也,寧可復責以實注《春秋》乎?其驗八也。後漢史書存於代者,有謝承、薛瑩、司馬彪、袁山崧等,其爲鄭玄傳者,載其所注,皆無《孝經》。其驗九也。王肅《孝經傳》首有司馬宣王之奏,云奉詔令諸儒注述《孝經》,以肅説爲長。若先有鄭注,亦應言及,而都不言鄭。其驗十也。王肅注書,發揚鄭短,凡有小失,皆在訂證。若《孝經》此注亦出鄭氏,被肅攻擊最應繁多,而肅無言。其驗十一也。魏、晋朝賢論辨時事,諸注無不撮引,未有一言引《孝經》之注。其驗十二也。凡此證驗,易爲討覈。而世之學者不覺其非,乘彼謬説,競相推舉。諸解不立學官,此注獨行於世。觀夫言語鄙陋,義理乖疎,固不可以示彼後來,傳諸不朽。至《古文孝經》,孔傳本出孔氏壁中,語甚詳正,無俟商榷,而曠代亡逸,不復流行。至隋開皇十四年,祕書學士王孝逸於京市陳人處買得一本,送與著作郎王劭。劭以示河閒劉炫,仍令校定。而此書更無兼本,難可依憑,炫輒以所見,率意刊改,因著《古文孝經稽疑》一篇。劭以爲此書經文盡正,傳義甚美,而歷代未嘗置於學官,良可惜也。然則孔、鄭二家,雲泥致隔。今綸音發問,校其所長,愚謂行孔廢鄭,於義爲允。'國子祭酒司馬貞議曰:'《今文孝經》是河間獻王所得顔芝本,至劉向以此本參校古文,省除繁惑,定爲此一十八章。其注相承,云是鄭玄所注,而《鄭志》及《目録》等不載,故往賢共疑焉。惟荀昶、范煜以爲鄭注,故昶《集解孝經》具載此注,而其序以鄭爲主。是先達博選,以此注爲優。且其注縱非鄭氏所作,而義旨敷暢,將爲得所。其數處小有非穩,實亦未爽經傳。今議者欲取近儒詭説、殘經闕傳而廢鄭注,理實未可。望請準式《孝經》鄭注,與孔傳依舊俱行。'五月五日,詔:'鄭仍舊行用。孔注傳習者稀;亦存繼絶之典,頗加獎飾。'"

《隋志》:"《孝經》鄭氏注,相傳或云鄭玄。其立義與玄所注餘書不同,故疑之。梁代安國及鄭氏二家,並立國學。而安國之本亡於梁亂,陳及周、齊惟傳鄭氏。”

章懷太子曰:“謝承《書》載玄所注與范睪同,不言注《孝經》。”

陸德明曰:“世所行鄭注,相承以爲鄭玄。案《鄭志》及《中經簿》無。唯中朝穆帝集講《孝經》,云以鄭玄爲主。檢《孝經》注,與康成注五經不同,未詳是非。江左中興,《孝經》、《論語》共立鄭氏博士。《古文孝經》既不行,隨俗用鄭注十八章本。”

劉肅《大唐新語》:“梁載言《十道志》解‘南城山’引《後漢書》云:‘鄭玄遭黄巾之難,客於徐州。今者有《孝經序》,相承云鄭氏所作,蓋康成胤孫所爲也。’陸德明亦云鄭注《孝經》,與注五經體不同。則劉知幾所證信有徵矣。”

樂史曰:“南城山。《後漢書》:鄭玄漢末遭黄巾之難,客於徐州。今《孝經序》,鄭所作。其《序》曰:‘念昔先人,餘暇,述夫子之志而注《孝經》。’蓋康成胤孫所作也。今西可二里許,有石室焉,周迴五丈,俗云鄭康成注《孝經》於此。”

《崇文總目》曰:“先儒多疑其書,惟晋孫昶《集解》以此注爲優,請與孔注並行,詔可。今太學所立、陸德明《釋文》,與此相應。五代兵興,中原久佚其書。咸平中,日本僧以此書來獻,議藏秘府。”

陳振孫曰:“世傳秦火之後,河間顔芝得《孝經》藏之,以獻河間王,今十八章是也。相承云康成作注,而《鄭志》目録不載,故先儒並疑之。古文有孔安國《傳》,不行於世。劉炫爲作《稽疑》一篇,所謂劉炫明安國之本,陸澄譏康成之注也。及唐開元中,議孔、鄭二家,劉知幾以爲宜行孔廢鄭,諸儒非之,卒行鄭學。按《三朝志》,五代以來,孔、鄭注皆亡。周顯德中,新羅獻别序《孝經》即鄭注者,而《崇文總目》以爲咸平中日本僧奝然所獻,未詳孰是。世少有其本。乾道中,熊克子復從袁樞機仲得之,[①]刻於京口學官,而孔《傳》不可復見矣。”

王應麟曰:“鄭氏注,相承言康成作。《鄭志》目録不載,通儒皆驗其非。開元中,孝明纂諸説自注,以奪二家,然尚不知鄭氏之爲小同。”

又云:“康成有六天之説,而《孝經》注云‘上帝,天之别名’,故陸澄謂不與注書相類。”

孫志祖曰:“《後漢書·鄭康成傳》,撰述有《孝經注》,而謝承《書》無之。或疑謝氏脱譌,非也。康成《孝經注》晚出,前世通儒並疑其僞。《南史·陸澄傳》云,康成自序所著衆書,亦無《孝經》,此爲明證。”

又曰:“丁杰嘗語:‘予以《孝經》鄭注據《公羊》昭十五年疏當是鄭稱,非康成,并非小同。’志祖案《孝經》果屬鄭稱,不應劉知幾、司馬貞輩懵然不辨。蓋自有鄭稱注《孝經》,觀徐彦疏云與鄭稱同,與康成異,則稱與康成爲二家明矣。惜《隋志》、《釋文》俱不載名字,無由知其爵里也。”

梁玉繩曰:“《孝經》疏辨康成未嘗注《孝經》,其驗有十二,以荀昶及范蔚宗言爲非。攷《御覽》四十二、《寰宇》廿三卷,沂州費縣有南城山,《後漢書》:鄭玄漢末遭黄巾之難,客於徐州。今《孝經序》,鄭氏所作。其序云云,蓋康成胤孫所作也。今西上可二里許,有石室焉,周迴五丈,云是康成胤孫注《孝經》處。則康成曾注此經而成於後人之手。荀、范之説,不可盡非。《公羊》昭十五年疏引鄭稱《孝經注》,當别一人。或謂即康成胤孫,恐非。《南史》載陸澄與王儉書云‘世有一《孝經》,題爲鄭玄注,觀其用辭,不與注書相類’云云,據此則鄭注《孝經》,晉、宋皆無異説,疑之自陸澄始,至唐劉知幾乃暢

① “從”字原缺,據《四庫全書》本《直齋書録解題》補。

言之。”

阮福曰:“《孝經》相傳爲鄭玄注,陸澄辨以爲非,有十二驗,言之甚詳,其非康成所注無疑。然既曰鄭氏,則必有其人,決非空署姓氏。今考宋王應麟《困學紀聞》、《玉海》始引《國史志》,謂注《孝經》之鄭氏爲鄭小同,唐劉肅《大唐新語》始謂序鄭注者爲康成裔孫,此二事確有可據。福案《後漢書·鄭玄傳》云:‘會黄巾寇兖部,乃避地徐州。建安元年,自徐州還高密。玄後嘗疾篤,自慮,以書戒子益恩曰:“吾家舊貧,去厮役之吏,游學周、秦之都,往來幽、并、燕、豫之域。遂博稽六藝,粗覽傳記,時覩秘書緯術之奥。入此歲來,已七十矣。案之禮典,合便傳家。家事大小,汝一承之。所好羣書率皆腐敗,不得於禮堂寫定,傳與其人。”’傳又云:‘五年春,夢孔子告之曰:“起,起,今年歲在辰,來年歲在巳。”其年六月卒,年七十四。’據此,康成家舊貧而幼去厮役之吏,自游學,始爲通儒,其先世固無講學者。即子益恩,亦但傳以家事,不聞傳學。且羣書不得寫定傳於其人,其人是指他人,更非益恩可知。傳又云:‘孔融在北海,爲黄巾所圍,益恩赴難隕身。有遺腹子,玄以其手文似己,名之曰小同。’據此,康成《戒益恩書》在七十歲時。康成卒年七十四,爲建安五年庚辰。小同爲遺腹子,名爲康成所命,是益恩卒在康成之前,其未傳學更顯矣。范《書》傳雖云凡玄所注内有《孝經》,然謝承《書》載玄所注,不言《孝經》也。《三國·魏志·高貴鄉公傳》稱:‘關内侯鄭小同,温恭孝友,帥禮不忒,以爲五更。’又《魏名臣奏》載太尉華歆表曰:‘文皇帝旌録先賢,拜玄適孫小同以爲郎中。小同年逾三十,少有令質,學綜六經,行著鄉邑,色養其親。’據此,是小同無疑。小同注今没入唐注中,但其序文尚有廿八字,見唐劉肅《大唐新語》内,曰:‘僕避難於南城山,棲遲巖石之下，念先人。餘暇，述夫子之志而注《孝經》。'劉肅斷之曰：'蓋康成裔孫所作也。'福審此裔孫之言，實爲可據。然所謂僕者，裔孫自謂也。先人者，指小同也。若以爲指康成，則陸澄十二驗已明非康成。若云益恩，則益恩無經術。然則非小同而誰？所謂避難者，當是小同之子孫，避難在魏晋之間。劉肅惑於《十道志》，以此序避難南城山即康成避難徐州，則猶以注《孝經》者爲康成矣。《三國志·高貴鄉公傳》，正元二年，小同爲侍中。計爲侍中時，年已五十餘。其年逾三十，學綜六經，則注《孝經》當在三十前後也。又《玉海》引鄭氏《孝經序》二十五字，曰：'《孝經》者，三才之經緯，五行之綱紀。孝爲百行之首，經者至易之稱。'計陸氏音義，皆是鄭注音義。内所出鄭氏注文五百八十六字，見於今唐明皇注内。爲元行沖、邢昺所留者，六十三字。不見於今唐注内者，五百二十一字。可見唐注删鄭注者甚多。今鄭注被删者不可見，而尚有五百二十一字見於陸氏音義之中，片言隻字，皆是漢人所遺，亟可寶貴也。"

錢大昕《廿二史攷異》：[①]"蔚宗述康成所注有《孝經》，而謝承、薛瑩、司马彪、袁山松諸家皆無之。《隋志》但云鄭氏注，《舊唐志》始實以康成，邢昺《孝經疏》謂鄭君弟子作。《鄭志》目録記鄭所注書，不及《孝經》。趙商作《鄭康成碑銘》，亦不言注《孝經》。則非鄭所注審矣。"

王鳴盛《十七史商榷》曰："鄭注，自魏晋以來有之。又有孔安國注，則出於隋劉炫，殆即炫作。行沖於《御製序》疏中謂孔、鄭二家皆非真實，又引齊陸澄説，謂鄭注非康成所注；又於篇首疏中歷詆鄭注爲僞，其驗有十二；又載開元七年劉知幾、司

① "二"，原誤作"四"。

馬貞兩家議,知幾欲行孔廢鄭,貞則以鄭爲優、孔爲僞。行沖雖並黜兩家,而其意則尤不許者鄭也。又有傳注者,不知何人作序一篇,云知幾駁鄭有十謬七惑,大約行沖十二驗即祖知幾唾餘。觀范蔚宗以爲出康成,則可信矣。乃自唐以來,孔、鄭並亡已久。近日孔注從日本傳至中土,而鄭注獨不得,誠恨事也。”

錢侗曰:“往歲,平湖賈舶自日本國購得《孝經》鄭注歸。時余寓居杭州萬松山館,客有攜以相示者。前有田挺之序,後稱‘寬政六年寅正月梓’,其題首云‘新川先生校’。驗序末小印,知新川即挺之字。寬政六年,歲在癸丑,以甲子計之,實乾隆五十八年也。余嚮見太宰純重刻《古文孝經》,序云宋歐陽子嘗作詩,稱逸書百篇,今尚存。昔僧奝然適宋,獻《孝經》鄭注一本於太宗。今去其世七百有餘年,古書之散佚者亦不少,而孔傳《孝經》古文全然尚存。又享保十五年所刊山井鼎《七經孟子攷文》,《孝經》但載古文孔傳,並不言鄭注之有無。此本與《經典釋文》、《孝經正義》所述鄭注,大半皆合。初疑彼國稍知經學者抄撮而成,繼細讀之,如《孝治章》以‘昔’訓‘古’,見《公羊傳》疏;‘聘問天子無恙’諸語,見《太平御覽》;《聖治章》‘上帝者,天之别名也’,見《南齊書·禮志》暨《困學紀聞》;俱《釋文》、《正義》之所未引。而此本秩然具載,不謀而合,恐非作僞者所能出也。案鄭注《孝經》不見於《鄭志》目録及趙商《碑銘》,故晉、唐諸儒論議紛起,唐人至設十二驗以疑之。然宋均《孝經緯》注引鄭《六藝論》序《孝經》云‘玄又爲之注’,《大唐新語》引鄭《孝經序》云:‘僕避難於南城山,棲遲巖石之下。念昔先人,餘暇,述夫子之志而注《孝經》。’又均《春秋緯》注云:‘爲《春秋》、《孝經》説畧。’皆當日作注之徵。唐儒駁之者曰:‘所言爲之注者,汎辭,非事實。其序《春秋》

亦云玄又爲之注，豈可復责以實注《春秋》?'余謂鄭注《春秋》未成，遇服虔，盡以所注與之，《世説新語》實志其事，而云鄭無《春秋注》，非也。《鄭志》一書，多爲後人羼雜，隋、唐所行已非原本，所記容有脱漏。趙商撰《鄭碑銘》，具載諸所注《周易》、《尚書》、《毛詩》、《儀禮》、《禮記》、《論語》、《孝經》諸書。而唐史承節撰碑，乃多《周官》而無《論語》，俱載筆者偶然之疏，豈得據墓碑史傳并謂鄭無《周官》、《論語注》乎?《唐會要》載開元七年劉子玄等議，欲行孔廢鄭。博士司馬貞以爲其注縱非鄭玄，而義旨敷暢，將爲得所，請准令式鄭注，與孔傳並行，詔從貞議。蓋前此學者，篤信是書非出北海，同聲附和。即有爲之剖辨者，亦多執首鼠之説，不復深究是否。荀勗《中經簿》但題鄭氏解，不云名玄。《釋文》於《毛詩》、三《禮》直稱鄭玄注，而於《孝經》標'鄭氏'二字，注云'相承解爲鄭玄'，則亦疑而未決。此本挺之後跋稱鄭注《孝經》一卷，《羣書治要》所載。攷《羣書治要》凡五十卷，唐魏鄭公撰。其書久佚，僅見日本天明七年刻本，前列表文亦有岡田挺之題銜，則此書即其校勘《治要》時所録而單行者。《治要》采集經子各注，不著撰人名氏。而今本竟稱鄭注，或亦彼國相承云爾，而挺之始據《釋文》定之，故太宰純、山井鼎諸人俱未言及耳。"

嚴可均輯本序曰："漢儒有功聖經，莫如鄭氏。鄭氏《詩箋》、三《禮》注，今在學官，而《易》、《書》、《論語注》亡。近人輯本，殘闕不全。獨《孝經注》亡而復存，可與《詩》、《禮》比並。謹述其原委而爲之敘曰：《孝經》鄭氏注，始見晋《中經簿》。江左中興，《孝經》、《論語》共立鄭氏博士一人，齊、梁代，鄭氏注與古文孔安國傳並立，而孔傳本亡于梁亂。陳及周、齊唯立鄭氏。隋王劭訪得孔傳本，劉炫爲作述義，復與鄭並立。儒者皆云炫自作之,非孔舊本。後百卅年,唐明皇爲御注,而鄭氏注與孔傳本漸微。宋、元、明不著録。乾隆中,歙鮑氏廷博始得日本國所刊孔傳本于海舶,編入《知不足齋叢書》。嘉慶初,我鄉鄭氏復于海舶得日本所刊魏徵《羣書治要》,其中有《孝經》十七章,則鄭氏注也。兼得彼國所刊鄭氏注專行本,與《治要》同。《治要》于經注有删節,又無《喪親章》,非全本。余觀陸德明《經典釋文》,《孝經》用鄭氏注本,明皇御注亦用鄭氏注甚多。元行沖等正義,逐條舉出,云此依鄭注。又徧觀孔穎達《詩》、《禮記正義》,賈公彦《儀禮》、《周禮疏》,失名《公羊疏》,裴駰《史記集解》,劉昭《續漢志注補》,沈約《宋書》,蕭子顯《齊書》,劉肅《大唐新語》,王溥《唐會要》,甄鸞《五經算術》,虞世南原本《北堂書鈔》,李善《文選注》,徐堅《初學記》,釋慧苑《華嚴音義》,《白孔六帖》,李昉《太平御覽》,樂史《太平寰宇記》,王應麟《玉海》,都引《孝經》鄭氏注,彙而録之,以補《治要》之闕。注明出處,以備覆查。攷覈異同,酌加按語,不敢臆定。尚闕數十百字,無從據補。葢至是而《孝經》鄭氏注亡而復存。九百年來,晦極終顯,非劉炫古文所可同日而道矣。或問曰:‘陸澄與王儉書云:“《孝經》題爲鄭玄注,觀其用詞,不與注書相類。玄《自序》所注衆書,亦無《孝經》。”陸德明《經典・序録》亦云:“檢《孝經》注,與注五經不同。”如二陸説,注或可疑。’荅曰:‘不然。鄭氏著書百餘萬言,非旦夕可就。先後不類,非所致疑。即如五經注,亦或不類,《坊記》正義引《鄭志・荅炅模》云:“爲《記》注時就盧君,先師亦然,後乃得毛公傳記古書,義又且然,《記》注已行,不復改之。”《禮器》正義亦引《鄭志》云:“後得《毛詩傳》,故與《記》不同。”若然,詞不相類,《詩》、《禮》亦有之,何止《孝經》。至謂《自序》所注衆書無《孝經》,尤爲偏據。劉炫《述義》引鄭

《六藝論》云："孔子以六藝題目不同，指意殊别，恐道離散，後世莫知根源，故作《孝經》以總會之。"宋均《孝經緯》注引鄭《六藝論》敘《孝經》云："玄又爲之注。"此二事並見《孝經正義》，明是《自序》遺漏。鄭氏又别爲《孝經序》，《禮記·緇衣》正義、《大唐新語》、《太平寰宇記》、《玉海》各引一事。余既采列本經注篇端，兹故不載。就余所聞，《鄭志》及謝承、薛瑩、司馬彪、袁山松等《書》載鄭氏所注無《孝經》。范《書》有《孝經》無《周禮》，皆是遺漏。《正義》云：晋《中經簿》稱鄭氏解，《經典·序録》云《中經簿》無，則所據本異也。'或又問曰：'近人疑《孝經》鄭小同注，何據乎？'荅曰：'此説始于《太平寰宇記》，謂今《孝經序》蓋康成徹孫所作。蓋者，疑詞。徹孫必誤，近刻改爲胤孫，近似矣。小同，漢、魏間通人，注本幸存，亦宜寶貴。然而舊無此説，《經典·序録》云：世所行鄭注，相承以爲鄭玄；引晋穆帝《集講孝經》云：以鄭玄爲主。陸澄所見宋、齊本題鄭玄注，《舊唐志》、《新唐志》稱鄭玄注，未有題鄭小同者也。'"

又曰："南齊陸澄疑《孝經》非鄭注，與王儉書云：'觀其用詞，不與注書相類，玄《自序》亦無《孝經》。'嚴可均曰：陸澄，善讀書者，語非無因，然猶未攷。鄭所注書，其時有先後，執後定之説，以校初定之説，其疑爲不相類宜也。陸疑爲不相類者非，謂朝聘、巡狩、郊祀、明堂、喪服并非五刑也，何以知之？宋、齊注本，五刑未必如《釋文》所據本之凌亂。即未必不相類也，不相類者，蓋法服耳，法服何以不相類？鄭先事第五元，又事張恭祖，又事馬融，從質諸疑義。蓋法服用馬融説，兼下己意也。知者今之孔傳所言'五服五章'，實即馬融《書》注。正義謂馬融不見孔傳，其注亦以爲然。足以明之馬融兼衣與旗爲四章，加祭器而五章，三辰在旗亦在衣，宗彝在祭器不在衣,故數三辰不數宗彝。馬融又逆數黼黻、粉米、藻火,大夫不得服黼黻,士不得服粉米。今攷《孝經》注天子、諸侯服用,馬融説不數宗彝,亦用馬融説。大夫、士服,鄭意以馬融説未安,故順經爲次。鄭意又以天子至士服,皆至于黼黻,今注黼黻上有闕文,此用馬融説,兼下己意也。注《孝經》在先,是初定之説;異日注《禮》注《書》,是後定之説。陸澄執後定之説,以校初定之説,其疑爲不相類宜也。竊見鄭學積漸而成,由淺而漸深,由疏而漸密。注三《禮》成,而學乃大成。三《禮》唯《禮記》至賾,故鄭注《禮記》用力尤勤,參互推求,以定劃一,小有不類,便出之。爲虞夏、爲夏殷、爲魯、爲晋霸制,與周制區分爲五,故無不類。然而初定之説,猶横積於胸中,改之不盡也。即如《禮器》'有放而文'、'有放而不致'汎言耳,于虞制何涉?縱欲以服章況譬,在周言周可矣。而注云'謂若天子之服,服日月以至黼黻','諸侯自山龍以下',此即初定之説。《孝經》注所謂百王同之,不改易者也。其餘逐漸更移,如注《王制》云'虞、夏之制,天子服有日、月、星辰',虞謂《虞書》,夏者文便。故注下文'有虞氏皇而祭'云'有虞氏十二章,周九章,夏殷未聞'。又注《郊特牲》'王被衮以象天'云'謂有日、月、星辰之章,此魯禮也',衮用天元即是象天,不必日、月、星辰;魯未王,不必如《公羊》黜周王魯。鄭云然者,欲自實其三辰在衣之説。又避周制郊天大裘而冕也,鄭以意彌縫其間,大概如斯。復因《明堂位》有'殷火、周龍章',《周禮·司常》有'日月爲常',《左氏》桓二年傳有'火龍黼黻',故注《周禮·司服》云:'此古天子冕服十二章。王者相變,至周而以日、月、星辰畫於旌旗。而冕服九章,登龍於山,登火於宗彝。'説逾擻密。故注《儀禮·覲禮》云'天子有降龍、有升龍',又云'上公衮無升龍,侯伯鷩,子男毳,孤絺,卿大夫玄。於是乎侯伯不服龍衮，士不厠五服之班矣’，復因《周禮·節服氏》‘衮冕六人爲士服龍衮’顯證，故特以從王服一語消釋之。尋檢禮文，稀少觸礙，異日遂以之注《虞書》，云‘此十二章爲五服，天子備有焉，公自山龍而下，侯伯自華蟲而下，子男自宗彝而下，卿大夫自藻火而下’，王肅作《聖證論》以難之。而鄭學之徒，堅持不絀，皆後定之説也。嚮使注《孝經》在注《禮》注《書》後，必不仍用初定之説。何者？孔子爲曾子語孝道，舜大孝，武王、周公亦達孝。在周言周，當服周之法服，不必服舜之法服。而注《孝經》不然者，彼時去事馬融未久，故承用其説，兼下己意也。然而鄭不追改何也？鄭注《禮》以意彌縫其間，而欿然者亦復不少。即如《節服氏》衮冕爲從王服，何以侯、伯、子、男、大夫不得從王服？何以士從王服不得厠五服之班？欲消釋之，仍難消釋。若斯之類，内不自安。故《孝經注》雖不類，義得兩通，不復追改。學然後知不足，後説未必皆是，前説未必皆非，鄭意如此，固非陸澄之所能攷也。陸澄又謂玄自序亦無《孝經》。嚴可均曰：《孝經》爲鄭注，不必問《自序》有無也。《自序》全篇亡，《孝經正義》引其畧云‘遭黨錮之事逃難，至黨錮事解，注《古文尚書》、《毛詩》、《論語》。爲袁譚所逼，來至元城，乃注《周易》’，據知注《易》在臨卒之年。《自序》注《易》時作稍牽晚年，所注《書》、《詩》、《論語》，前乎此者，概不登載，未可據爲《孝經》非鄭注之證也。《唐會要》七十七、《文苑英華》七百六十六載鄭《自序》‘逃難’下有‘注禮’二字，無‘至’字，餘與《正義》引同。余攷鄭氏著書三十餘年，論天文七政，注《乾象曆》、《緯候》，葢最先。何以知之？鄭初事第五元，通《三統曆》、《九章算術》，又《戒子益恩書》言游學時覩祕書緯術之奥，故知最先。《孝經》，逃難時注，以黨事逮捕故逃難。《孝經·序》言‘僕避難南城山,棲遲嚴石之下,而注《孝經》’是也。樂史以黄巾寇青部當之,非。尋聞禁錮之令,歸而杜門注《禮》。《檀弓》正義引《鄭志》荅張逸問禮注曰《書》説:‘《書》説,何書也?’荅曰:‘《尚書》緯也。’當爲注時在文網中,嫌引祕書,故諸所牽圖緯皆謂之説。是注《禮》在禁錮時也。其《魯禮禘祫義》、《三禮目録》、《注尚書大傳》、《荅臨碩周禮難》、《駁五經異義》,皆注《禮》時作。注《春秋左氏傳》未成,亦在禁錮時。知者本傳列《箴膏肓》、《發墨守》、《起廢疾》,在黨禁解之前。《六藝論》亦禁錮時作。知者論《孝經》云玄又爲之注,論《春秋》亦云玄又爲之注,而《春秋注》卒未成。故《公羊·序》疏以爲鄭君先作《六藝論》訖,然後注書也。若然,《自序》無者甚多。豈得《易》、《書》、《詩》、《禮》、《論語》外,皆疑依託。余故曰《孝經》爲鄭注,不必問《自序》有無也。”

侯康曰:“王伯厚以‘上帝,天之別名’,謂與六天之説不合。攷《禮·大傳》注曰:‘《孝經》曰郊祀后稷以配天,配靈威仰也;宗祀文王於明堂以配上帝,汎配五帝也。’然則上帝者,五帝之總稱。天即五帝中之一帝,郊祀之天,非圜丘之天,故云‘上帝,天之別名’,與鄭平生宗旨不背,此説亦不足疑也。至謂與鄭他經注不類,今不盡可攷。然康成箋《詩》,不同注《禮》;《鄭志》諸説,每異羣經。博雅通儒,固宜有此,是亦無可疑也。”

案鄭注《孝經》自劉宋陸澄以爲用辭不與康成相類,唐劉知幾至設十二驗疑之。自後論者,或疑小同,或疑康成胤孫,甚有據徐彦疏證爲鄭稱作者,紛紛聚訟,莫衷一是。至國朝嚴可均輯《孝經》鄭注,始爲博攷詳稽,定鄭注爲康成。樸於此經亦嘗肄業,有嚴氏所未逮者,試更補證之。《孝經》曰:“昔者周公郊祀后稷以配天,宗祀文王於明堂以配上帝。"鄭注曰:"上帝者,天之别名也。"《史記·封禪書》集解、《續漢書·祭祀志中》注、《南齊書·禮志》均引。王應麟謂此注與鄭六天之説不合。樸案鄭所謂六天者,即北極耀魄寶及五色帝靈威仰等是也。鄭注諸經,大畧以帝嚳、后稷、文王分配六天,以帝嚳配北極耀魄寶,即冬至祀於圜丘者也;以后稷配感生帝靈威仰,即正歲正月祀於南郊者也;以文王汎配五帝,即以四時祀四郊者也。凡經稱皇天者,耀魄寶也;單稱天者,靈威仰也;稱上帝者,汎言五帝也。鄭之宗旨如此。其注《周禮·天官·司裘》,《春官·大宗伯》、《大司樂》、《小宗伯》、《典瑞》,《秋官·職金》,《禮記·月令》、《王制》、《禮器》、《雜記》、《大傳》、《祭法》,《尚書·君奭》,均本此意,畧無歧説。其中《禮記·大傳》一條,則并明引《孝經》曰:"郊祀后稷以配天,配靈威仰也;宗祀文王於明堂以配上帝,汎配五帝也。"而此注《孝經》上帝,獨曰"天之别名",似以上帝與天并爲一談,王氏遂謂與鄭宗旨背謬。樸謂不然,鄭此注與諸經注正合。所以云背謬,乃由王氏不知"别名"二字之古解,而以俗説解之也。俗解解"别名",猶言一名、又名,對原名而言;古解則異,是"别"字作"分"字解,對總名而言。《禹貢》曰:"岷山導江,東别爲沱。"江,總名也;沱,兼梁、荆二州之鄗江、夏水而言。胡渭《禹貢錐指》引林氏曰:"自江水溢出,别爲支派者,皆名爲沱。梁、荆二州皆有之。"王鳴盛《尚書後案》曰:"此經所謂東别爲沱者,於梁則江原之鄗江,於荆則夏水,兼二水言也。"雖同於江,而實於江别出也,故《毛詩·江有沱》傳"沱,江之别者也",此"别"字即鄭之别名意。然此猶單言别也,請以漢人之連言别名者證之。許氏《説文解字·水部》澥字下"勃澥,海之别也",《禾部》稗字下"稗,禾之别也",今本别下皆無"名"字。攷《文選·子虛賦》注引"勃澥,海之别名也",《七啟》注引"稗，禾别名也"。李善，初唐人，所見皆唐初本，在宋本、葉本、趙本，《五音韻譜》，《集韻》之前。《文選注》所引《説文》多誤涉《字林》，故往往出今本之外，國朝嚴可均等皆譏之。而此二條則皆今本所有，不得謂之誤。即誤，不得兩引皆誤也。而所引如此，則係許君原文可知。蓋許君之意，亦謂海總名也。海之名非一，勃澥者，海分出之一名也。稗亦然。然此猶可曰李善誤引也，則請以不誤者證之。韋昭《國語解》引賈逵《解詁》曰："鸑鷟，鳳之别名也。"又《史記·晋世家》集解引賈逵《春秋左氏傳解誼》伐東山注曰："東山，赤狄别名。"[①]案鳳有五種，曰鳳、曰鵷雛、曰鸞、曰鸑鷟、曰鵁鶄，見摯虞《決疑要注》太史令蔡衡所言。《續漢書·五行志》注引《樂叶圖徵注》曰"似鳳有四，曰鷫鸘、曰發明"云云，與此實同而名異。赤狄之種數不可知，據《左氏傳》"東山外有赤狄潞氏"、宣十五年，晋滅赤狄潞氏。"赤狄廧咎如"，僖公二十三年，狄人伐廧咎如，《史記集解》引服虔注："赤狄别種。"《後周書》"稽胡，赤狄之後"，《北史》"高車，古赤狄種"，可見赤狄之種非一。蓋賈此注亦謂鳳、赤狄，皆總名。而鸑鷟、東山，則於鳳、赤狄中分出之名也。然猶可曰此非鄭君之解，不足證也，則請以鄭自注諸經證之。《周禮·地官·司徒》"族師"下注曰："州、黨、族、閭，皆鄉之屬别。"賈疏曰："言皆屬於鄉，而名號有别也。"又《詩·大雅·大明》曰："嬪於京。"鄭《箋》曰："京，周之地，小别名也。"案下《思齊》"京室"箋即曰："京，周地名。"周之地不止一京，周其總名，京從周别出之名也。觀此數證，是漢人之所爲别名者，皆作"别出"解，非如俗解之所云一名、又名也。今試取以上數端，例之《孝經注》，則江也、海也、禾也、鳳也、赤狄也、鄉

① "伐"，原誤作"代"，據中華本《史記》改。

也、周也，即鄭此注所謂天也；沱也、勃澥也、稗也、鸑鷟也、東山也、州黨也、京也，即鄭此注所謂上帝也；其沱之鄗夏、鳳之鶠鸆、赤狄之潞氏等，即鄭此注上帝中所包之靈威仰等也。是鄭意正以上帝之中有靈威仰等五帝，雖不外於天，而别出於天，故下“别名”二字分出之，猶言上帝者，天之分别名也。攷《説文解字・八部》：“宂，分也。从重八。八，别也。亦聲。《孝經説》曰：‘上下有别。’”又《冎部》：“𠛱，分解。从冎从刀。”案八下曰“象分别相背之形”，又分下曰“从刀，刀以分别物也”，冎下云“剐人肉，置其骨，剐其肉”，亦有分解之義。是“别”之本義本作“分”字解，俗解似又者，後人引伸之義。鄭君漢人，故猶從本義。是則此注别名之説，正與六天合。王氏之言，不足疑矣。又《孝經》“故得萬國之歡心”，鄭注“諸侯五年一朝天子，《羣書治要》。天子亦五年一巡守”，《禮記・王制》疏、《釋文》引。鄭注《周禮》謂“周十二歲一巡守，孔子在周言周，當從周制”，則此條似亦與鄭異。不知《孝經》本爲夏制，孔穎達、賈公彦、皇甫侃、陸德明皆云然。不但此也，《開宗明義章》：“子曰：‘先王有至德要道。’”鄭注：“禹，三王最先者。”經統稱先王，而鄭必别出之曰禹，是鄭顯以《孝經》爲夏制之證。則此一條與《尚書》注正合，亦不足疑也。且樸更有三證焉，陸澄謂“觀其用辭，不與注書相類”，是不但謂解説之不同，葢兼文法而言。今攷《開宗明義章》：“子曰：‘夫孝，德之本也。’”注“人之行莫大於孝，故曰德之本”，邢《疏》。而邢《疏》引鄭《論語注》亦曰“人之行莫先於孝，故孝爲百行之本”；《喪親章》“爲之宗廟”注“宗，尊也；廟，貌也。親雖亡没，事之若生，爲立宫室，四時祭，若見鬼神之容貌”，而鄭《詩・清廟》箋亦云“廟，貌也。死者精神不可得而見，但以時之居立宫室象貌爲之”。觀此二條詞旨相同,顯出一手,此一證也。又《禮記·雜記》“戚容稱其服”鄭注“容,威儀也”下,即引《孝經》曰“容止可觀”,是鄭以《孝經》容止爲威儀。此注“容止可觀”,注亦曰“威儀,中禮,故可觀”。《治要》。一人所注,故相合如此,此又一證也。鄭注諸經,喜據緯説,而據《孝經緯》爲尤多。如《周禮·春官·太祝》“九曰共祭”注、《馮相氏》“以會天位”注、“凡以神祀”注、《夏官·校人》“春祭馬祖執駒”注、《秋官·司寇》“以佐王刑邦國”注,《禮記·檀弓》“子游擯由左”注、《王制》“凡九州千七百七十三國”注、《月令》“舉大事則有天殃”注、《曾子問》“乃命公侯伯子男”注、《禮運》“是謂合莫”注、“其居人焉曰養”注、《禮器》“升中於天”注,皆據《孝經緯》爲説。而《禮記·大傳》注“郊祀后稷以配天,配靈威仰也”一條,攷之孫瑴《古微書》,則《孝經援神契》之文也,云“郊祀后稷以配天,配靈威仰也;宗祀文王於明堂,凡凡、汎古通。配上帝也”,與鄭一字不異,此尤爲鄭注《孝經》亦用《孝經緯》之明證。今案此注,《諸侯章》“然後能保其社稷”,注“社謂后土,《周禮·封人》疏。句龍爲后土”。《禮記·郊特牲》正義。案鄭之説后土有二,《周禮·大宗伯》“王大封則先告后土”注“后土,土神黎所食者”,賈疏謂若五行之官,東方木官句芒,中央土官后土。此一后土也。《大宗伯》“以血祭社稷”,注:“社稷,土穀之神,有德者配食焉。共工氏之子曰句龍,食於社;有厲山氏之子曰柱,食於稷。湯遷之而祀棄。”此后土即社之一名,又一后土也。故《鄭志·答趙商》曰:“句龍本后土,後遷爲社。”王大封先告后土,玄曰“后土,土神”,不言“后土,社也”。又《答田瓊》曰:“后土,古之官名,死爲社而祭之,故曰后土。社,句龍爲土官,後轉爲社。”《周禮·大宗伯》疏。賈疏謂句龍生爲后土,官死配社，即以社为后土。其實社是五土總神，非后土，但以后土配社食，世人因名社爲后土耳。樸案此經注云社、后土者，乃即《大宗伯》“以血祭社稷”注之后土。賈《小司徒·封人》疏云：“《孝經》注直云社后土者，舉配食而言。”是可知此注與《大宗伯》“血祭社稷”注合。攷“血祭社稷”注，賈公彦謂鄭全據《孝經援神契》之文，此注既與之合，則亦據《援神契》可知。又《廣至德章》“教以孝，所以敬天下之爲人父者也”三句，注：“天子無父，事三老，所以教天下孝；天子無兄，事五更，所以教天下弟；天子郊，則君事天，廟則君事尸，所以教天下臣。”《治要》攷《禮記·學記》正義引《孝經鉤命訣》曰：“暫所不臣者，謂三老也、五更也、祭尸也。”又《太平御覽》五百三十五引《援神契》曰：“天子親臨雍，袒割尊事三老，兄事五更。”又《續漢書·禮儀志》引《援神契》曰：“尊事三老，父象也。”與鄭説皆同，是鄭此注即據之。《孝治章》“而况於公、侯、伯、子、男乎”，注：“侯者，候伺。伯者，長。男者，任也。”而《類聚》五十五引《孝經援神契》亦曰：“侯者，候也。”《御覽》一百五十九引《援神契》亦曰：“伯者，白也，長也。”又“宗祀文王於明堂”，注：“明堂，布政之宫。”《禮記·明堂》正義引《援神契》亦曰：“宗祀文王於明堂以配上帝。明堂者，上圓下方，八窗四闥，布政之宫。”是此注大半據《孝經緯》，與鄭平生注書之旨亦合，此又一證也。由是言之，《孝經》鄭注與諸經注，幾無一不合，則陸澄之所謂不相類者，後儒可無疑矣。其劉知幾之十二驗，國朝錢侗、嚴可均等駁之甚詳。惟第十一、第十二二驗無駁。案其十一驗謂王肅喜難鄭學，而《孝經》無言。今攷《禮記·郊特牲》正義引《聖證論》肅難鄭曰：“《春秋》説：伐鼓於社，責上公。不云責地祇，明社是上公。又《月令》‘命民社’,鄭注:‘社,后土也。’《孝經注》:‘社,后土也。’《鄭記》云:‘社,后土,則句龍也。’是鄭自相違異。”案此條即肅難鄭《孝經注》,是肅未嘗無言也,則知幾十一驗不足驗也。其十二驗謂魏、晋朝賢論辨時事,諸注無不撮引,獨無《孝經》。案魏人之有無撮引,典籍散亡,誠不可攷。至晋代,鄭注,據《釋文》云:“江左中興,《孝經》立鄭氏博士。”然《釋文》此數語,夾注於《晋穆帝集講孝經》之下,則陸意以《孝經》博士立在穆帝時。攷《晋書·禮志》,太興初,荀崧上疏云“今皇朝中興,美隆往初。《周易》王氏,《尚書》鄭氏,《古文》孔氏,《毛詩》、《周官》、《禮記》、《論語》、《孝經》鄭氏,《春秋左傳》杜氏、服氏,各置博士一人”云云。太興爲晋元帝年號,元帝爲中興首帝。至穆帝時,其間尚隔五帝,而已有博士之立。劉知幾乃謂魏、晋之朝無有此説,至魏、齊始立學官,誤矣。然則博士且立,即不必有撮引之證,而劉説自破。況《南齊書·禮志》曰:“晋泰始七年,有司奏:‘來年正月十八日祠明堂,尋舊南郊與明堂同日並告太廟,今祠明堂,復告與否。’祠部郎中徐邈議:‘鄭玄曰:“郊者,祭天名。上帝者,天之别名也。”神無一主,故明堂異處以避后稷也。’”此明是晋人議論時事撮引《孝經》鄭注之語,則知幾之第十二驗亦不足驗也。陸澄、劉知幾皆先儒之通博者,其所疑難,後人易爲所惑。而今細爲攷核,凡陸、劉兩家之所疑者,實無一可疑。則《孝經》之爲康成作,固可一言決矣。

又案朱子《儀禮經傳通解》引《孝經》“郊祀后稷”一條,稱鄭玄注:“祀感生之帝東方青帝靈威仰,周爲木德,威仰木帝。”或據爲鄭注《孝經》,以難王氏六天不合之説。樸案此説未確。“祀感生之帝”一條,不特朱子引之,邢昺正義先引之，曰“《左氏傳》啟蟄之郊，是祈農之祭也；《周禮》冬至之郊，是迎長日報本反始之祭也。鄭玄以《祭法》有‘周人禘嚳’之文，遂變郊爲感生之帝謂東方”云云，下與朱子同，不稱《孝經注》。觀其詞旨，亦皆昺總論鄭諸經注之意，非實引何注也，其大意蓋本《禮記·大傳》。注云“變郊爲感生之帝”即據“王者之先祖，皆感太微五帝之精以生”一句，注云“東方青帝”云云，即據“郊祀后稷以配天，配靈威仰也”一句；注“其東方木帝”等字，則又據《周禮》注參入之。且稱“靈威仰”，去“靈”字，鄭注諸經無之，顯不出鄭。邢《疏》總論鄭意畢，下即曰王肅難之云云。案孔穎達《郊特牲》正義引《聖證論》王肅難鄭云云，與邢《疏》大旨皆同。惟邢《疏》引曰：“若依鄭説，以帝嚳配祭圜丘，是天之最尊也。周之尊嚳，不若尊后稷。今配青帝，乃非最尊，是乖嚴父之義也。若帝嚳配天，則經應云禘嚳於圜丘，不應云郊祀后稷也。”賈《疏》所引無“今配青帝”句，而云：“玄説圜丘祭天祀大。”“經應云禘嚳”句，賈《疏》引云：“仲尼當稱昔者周公禘祀嚳圜丘以配天，今無此言。”無郊祀后稷句。觀此可見邢即本孔，惟以總論鄭意中有“青帝”等字，而所疏又是《孝經》郊祀后稷章，故以青帝、后稷糅入之，非《聖證》原文如此。且邢疏末論鄭、王義曰：“究理則依王肅爲長，從衆則鄭義已久。王、鄭是非，於《禮記》其義尤多，卒難詳縷説。此畧據機要，且舉二端焉。”云“畧據機要”，云“卒難詳縷”，明鄭注引不勝引，故總論其要旨。則此疏“感生”云云，非實引鄭注，邢氏固自言之矣。攷邢昺，宋真宗時人，在朱子前，恐是朱子讀其疏本，因誤會即鄭《孝經》注。不然，則此注顯於諸經注合。王氏去朱子未遠，朱子所見之書，王氏不應不見，何猶云《孝經》注與六天不合乎？

高誘　孝經解　卷數佚。

《吕氏春秋·序》：“誘正《孟子章句》、《孝經解》。”

樊光　爾雅注　《隋志》：三卷。《新》、《舊唐志》：六卷。

陸德明曰:"京兆人,後漢中散大夫。沈旋疑非光注。"

朱彝尊曰:"樊氏注見於陸氏《釋文》者,《釋言》'舫'作'坊'、'洲'作'州',《釋訓》'躍躍'作'濯濯'、'儵儵'作'攸攸'、'皋皋'作'浩浩'、'愮愮'作'遙遙'、又作'洮洮',《釋草》'瓝'作'駮',《釋木》'著'作'屠'、'棆'作'楷'、'檕'作'槅'、'炕'作'抗',《釋鳥》'爰居'注云'似鳳凰','亢鳥嚨'注云'嚨嚨,亢鳥之頸也',皆邢氏《疏》所不載。"

臧庸曰:"唐人義疏引某氏《爾雅注》,即樊光也。證以'椴,木槿。櫬,木槿'注,《詩正義》引作樊光,《禮記正義》引作某氏。'佳其,夫不'注,《春秋正義》引作樊光,《詩正義》、邢《疏》並引作某氏。"

又曰:"其引《詩》如'民之攸呬'、'攸攸我里'、'有蒲與茄'、'譬彼瘣木'、'其麎孔有',與《毛》、《韓詩》不同,葢本《魯詩》。"

邵晉涵《爾雅正義》:"《詩》疏引所引有某氏注,《左傳》疏樊注與某氏同,則某氏疑即樊光。然《詩》疏亦間引某氏注,與樊光互見,其爲一人與否,疑未能定也。"

案樊氏注異文,除《經義攷》外,《釋文》則《釋詁》"詁"作"故";"毗劉","毗"作"庀"、"儴"仍作"攘"。《釋言》"宣循","循"作"徇";"淩慄也","淩"作"凌";"奘駔"作"將且"。《釋訓》"殷殷"作"慇慇"。《釋宮》"歧旁","歧"作"跂"。《釋草》"蘇蔽"作"蘇菽";"麥蕍芛","芛"作"葦"。《釋木》"蒢莖著","著"作"屠";"狄藏槔","槔"作"楷"。《釋畜》"黑鬣","鬣"作"髦"。於《詩正義》則《釋草》"葭蘆","蘆"作"葸"。於《春秋正義》則《釋木》"小葉曰榎","榎"作"檟"。於《史記索隱》則《釋詁》"昄晊","晊"作"郅"。又邢《疏》及《春秋正義》引《爾雅》"鵅鶅,老扈鴳",云樊光,斷鶨鵙爲句，以老字屬下，則其句讀之異。

李巡 爾雅注 《七録》：三卷。《新》、《舊唐志》同。

范書《吕強傳》："時宦者濟陰丁肅、下邳徐衍、南陽郭耽、汝陽李巡、北海李祐等五人稱爲清忠，[①]皆在里巷，不争威權。"

又曰："巡以爲諸博士試甲乙科，争第高下，更相告言，至有行賂定蘭臺漆書經字，以合其私文者，迺白帝，與諸儒共刻五經文于石，於是詔蔡邕等正其文字。"

陸德明曰："劉歆注三卷，與李巡正同。"

朱彝尊曰："李氏注，《釋言》'虹'作'降'、'握'作'幄'、'毳'作'毳'，《釋器》'康瓠'作'光瓠'、'篪'作'箎'，《釋鳥》'鶼鶼'注云'鳥有一目一翅，相得乃飛，故曰兼兼也'，《釋獸》'麔父'作'澤父'，亦見《釋文》。"

案李氏異文除《經義攷》外，見於《釋文》，則《釋詁》"詁"作"故"；"縭介也"作"緉羅也介别也"。《釋器》"簡謂之畢"，"畢"作"篳"；"滅謂之點"，"點"作"沾"；"大埍"，"埍"作"壎"。《釋天》"仍饑爲荐"，"荐"作"薦"；"四月爲余"，"余"作"舒"。《釋地》"郊外謂之牧"，"牧"作"田"。《釋水》"河水清且瀾"，"瀾"作"漣"；"鉤般"，"般"作"股"。《釋草》"薦黍蓬"，"薦"作"藘"。《釋木》"謂櫬"，"謂"作"彙"。《釋獸》"麐，麕身"，"麐"作"麟"。見於邢《疏》，則《釋水》"厓外爲隈"，"隈"作"鞫"。見於《詩正義》，則《釋詁》"愷悌"，"愷"作"闓"；《釋天》"濁謂之畢"，"濁"作"陯"；《釋地》"下者曰溼"，"溼"作"隰"；《釋鳥》"鳺鴀"作"夫不"。見於《禮記正義》者，《釋器》"魚曰斮之"，"斮"作"作"；《釋鳥》"駕，鴾母"，"鴾"作"牟"；"鶌鳩"作"鵰鳩"。

① "清"，原作"精"，據中華本《後漢書》改。

見於《春秋正義》者,《釋言》“偟,暇也”,“偟”作“遑”。見於《史記索隱》及《正義》者,《釋天》“作噩”,“噩”作“鄂”。至《詩·蕭蓼》正義引李巡《爾雅》“謂之四海”下,多“八蠻在南方,六戎在西方,五狄在北方”三句,則諸家無,獨李巡有也。

凡孝經七部,卷數可攷者十一卷。

補後漢書藝文志攷卷三終

補後漢書藝文志攷卷四

常熟　曾樸　纂

六藝志内篇第一之四

紀小學、緯候。

孝靈皇帝　皇義篇　范《書》:五十章。

杜林　蒼頡訓纂　《前漢·藝文志》:一篇。《七録》:二卷。《唐志》同。

杜林　蒼頡故　《前漢書·藝文志》:一篇。

《前漢書·藝文志》曰:"《倉頡》多古字,俗師失其讀,宣帝時徵齊人能正讀者,張敞從受之,外孫之子杜林爲作訓故。"

《杜鄴傳》:"鄴少孤,其母張敞女。鄴壯,從敞子吉學問,得其家書。吉子竦又幼孤,從鄴學問,亦著于世,尤長小學。鄴子林,清靜好古,亦有雅材,建武中歷位列卿,至大司空。其正文字過于鄴、竦,故世言小學者由杜公。"

案張揖亦有《蒼頡訓詁》,今《顔氏家訓》、《一切經音義》所引有反音,疑出張揖。惟《説文·艸部》董下引"董,藕根",茤下"茤,从多",藎下"藎,草莩藎貌";《廾部》畁下引"畁,麒麟字";《寸部》㝵下引"㝵,貶損之貶",耐下"耐,法度之字皆从寸";《漢書·高祖本紀》應劭注:"四分律。"音義云:"字本从刀,杜林改从寸。"《木部》構下引"構,椽桷字";《朩部》索下引"朩亦朱木字。索,艸有莖葉可作繩索。从朩系";《榦部》榦下引"榦,軺車輪榦";《犬部》狜下引"狜,从心作怯";《火部》耿下引"耿,光也,从光聖省,凡字左形右聲";《水部》渭下引"渭,

《夏書》以爲出鳥鼠山,雝州浸也”;《女部》娿下引“娿,加教於女也。讀若阿”,婪下“婪,卜者黨相詐驗爲婪,讀譚”,娸下“娸,醜也”;此條引作杜林注。《甾部》䍃下引“䍃,竹筥”;《黽部》鼂下引“鼂,朝旦”;《車部》軎下引“軎,車軸端也。从車,象形”,皆稱杜林説。又《史記·司馬相如傳》正義引“豺似狛白色”,《尚書正義》及《水經注》卷四十引“燉煌即古瓜州也”,皆稱杜林曰,葢此書中語也。又案《前書·藝文志》載《蒼頡訓纂》一篇、《蒼頡故》一篇,而《隋志》但有《蒼頡》二卷,杜林注,兩《唐志》作《蒼頡訓故》,今從《漢志》。

衛宏　古文官書　《隋志》:一卷。《舊唐志》作“《詔定古文字書》”,《唐志》卷同。

張守節曰:“衛宏《官書》數體,吕忱《或字》多奇。”

段玉裁云:“韓退之言,李少温子服之以科斗書衛宏《官書》相贈。見於《隋書·經籍志》曰《古文官書》一卷,後漢議郎衛敬仲撰。見於《唐書·藝文志》曰衛宏《詔定古文字書》一卷,‘字’者,‘官’之譌字也。唐初玄應《衆經音義》引衛宏《詔定古文官書》三條,曰‘㝵、得同體’,曰‘枹、桴同體’,曰‘圖、啚同體’。張守節《史記正義》曰:‘衛宏《官書》數體,吕忱《或字》多奇。’然則其書體製葢同張揖《古今字詁》,而字體爲古文、籒文。唐人以爲難得,至唐季其書亡矣。郭忠恕多假託易稱衛宏《字説》,非真宏説也。《漢書·儒林傳》注引衛宏《詔定古文官書·序》云:‘秦既焚書,患苦天下不從所改更法,而諸生到者拜爲郎,前後七百人,廼密令冬種瓜於驪山阬谷中温處。瓜實成,詔博士諸生説之,人人不同。廼命就視之,爲伏機。諸生賢儒皆至焉,方相難不決,因發機,從上填之以土,皆壓,終廼無聲。’而《尚書正義》、《藝文類聚》引此文畧同,乃系之衛宏《古文奇字·序》。‘奇字’者,‘官書’二字之誤也。《儒林傳》注又引衛宏《定古文官書·序》云:‘伏生老,不能正言，言不可曉也，使其女傳言教錯。齊人語多與潁川異，錯所不知者凡十二三，畧以其意屬讀而已。'《經典釋文·序録》、《史記·袁盎鼂錯列傳》正義亦引此文，而今本《漢書》譌爲'衛宏《定古文尚書》'，今本《史記》譌爲'衛宏《詔定古文尚書》'，今本《釋文》譌爲'《古文尚書》'，'尚'字皆'官'字之誤也。"

洪頤煊曰："《隋書·經籍志》：'《古文官書》一卷，後漢衛敬仲撰。'《史記·儒林列傳》正義、《漢書·儒林傳》師古注俱引作'衛宏《詔定古文尚書》'。頤煊案衛宏從杜林學，林前於西州得漆書《古文尚書》一卷。韓愈《科斗書後》云：'李服之者，陽冰子。授予以其家科斗書《孝經》、衛宏《官書》兩部，合一卷。'官書即漆書，以其詔定，故亦稱《官書》，《新唐書·藝文志》作'衛宏《古文字書》'者，誤也。"

侯康曰："以上兩説，段氏定當作《官書》，洪氏定當作《尚書》。竊謂衛宏有《古文尚書訓旨》，見於本傳。而《古文官書》韓文公時尚存，則作《隋志》者必目覩其書，列之小學，決非無據，似宜分《官書》、《尚書》爲二種。若《史記正義》、《漢書·儒林傳》注、《釋文·序録》所引皆事涉《尚書》，則其出《古文尚書》無疑。段氏必欲盡改爲《官書》，未免武斷。至如'㝵、得同體'諸條，此明爲小學之書，則還以系之《官書》可也。至於或稱《古文奇字》，或稱《古文字書》，或稱衛宏《字説》，殆即《官書》之異名與？"

案釋玄應《一切經音義》卷一引"㝵、得二字同體"，卷三引"枹、桴二形同體。扶鳩反。謂鼓椎也"，卷八引"圖、啚二形同"，卷二十五引同。並稱衛宏《詔定古文官書》。餘但引古文者不録。《説文·用部》引"用，可施行也。从卜从中"，《集韵》五旨引"㠱，古國名，與杞同"，夏竦《古文四聲韻譜》引"毁，古襛字",並稱衛宏説。郭忠恕《汗簡》一引𤸫、廾二字,稱衛宏《字説》。又慧琳《大藏經音義》二引"競或作誩",卷四引"眴、旬、昀並通",但稱衛宏。皆此書中語。至《類聚》四十九所引衛宏《古文官書》曰:"太常,主導贊助祭者,皆平冕七旒,玄上纁下,畫華蟲七章。漢陵屬三輔,太常月一行。"此條言涉儀制,當屬宏《漢舊儀》之文。兩書皆宏作,引者誤記耳。攷《書鈔》五十三引太常至七章三句,正標作《漢舊儀》可證。

班固　太甲篇　《七録》:一卷。兩《唐志》同。

班固　在昔篇　《七録》:一卷。《唐志》同。

《前漢書·藝文志》:"元始中,徵天下通小學者以百數,各令記字於庭中。揚雄取其有用者以作《訓纂篇》,順續《蒼頡》。臣復續揚雄作十三章,[①]凡一百三章,無復字。"

韋昭注曰:"臣,班固自謂也。作十三章,後人不別,疑在《蒼頡》下篇三十四章中。"

謝啟崑《小學攷》曰:"今《隋志》所列《太甲》、《在昔》二篇,亦疑即《蒼頡篇》中之二也。"

案《説文·𨸏部》引"隉,不安也",稱班固説。

曹喜　筆論　王羲之《筆勢傳》:一卷。

王羲之《筆勢傳》:"喜見李斯《筆勢》,悲歎不已,作《筆論》一卷。"

江式《論書表》曰:"後漢郎中扶風曹喜號曰工篆,小異斯法,而甚精巧,自是後學者皆其法也。"

張懷瓘《書斷》:"曹喜字仲則,扶風平陵人。明帝建初中爲祕書郎。篆、隸之工,收名天下。蔡邕云:'扶風曹喜,建初稱

① "十三",原漫漶不清,據中華本《後漢書》改。《補編》本作"十二"。

善。'衛恒云:'喜善篆,小異於李斯。'"

唐玄度《十體書》曰:"懸針,後漢章帝建初中祕書郎曹喜所造。喜工篆、隸名,尤善垂露之法,後代行之,用以書頭五經篇目。"

王育　大篆解説 《十體書》:九篇。

唐玄度曰:"周宣王太史籀始變古文,著《大篆》十五篇。秦焚《詩》、《書》,唯《易》與《史篇》得全。逮王莽亂,此篇亡失。建武中,獲九篇。章帝時,王育爲作解説,所不通者,十有二三。"

案《説文·爪部》爲下引"爪,象形也",《禿部》引"蒼頡出見禿人伏禾中,因以制字",《亡部》引"天屈西北爲无",《酉部》醫下引"治病工也。从殹,从酉。殹,惡姿也。醫之性然,得酒而使",皆稱王育説。

許慎　説文解字 《隋志》:十五卷。兩《唐志》同,《宋志》亦同。今存三十卷。

《四庫全書提要》曰:"漢許慎撰。慎字叔重,汝南人,官至太尉、南閤祭酒。是書成於和帝永元十二年,凡十四篇,合目録一篇爲十五篇。分五百四十部,爲文九千三百五十三,重文一千一百六十三,注十三萬三千四百四十字。推究六書之義,分部類從,至爲精密。而訓詁簡質,猝不易通。又音韻改移,古今異讀,諧聲諸字,亦每難明,故傳本往往譌異。宋雍熙三年,詔徐鉉、葛湍、王惟恭、句中正等重加刊定。凡字爲《説文》注義序例所載,而諸部不見者,悉爲補録。又有經典相承,時俗要用,而《説文》不載者,亦皆增加,别題之曰'新附字'。其本有正體,而俗書譌變者,則辨於注中。其違戾六書者,則别列卷末。或注義未備,更爲補釋,亦題'臣鉉等案'以别之。音切則一以孫愐《唐韻》爲定。以篇帙繁重,每卷各分上下,即今所行毛晉刊本是也。明萬曆中,宫氏刻李燾《説文五音韻譜》,陳大科序之,誤以爲即鉉校本。陳啟源作《毛詩稽古編》,顧炎武作《日知録》,並沿其謬。豈毛氏所刊,國初猶未盛行歟?書中古文、籀文,李燾據唐林罕之説,以爲晉㡧竑令吕忱所增。考慎《自序》云:'今序篆文,合以古籀。'其語甚明。所記重文之數,亦復相應。又《法書要録》載後魏江式《論書表》曰:'晉世義陽王典祠令任城吕忱表上《字林》六卷,尋其況趣,附託許慎《説文》。而按偶章句,隱别古籀奇惑之字,文得正隸,不差篆意。'則忱書並不用古籀,亦有顯證。如罕之所云吕忱《字林》多補許慎遺闕者,特廣《説文》未收字耳。其書今雖不傳,然如《廣韻》一東部烔字、谾字,四江部噥字之類,云出《字林》者,皆《説文》所無,亦大畧可見。燾以《説文》古、籀爲忱所增,誤之甚矣。自魏、晉以來,言小學者皆祖慎。至李陽冰始曲相排斥,未協至公。然慎書以小篆爲宗,至於隸書、行書、草書,則各爲一體。孳生轉變,時有異同,不悉以小篆相律,故顔元孫《干禄字書》曰:'自改篆行隸,漸失其真。若總據《説文》,便下筆多礙,當去泰去甚,使輕重合宜。'徐鉉《進説文表》亦曰:'高文大册,則宜以篆、籀著之金石。至於常行簡牘,則草、隸足矣。'二人皆精通小學,而持論如是。明黄諫作《从古正文》一切以篆改隸,豈識六書之旨哉?至其所引《五經文字》與今本多不相同,或往往自相違異。顧炎武《日知録》嘗摭其'汜'下作'江有汜'、'洍'下又作'江有洍','昬'下作'赤舄已已'、'掔'下又作'赤舄掔掔',是所云《詩》用毛氏者亦與今本不同。葢雖一家之學,而支派既别,亦各不相合。好奇者或據之以改經,則謬戾殊甚。能通其意而又能不泥其迹,庶乎爲善讀《説文》矣。又案慎序自稱:'《易》孟氏,《書》孔氏,《詩》毛氏,《禮》、《周官》、《春秋左氏》、《論語》、《孝經》皆古文。'考劉知幾《史通》稱:'《古文尚書》得之壁中,博士孔安國以校伏生所誦,增多二十五篇。案此亦據梅賾《古文》而言,實則孔氏原本僅增多十六篇。更以隸古字寫之,編爲四十六卷。司馬遷屢採其事,故遷多有古說。至於後漢,孔氏之本遂絶。其有見於經典者,諸儒皆謂之逸書。'是孔氏壁中之書,慎不得見。《説文》末載慎子沖上書稱慎古學受之賈逵,而《後漢書·儒林傳》又稱'扶風杜林傳《古文尚書》,林同郡賈逵爲之作訓,馬融作傳,鄭玄注解,由是《古文尚書》遂顯於世'。是慎所謂孔氏書者,即杜林之本。顧《隋志》稱'杜林《古文尚書》所傳僅二十九篇,又雜以今文,非孔舊本。案古文除去無師説者十六篇,正得伏生二十九篇之數,非雜以今文。《隋志》此文亦據梅頤古文,未及與《漢書》互校。自餘絶無師説'。陸德明《經典釋文》採馬融注甚多,皆《今文尚書》,無古文一語。即《説文》注中所引,亦皆在今文二十八篇之中,朱彝尊《經義考》辨之甚明。案彝尊又謂'惟若藥不瞑眩'一句出古文《説命》,殆因《孟子》所引而及之。然此句乃徐鍇《説文繫傳》之語,非許慎之原注。彝尊偶爾誤記,移甲爲乙,故今不取其説。則慎所謂孔氏本者,非今五十八篇本矣。以意推求,《漢書·藝文志》稱'劉向以中古文校歐陽、大、小夏侯三家,經文《酒誥》脱簡一,《召誥》脱簡二。文字異者七百有餘,脱字數十'云云,所謂中古文即孔氏所上之古文存於中秘者。是三家之本立在博士者,皆經劉向以古文勘定,改其譌脱,其書已皆與古文同。儒者據其訓詁言之,則曰大、小夏侯、歐陽《尚書》。據其經文言之,則亦可曰孔氏《古文尚書》。第三家解説,袛有伏生二十八篇,遞相授受。餘所增十六篇,不能詮釋,遂置不言,故馬融《書·序》稱'逸十六篇,絶無師説'也。案融序今不傳,此語見孔穎達《尚書正義》中。使賈逵所傳杜林之本,即今五十八篇之本,則融嘗因之作傳矣,安有是語哉!又《後漢書·杜林傳》稱‘林前於西州得漆書《古文尚書》,嘗寶愛之。雖遭艱困,握持不離身’云云,是林所傳者乃古文字體,故謂之漆書。是必劉向校正三家之時,隨二十八篇傳出,以字非隸古,世不行用。林偶得之以授逵,逵得之以授慎,故慎稱爲孔氏本而亦止二十八篇,非真見安國舊本也。論《尚書》者,惟《説文》此句最爲疑竇。閻若璩《尚書古文疏證》牽於此句,遂誤以馬、鄭所注,爲孔氏原本,亦千慮之一失,故附考其源流於此。”

賈魴　滂喜篇　卷數佚。

《隋志》曰:“後漢郎中賈魴作《滂喜篇》。”

《北史·江式傳》曰:“李斯破大篆爲小篆,造《蒼頡》九章。趙高造《爰歷》六章,胡母敬造《博學》七章。後人分五十五章爲三卷,爲上卷。至哀帝元壽中,揚子云作《訓纂》爲中卷。和帝永元中,賈升卿接記《滂喜》爲下卷。故稱爲《三倉》。”

庾元威《論書》曰:“李斯造《蒼頡》七章,趙高造《爰歷》六章,胡母敬造《博學》七章,後人分五十五章爲《三蒼》上卷。至哀帝元壽中,揚子云作《訓纂》記‘滂喜’爲中卷。和帝永元中,賈升卿更續記‘彦原注:音盤。’‘均’爲下卷。”

《書斷》下:“揚雄作《訓纂篇》二十四章,孟堅復續十三章。和帝永初中,賈魴又撰異字,取固所續章而廣之爲三十四章,用《訓纂》之末字以爲篇目,故曰《滂熹篇》,言滂沱大盛,凡百二十三章,文字備矣。”

徐鉉《説文解字注·序》:“賈魴以《三蒼》之書,皆爲隸字,隸字始廣,而篆、籀轉微。”

侯康曰:“魴事蹟無考。《法書要録》引王愔《文字志》中卷有魴名,不載其字。庾元威稱賈升卿,或即魴之字與。”

賈魴　字屬　《七録》:一卷。《新》、《舊唐志》同。

劉珍 釋名 范《書》:三十篇。

嚴可均《對丁氏問》曰:"'《後漢·文苑傳》,劉珍撰《釋名》三十篇。今所見《釋名》八卷二十八篇,題漢北海劉熙成國撰。舊本或題徵士,或題安南太守。《隋》、《唐志》但題劉熙撰,不書官位。請問劉熙何許人?其書即劉珍撰乎?抑各自一書乎?'對曰:'劉珍書,《隋》、《唐志》不著録,葢久亡,或珍創始而熙踵成之,不可攷也。'"

案鄭明選《粃言》疑此即劉熙書,誤也。其説有數不合。范《書》稱珍字秋孫,一名寶,而今本《釋名》題成國劉熙。初不知成國爲何語,後攷《世説新語》注引伏滔論青楚人物,稱劉成國爲青士有才德者,則成國爲劉熙之字矣。《玉海·藝文》類引《吴志》劉熙《釋名》,夾注:字成國。熙、珍二字,字義既不相涉,一字秋孫,一字成國,又各有確據,此名字不合也。范《書》稱珍南陽蔡陽人,而今本《釋名》題作北海,伏滔亦稱爲青士。攷《續漢志》南陽郡屬荆州,北海國屬青州,荆、青相去千餘里,里居不合也。范《書》稱珍入仕在永初中,卒於延光五年,葢和、安時人。今本劉熙不著何時人,范《書》又不載其名。惟《三國志》載三條,《許慈傳》"師事劉熙,建安中,自交州入蜀",《程秉傳》"避亂交州,與劉熙考論大義,遂博通五經",《薛綜傳》"少避地交州,從劉熙學"。劉熙葢久居交州者。攷其居交州之年,雖不能定,然弟子於建安中已學成而去,則熙在交州當在建安初,又今本《釋名》題熙官爲安南太守,安南,漢無其郡,當是南安之譌。攷南安,東漢初無之。《續漢志》漢陽郡注補引《秦州記》曰:"中平二年,分置南安郡。"中平爲靈帝年號,則熙爲太守在靈帝時。據此二者,則熙葢靈、獻時人,與延光時相去數十年,中易四帝,時代不合也。范《書》稱珍爲謁者僕射,遷侍中、越騎校尉,拜宗正,終於衛尉。且受鄧太后詔,校書東觀,又作《建武以來名臣傳》,蓋在當時名位甚顯。而今本《釋名》或題徵士,或題安南太守。《三國志·韋曜傳》獄中上書言《釋名》甚詳,亦不敘其官閥,其名位未顯可知。此官位不合也。范《書》稱珍著《釋名》三十篇,而今本《釋名》熙《自序》云二十七篇,相差三篇。熙《自序》所著,不得有譌。此篇數不合也。有此六不合,則此書之與今本《釋名》判然兩書,復何疑哉? 至書名偶同,古人往往有之。如王肅有《正論》,袁準亦有《正論》;桓譚有《新論》,夏侯湛亦有《新論》;伏侯有《古今注》,崔豹亦有《古今注》;崔寔有《政論》,陸澄亦有《政論》。如斯之類,不一而足,何足爲疑。若以《隋志》但載劉熙,不載劉珍,而疑其爲一,則古書同名,而一載一不載者甚多。如正史載韋昭《洞歷》而不載周長生《洞歷》;[①]見《論衡·超奇篇》。地理載闞駰《十三州志》而不載應劭《十三州志》,見《水經注》。載戴氏《北征記》而不載裴松之、見《後漢書·獻紀》注。徐齊民、見《續漢志》注。孟奥、見《初學記》天部、《御覽》天部。伏滔《續漢志》注、《文選注》引。《北征記》,載楊孚《異物志》而不載陳祁暢、見《唐志》。薛珝、見《一切經音義》。曹叔雅見《類聚》、《寰宇記》。《異物志》;雜傳載張顯《逸民傳》而不載孫盛《逸民傳》;見《初學記》人事部。子儒家載王基《新書》而不載荀爽《新書》。見范《書》。豈能盡斷爲一書耶? 至嚴可均、畢沅輩,皆謂創始於珍,踵成於熙,此亦騎牆之語。且原書三十篇,不應踵成之書反少三篇,此斷斷不然也。況《隋志》於《東觀漢記》之下即載長水校尉劉珍等撰,則作《隋志》者非不知有劉珍其人,倘依嚴、畢之説,則《隋志》何

① "如",原误作"加",據《補編》本改。

不仿禮類載《三禮圖》之例，曰劉珍撰、劉熙重修乎？今不然者，其説不足據可知。故今特分録之，且詳攷其不合之處，使後知兩書各自成書，一存一佚，不得牽合也。

崔瑗　飛龍篇　《七録》：一卷。兩《唐志》合《篆》、《草勢》作三卷。

晋衛恒《四體書勢》曰："漢興而有草書，不知作者姓名。後有崔瑗、崔實，亦皆稱工。崔氏甚得筆勢，而結字小疎，作《草書勢》。"

李嗣《真書後品》曰："崔瑗小篆，爰効李斯，點畫皆如鐵石。"

張懷瓘曰："崔瑗善章草，師於杜度。點畫之間，莫不調暢。"

侯康曰："瑗本傳及衛恒，皆但稱瑗有《草書勢》，無《篆勢》，《唐志》有之，豈因瑗兼善小篆而附益之耶？"

張芝　筆心論　《書勢傳》：五篇。

范書《張奂傳》："奂長子芝，字伯英，最知名。芝及弟昶，字文舒，並善草書，至今稱之。"

《書勢傳》云："芝見蔡邕作《筆勢》，遂作《筆心論》五篇。"

酈炎　酈篇　卷數佚。

酈炎　州書　卷數佚。

炎遺令曰："我十七而作《酈篇》，二十四而《州書》矣。"

章樵《古文苑》注："《酈篇》、《州書》，皆字學之書。"

蔡邕　勸學篇　《隋志》：一卷。[①] 兩《唐志》同。

《世説·紕繆篇》注曰："《大戴禮·勸學篇》曰：'蟹二螯八足，非蛇蟺之穴，無所寄託者，用心躁也。'故蔡邕爲《勸學章》取義焉。"[②]

案此書皆勗學之言，編爲韻語。如《後魏書·劉芳傳》注引

---

① "志"，原誤作"注"，據《補編》本改。

② "取"上原衍"義"字，據中華本《世説新語》删。

"周之師氏,居虎門左。敷陳六藝,以教國子",《文選・潘安仁閑居賦》注引"人無貴賤,道在則尊",《御覽》卷七百六十七引"木以繩直,金以淬剛。必須砥礪,就其鋒鋩",又四百九十引"瞻彼頑薄,執性不固。心游目蕩,意與手互",又八百三引"明珠不瑩,焉發其光。寶玉不琢,不成珪璋",《藝文類聚》九十七引"蟦無爪牙,輭弱不便。穿穴洞地,食塵黄泉",《易・晋卦》正義引"鼫鼠五能,不成一技",張懷瓘《書斷》上引"齊相杜度,美守名篇",又引"上谷王次仲初變古文",《寰宇記・河北道》二十引作蔡邕文。唐玄度《十體書》引"扶風曹喜,建初稱善"皆是。惟釋玄應《大般涅槃經音義》引"儲,副君也",《妙法蓮華經音義》引"傭,賣力也",則訓説字義,葢其自注語。攷《易・晋卦》正義引"不成一技"下,又引"鼫鼠五技者,能飛不能上屋,能緣不能窮木,能泅不能渡瀆,能走不能絶人,能藏不能覆身"一條,即標作《勸學篇》注,可證邕此書有自注。

蔡邕　聖皇篇　《七録》:一卷。兩《唐》作《聖草章》,卷同。

張懷瓘曰:"漢靈帝嘉平中,詔蔡邕作《聖皇篇》。成,詣鴻都門。上時方修飾鴻都門,伯喈待詔門下,見役人以堊帚成字,心有悦焉,歸而爲飛白之書。"

唐玄度曰:"飛白,漢靈帝飾理鴻都門時,陳留蔡邕所撰《聖皇篇》待詔門下,見役工以堊箒成字,心有悦焉,歸而爲飛白書。"

案《書斷》上引程邈删古立隸,此條稱蔡邕《皇聖篇》。

馬日磾　集羣書古文　卷數佚。

侯康曰:"《汗簡》卷下之一引四字,卷下之二引一字,稱馬日磾《集羣書古文》。"

案夏竦《四聲韻譜》卷一引一字,云𣲖,稱馬日磾《羣書古文》。《汗簡》引同，或稱馬日磾集。

梁孔達　艸書篇 趙壹云：一卷。

姜孟穎　艸書篇 趙壹云：一卷。

趙壹《非草書》曰："余郡士有梁孔達、姜孟穎者，皆當世之彦哲也。然慕張生之草書，過於希顔焉。孔達寫書以示孟穎，皆口誦其文，楷其篇，無怠倦焉。於是後生之徒，競慕二賢，守令作篇，人撰一卷，以爲秘玩。余懼其背彼趨此，非所以弘道興世也。又想羅、趙之所見蚩沮，故爲説草書本末，以慰羅、趙，息梁、姜焉。"

案云人撰一卷，則各有箸述明矣。

服虔　通俗文 《隋志》：一卷。

江式曰："爰采孔氏《尚書》、五經音注、《籀篇》、《爾雅》、《三蒼》、《凡將》、《方言》、《通俗文字》、《埤蒼》、《廣雅》、《古今字詁》、《三字石經》、《字林》、《韵集》、諸賦文字有六書之義者，以類聯編。"錢馥曰："江式云《通俗文字》，當即服氏虔之所著。而它書引用並云《通俗文》，豈猶《説文解字》後人僅曰《説文》？"

顔之推《家訓·書證篇》曰：[1]"《通俗文》，世間題云'河南服虔字子慎造'。虔既是漢人，其序乃引蘇林、張揖，蘇、張皆是魏人。且鄭玄以前，全不解反語，《通俗》反音，甚爲近俗。阮孝緒又云'李虔所造'。河北此書，家藏一本，遂無作李虔者。《晋中經簿》及《七志》，並無其目，竟不知誰製。然其文義允愜，實是高才。殷仲堪《常用字訓》亦引服虔俗説，今復無此書，未知即是《通俗文》，爲當有異？近代或更有服虔乎？不能明也。"錢詹事曰："《晋書·孝友傳》：'李密，一名虔。'未審即《通俗文》之李虔否。"

① "書證"，原作"勉學"，據新編諸子集成本《顔氏家訓集解》改。

臧琳曰:"《隋書·經籍志》:《通俗文》一卷,服虔譔。敘次在梁沈約《四聲》、李槩《音譜》、釋静洪《韻英》之下,則《隋志》亦不以爲漢之服子慎所譔。《唐志》無服書,有李虔《續通俗文》二卷。《初學記·器物部》舟第一下引李虔《通俗》曰:'晋曰舶,音泊。'則阮氏《七録》所言,信有徵矣。然唐人書中所引,皆作服虔。《御覽》、《廣韻》或譌作'風俗通',又作'風俗論'。《文選·嵇叔夜琴賦》'嗢噱終日',李善注:'服虔《通俗篇》曰:"樂不勝謂之嗢噱。嗢,烏没切。噱,巨畧切。"'名雖不同,要即一書也。"《左傳》釋文引《通俗文》"腋下謂之脅"。

臧鏞曰:"據《顔氏家訓》,知北齊時《通俗文》題云服虔造,以爲即東漢注《左氏春秋》者。魏江式表次在揚雄《方言》之下,張揖《埤蒼》之上,則亦以爲漢之服虔也。《晋中經簿》及《七志》無其目,梁阮孝緒《七録》始云李虔造。試合《隋》、《唐志》攷之,則《通俗文》一卷,服虔譔;《續通俗文》二卷,李虔譔。爲當有二書,不可并一,抑史志有誤乎?顔氏謂'河北此書,家藏一本,並無作李虔者',與阮《録》亦不合。殷仲堪引服虔《俗説》,當即此書。《詩正義》于《行葦》、《韓弈》兩徵,皆曰服虔《通俗文》。至其世先于蘇、張,叔然以前未有反切。此類抵捂,疑出後儒附竄。又顔謂或近代更有服虔,則未可定。如子夏《易傳》本韓嬰之字,後人誤以孔門弟子當之。此書亡于唐季,貞觀初,釋玄應撰《一切經音義》采摭頗富,玆復廣以羣籍類纂録之,庶有裨于小學家,署曰服氏,仍其舊也。"

《洪亮吉集》曰:"此書自劉昭《續漢書》注後,徵引者不下十餘家。然惟李善《文選注》及《太平御覽》所采最夥。攷《文選注》引《通俗文》不著服虔者,如《上林賦》注'水鳥食謂之啑',《長楊賦》注'骨中脂曰髓',《登樓賦》注'暗色曰黲',《江賦》注'髮亂曰鬖髿'等是也;有引《通俗文》而明著服虔者,《赭白馬賦》注'天子出虎賁伺非常謂之遮迾',《長笛賦》注'營居曰郻',《洛神賦》注'耳殊曰瑱',《琴賦》注'樂不勝謂之嗢噱'等是也。《御覽》引《通俗文》不著服虔者,'脣不覆齒謂之齞',原注：吓。卷三百六十八。'乳病曰庀',三百七十一。'幘導曰簪',六百八十八。'障牀曰幨'六百九十九。等是也;引《通俗文》而明著服虔者,'剡葦傷盜謂之搶',三百三十七。'毛飾曰毦',三百四十一。'匕首,劍屬,其頭類匕,故曰匕首,短而便用',二百四十六。'矛長丈八者謂之矟',三百五十四。'大杖曰棓',三百五十七。'所以制馬曰鞚',三百五十八。'凡勒飾曰珂,馬鞻尾曰鞘'三百五十九。等是也。至如他書所引,有止言服虔而文法絕似《通俗文》者,《史記·禮書》集解引服虔云'簀謂之笫'等是也。有變文言《通俗篇》者,《文選·琴賦》注引服虔《通俗篇》是也。又有止言服虔《俗説》者,《顔氏家訓·書證篇》'殷仲堪《常用字訓》亦引服虔《俗説》'之類是也。若《左傳》文三年'螭魅罔兩'、《周禮·宗人》正義引服虔注云:'魍魎,木石之怪。'而《一切經音義》引《通俗文》'木石怪謂之罔兩',益可爲服氏著《通俗文》之證。至襄十四年'射兩軥'、《詩·小戎》正義引服注云:'軥,車軶。'而《御覽》七百七十六。引《通俗文》云:'軸限者謂之枸。'枸、軥古字同,又可知義訓無不合矣。至前人疑此書出李虔者,不過因《晋中經簿》所無,又引《初學記》器物部舟第十一引李虔《通俗》'晋曰舶'一語,以證梁阮孝緒之説。不知器物部牀第五先引服虔《通俗文》云:'牀三尺五曰榻板,獨坐曰枰,八尺曰牀。'近在一卷之中。且牀第五引服虔之説緊次《説文》,而舟第十一引李虔之説則次於《廣雅》之後,明《通俗文》係服虔所作,而李虔續之。名既相同,阮孝緒等遂并二書爲一。《唐書·藝文志》固明標李虔《續通俗文》,言續則非始自李虔可知。《經義雜記》又以《隋書·經籍志》次此書於沈約《四聲》等書後,而證其爲李虔。不知《隋志》亦唐人所修,與徐堅、釋玄應相距不遠。今徐堅所引則次於《説文》,《一切經音義》所引則皆在《三蒼》、《釋名》之上,則唐人亦皆以此書爲服虔所造也。至若反音,不妨爲後人所補入,或專係李虔續書中語與。《通俗文》之爲服虔書無礙也。"

劉熙　釋名　《隋志》:八卷。兩《唐志》、《宋志》同。今存八卷。

《四庫全書提要》曰:"漢劉熙撰。熙字成國,北海人。其書二十篇,以同聲相諧推論稱名辨物之意,中間頗傷於穿鑿,然可因以考見古音。又去古未遠,所釋器物亦可因以推求古人制度之遺。如《楚辭·九歌》'薜荔拍兮蕙綢'王逸注云:'拍,搏壁也。'搏壁二字,今莫知爲何物。觀是書《釋牀帳篇》,乃知以席搏著壁上謂之搏辟。孔穎達《禮記正義》以深衣十二幅皆交裁謂之衽,是書《釋衣服篇》云:'衽,襜也,在旁,襜襜然也。'則與《玉藻》言衽當旁者可以互證。《釋兵篇》云:'刀室曰削,室口之飾曰琫,下末之飾曰琕。'又足證《毛詩詁訓傳》之譌。其有資考證,不一而足。吴韋昭嘗作《辨釋名》一卷,糾熙之誤,其書不傳。然如《經典釋文》引其一條曰:'《釋名》云:"古者車音如居,所以居人也。今曰車音尺遮反,舍也。"案《釋名》本作"古者曰車聲如居,言行所以居人也。今曰車,車舍也,行者所處,若居舍也",此蓋陸德明約舉其文。又取文義顯明,增入"音尺遮反"四字耳。韋昭云:"車古皆音尺奢反,後漢以來始有居音。"'案《何彼襛矣》之詩以車韻華,《桃夭》之詩以華韻家,家古音姑,華古音敷,則車古音居,更無疑義。熙所説者不譌,昭之所辨亦未必盡中其失也。别本或題曰《逸雅》,蓋明郎奎金取是書與《爾雅》、《小爾雅》、《廣雅》、《埤雅》合刻,名曰《五雅》。以四書皆有雅名,遂改題《逸雅》以從類。非其本目,今不從之。又《後漢書·劉珍傳》稱'珍撰《釋名》五十篇,以辨萬物之稱號',其書名相同，姓又相同，鄭明選作《秕言》，頗以爲疑。[1] 然歷代相傳，無引劉珍《釋名》者，則珍書久佚，不得以此書當之也。明選又稱此書爲二十七篇，與今本不合。明選，萬曆中人，不應别見古本，殆一時失記，誤以二十爲二十七歟？”

曹壽　史游急就章解　《唐志》：一卷。《舊唐志》同。

案壽名見王愔《文字志》目録中卷，次崔瑗下，崔寔上。

郭訓　雜字指　《隋志》：一卷。《唐志》同，作《字旨篇》。

案《隋志》題“太子中庶子郭顯卿撰”，《唐志》作“郭訓”，而書名卷數正同，則訓即顯卿之名。《汗簡》屢引之，俱稱郭顯卿《字指》。《廣均》入聲二十七合引“艓調色畫繒”，稱郭調《字旨》，調、訓形近而譌。又夏竦《四聲韻》引燁、跋等共十三字，皆稱郭昭卿，改顯爲昭，未審何故。

郭訓　古文奇字　《隋志》：一卷。《唐志》、《舊唐志》同。

案釋玄應《音義》卷三引“豐，古文逝字”，稱郭訓《古文奇字》。卷一引“炒作槱”，慧琳《音義》卷一引“無作无”，但稱《古文奇字》。

一字石經周易　《七録》：三卷。《隋志》：一卷。《唐志》：三卷。

一字石經尚書　《隋志》：六卷。《唐志》同。

一字石經魯詩　《隋志》：六卷。《唐志》同。

一字石經儀禮　《隋志》：九卷。《唐志》同。

一字石經春秋　《七録》：一卷。《隋志》、《唐志》同。

一字石經公羊傳　《隋志》：九卷。

一字石經論語　《七録》、《隋志》：二卷。

范書《靈帝紀》：“熹平四年春三月，詔諸儒正五經文字，刻石立於太學門外。”

---

① “頗”，原作“顔”，據《補編》本改。

《蔡邕傳》:“邕以經籍去聖久遠,文字多謬,俗儒穿鑿,疑誤後學。熹平四年,乃與五官中郎將堂谿典、光禄大夫楊賜、諫議大夫馬日磾、議郎張馴、韓説、太史令單颺等,奏求正定六经文字。靈帝許之,邕乃自書丹於碑,使工鐫刻立於太學門外。於是後儒晚學,咸取正焉。碑始立,觀視及摹寫者,車乘日千餘兩,填塞街陌。”

《張馴傳》:“張馴字子儁,濟陰定陶人。辟公府,舉高第,拜議郎。與蔡邕共奏定六經文字,擢拜侍中。”

《儒林傳》:“黨人既誅,其高名善士多坐流廢,後遂至忿争,更相告言,亦有私行金貨,定蘭臺漆書經字,以合其私文。熹平四年,靈帝乃詔諸儒正定五經,刊於石碑。”

《宦者傳》:“時宦者汝陽李巡以爲諸博士試甲乙科,争第高下,更相告言,至於行賂定蘭臺漆書經字,以合其私文者,乃白帝,與諸儒共刻五經文於石,於是詔蔡邕等正其文字。自後五經一定,争者用息。”

謝承《後漢書》:“碑立太學門外,瓦屋覆之,四面闌障,開門於南,河南郡設吏卒視之。”

袁宏《後漢記》:“熹平四年春三月,五經文字刻石,立於太學之前。”

《隋志》:“後漢鐫刻七經,著於石碑,皆蔡邕所書。”

陸機《洛陽記》:“講堂長十丈,廣二丈。堂前石經四部。本碑凡四十六枚,西行,《周易》、《尚書》、《公羊傳》十六碑存,十二碑毁。南行,《禮記》十五碑悉崩壞。東行,《論語》三碑,二碑毁。”案凡論一字、三字者,悉不録。

案《石經》有五經、六經、七經、八經之不同。云五經者,《靈帝紀》、《儒林傳》、《宦者傳》、《盧植傳》、袁宏《紀》是也。云六經者,《蔡邕傳》、《張馴傳》是也。云七經者,《隋志》是也。而《隋志》中則又明載其目,有《周易》、《尚書》、《魯詩》、《儀禮》、《春秋》、《公羊》、《論語》七種。乃范《書》章懷注引陸機《洛陽記》則無《儀禮》而多一《禮記》，於是黄伯思《東觀餘論》、顧藹吉《隸辨》遂疑《隋志》、陸《記》各漏一經，而《石經》成八矣。紛紛論斷，究無一定。樸久蓄疑，乃取《後漢書》、《隋志》諸書，細讀而旁證之，乃恍然知漢石之寔祇七經。而後人之疑范《書》、疑《隋志》、疑《洛陽記》者，其致誤葢有三焉。一曰不知漢石經有初刻、補刻之別，於是《隋志》與《後漢書》必不能合矣。二曰不知經數有實數、并數之異，於是《靈紀》、《儒林》等傳與《蔡邕》等傳亦不能合矣。三曰不知漢、魏所稱《禮記》之即《儀禮》，於是《洛陽記》與《隋志》又不合矣。祛此三蔽，《石經》之數，一言可決耳。何以言石經有初刻、補刻之別？攷漢《石經》之刻，《靈紀》、袁宏《紀》皆云在熹平四年三月，而《盧植傳》云"熹平中去官，時太學始立石經，以正五經文字，植乃上書，求刊《禮記》"。此所謂《禮記》，非四十六篇之《戴記》，正漢、魏所稱十七篇之《禮記》也。後人取以爲漢《石經》有《戴記》之證，謬甚。説詳禮部。攷熹平共有七年，此云中者，當即在四年，故下文云"太學始立石經"。觀"始立"二字，則又知其必在刊成《石經》三月之後。石經既已刊成，而猶請刊《禮記》，則蔡邕等所請刊之石經無《禮記》可知。此《禮記》即《儀禮》。以《隋志》目録攷之，則《易》、《書》、《詩》、《春秋》、《公羊》、《論語》六經乃蔡邕等所請刊，而《儀禮》爲盧植所補刊，此初刻、補刻之説也。案《水經注》曰："漢靈帝光和六年，刻石鏤碑，載五經，立於太學講堂。"范《書》云熹平四年，此云光和六年，葢一則據其創始之年，一則據其刻成之歲也。然據《盧植傳》"熹平中，太學始立石經，植乃上書，請刊《禮記》"，觀"始立"二字，則植上書之時，蔡邕所刊之六經已刻成矣。而《水經注》猶云光和六年刻石鏤碑者，可見熹平中六經刊成之後，又因盧植之請，補刊《禮記》。至光和六年，七經始全行刻成。且《洛陽記》云《禮記》碑上有諫議大夫馬日磾、議郎蔡邕名，古人刻碑署名，必在碑末，益可證《禮記》最晚刻成。其爲盧植所補，復何疑義？何以知經數有實數、并數之異？葢《儀禮》既爲盧植補刊，則《蔡邕》、《張馴傳》所稱奏定六經文字,正實舉其當時之經數,此實數也。而《靈帝紀》、《儒林》、《宦者傳》所稱"正定五經文字"者,蓋并《公羊》、《春秋》爲一經。猶唐開成石壁九經,《新唐書·儒學傳》止云文宗定五經,張參是正訛文,亦名《五經文字》。蓋《公羊春秋》但分經傳,本非兩書,故可合一言之。至《隋志》所稱鐫刻七經,則又合初刻六經、補刻一經并數之,此并數也。初刻、補刻,實數、并數,二者既明,則《靈紀》、《儒林》等傳所稱五經,《蔡邕》、《张馴傳》所稱六經,《隋志》所稱七經,無一不相通矣。獨以《盧植傳》、《洛陽記》之《禮記》,合以《隋志》之《儀禮》,彼此相補,終多一書,曰此正諸家致誤之最謬者,所謂不知漢、魏所稱《禮記》之即《儀禮》是也。何以知漢、魏所稱《禮記》之即《儀禮》? 蓋古無《儀禮》之名,即稱《儀禮》爲《禮記》。今《詩》鄭箋、《爾雅》郭注所引《禮記》,多在十七篇中,此其碻證。由此觀之,則《盧植傳》、《洛陽記》之所謂《禮記》,正《隋志》之所謂《儀禮》。本未嘗漏,何必言補? 且《盧植傳》、《洛陽記》但有《禮記》而無《儀禮》,而今《隸釋》所載殘字則但有《儀禮》而無《禮記》,益可證漢《石經》斷無四十六篇之《禮記》。不然,何以《洛陽》明載之《禮記》無一字存,而絶不提及之《儀禮》,反有如許流傳耶? 既明漢《石經》之必無四十六篇之《禮記》,則《盧植傳》、《洛陽記》與《隋志》亦復何所不合哉? 至於一字、三字之異同,自趙、洪以來,已有定論,不復贅云。

又案樸既爲前論畢,繼思五經皆孔子手定,而《論語》爲總論五經之書,漢人往往稱五經,而《論語》即在其中。觀劉歆作《七畧》,《論語》、《孝經》等在六藝之後,而仍題其畧曰六藝,不稱九稱十也。且不止漢人然也。自漢至唐皆然。唐人立石壁九經,《唐會要》載其目,有《易》、《書》、《詩》、三《禮》、三《傳》,并《論語》、《孝經》、《爾雅》,共一百五十九卷，而《舊唐書·文宗紀》止云九經百六十卷，較上多一卷，蓋并序目數之。《新唐書》又并三《禮》、三《傳》爲二經而稱五經，皆以《論語》包括五經言之。《論語》既包括於五經，而《春秋》、《公羊》仍并爲一。即舍初刻、補刻之説，《靈帝紀》、《儒林傳》之五經亦可通矣。至《蔡邕》等傳之稱六經，蓋分《春秋》、《公羊》爲二，而《論語》則仍不别出，猶之唐石經之并三《禮》、三《傳》而稱五經，《論語》固不别出。即分三《禮》、三《傳》而稱九經，《論語》仍不别出也。此説似較前説直捷，故並存之，以待後人論定焉。

凡小學三十三部，章篇卷數可攷者五十章四十六篇七十三卷。

翟酺　孝經援神鉤命解　范《書》：十二篇。

《華陽國志》："少事段翳，以明天官。爲侍中尚書，後爲京兆尹、光禄大夫、將作大匠。著《援神契經説》。卒於家。"

鄭康成　易緯注　《七録》：九卷。《隋志》：八卷。

《隋志》："漢末宋均、鄭玄，並爲讖緯之注。"

章懷太子曰："《易》緯，《稽覽圖》、《乾鑿度》、《坤靈圖》、《通卦驗》、《是類謀》、《辨終備》也。"

王應麟曰："康成注《易》緯，或引以解經，今篇次具存。宋注不傳。李淑《書目》九卷，凡《乾鑿度》、《稽覽圖》、《通卦驗》各二，《辨終備》、《是類謀》、《坤靈圖》各一。今三館所藏《乾鑿度》、《通卦驗》，皆别出爲一書。而《易緯》止有鄭氏注七卷，《稽覽圖》第一、《辨終備》第四、《是類謀》第五、《乾元序制記》第六、《坤靈圖》第七，二卷、三卷無標目。"

侯康曰："《書録題解》載《易緯》七卷，鄭康成注，即三館之鄭氏注七卷也。又載《易通驗》二卷、《乾鑿度》二卷，亦鄭氏注，則三館所謂别出爲一書者也。据所言，是《易緯》又有七篇，多《乾元序制記》，而卷數則分爲十一。《郡齋讀書志後志》載《易緯》鄭注亦六篇，有《乾元序制記》而無《乾鑿度》，與諸書又復參差。今《四庫》中從《永樂大典》采出者七篇,据鄭注言。與宋三館、《書録解題》同卷數同。《四庫書目》疑《乾元序制記》本古緯所無,後人於各緯中分析以成此書。然則《易》緯篇名,自當以章懷注及李淑《書目》爲合。今仍録《乾元制記》者,亦疑以傳疑之意。至各緯卷數互有不同,蓋皆後人所分,非康成原本,故今僅從《七録》總九卷而不復細析之云。"

案《易緯》篇目自宜從章懷注,三館書目别出《乾元序制記》,誤也。攷《書録解題》曰:"《乾元序制記》,其間推陰陽卦,直至唐元和中。"据此,則此書爲唐以後人所羼入無疑。侯氏疑而不削,失之。又鄭於諸緯皆全注,若但注一二篇,則《隋志》應標某緯某篇注,如《周易·繫辭》、《尚書·舜典》、《禮·月令》之例,不得總稱某緯注。侯氏於篇題下,悉標篇目,諸書有引者存之,無者闕之。雖見攷古之慎,然諸書之或引或不引,係乎其篇之或存或不存,非鄭之或注或不注也。紛然著之,反啟學者之惑,今悉削去,而以章懷注冠於首云。後放此。

鄭康成　尚書緯注　《七録》:六卷。《隋志》:三卷。《新》、《舊唐志》同。

章懷太子曰:"《書》緯,《璇璣鈐》、《攷靈曜》、《刑德放》、《帝命驗》、《運期授》也。"

侯康曰:"其書及注久亡,趙在翰纂《七緯》,盡爲採入,故今不復記所出。爲趙氏采《運期授》注,無鄭氏。今攷其所引《詩·文王序》正義一條云'周文王以戊午蔀二十九年受命',但稱注而無注人名。據正義此條下即引《易是類謀》注而總曰'是鄭以入戊午蔀二十九年季秋之月甲子,赤雀銜丹書而命之也'云云,則《運期授》此注亦出鄭注無疑,且與鄭氏他經傳注亦合也。"

鄭康成　尚書中候注　《七録》:八卷。《隋志》:五卷。

孔穎達曰:"鄭注三《禮》、《周易》、《中候尚書》,皆大名在下。"

侯康曰:"范書《方術傳·序》'緯候之部'注:'緯,七經緯也。候,《尚書中候》也。'是《中候》不入七緯之數,故《隋志》别著録。《古微書》有此書輯本,缺漏頗多,又别出《中候·握河紀》、《中候·考河命》、《中候·摘洛戒》、《中候·雜篇》,其實皆《中候》篇名,宜合爲一也。《詩·文王序》正義引《雒師謀》亦《中候》篇名。注一條云'文王既誅崇侯,乃得吕尚於磻溪之崖',孔沖遠頗非之。"

鄭康成 詩緯注 《唐志》、《舊唐志》:三卷。

章懷太子曰:"《詩緯》,《推度災》、《氾曆樞》、《含神務》也。"

侯康曰:"趙氏《七緯》但有鄭氏《汎曆樞》注,然《唐志》作三卷,疑是以一緯爲一卷,與《禮緯》同。且康成諸緯皆注釋,不應於《詩》獨遺其二也。然究無明文,姑闕之。"

鄭康成 禮緯注 《隋志》:三卷。

章懷太子曰:"《禮緯》,《含文嘉》、《稽命徵》、《斗威儀》也。"

孫瑴《古微書》:"當隋之世,鄭注已佚矣。"

侯康曰:"趙氏《七緯》衹載《含文嘉》、《斗威儀》二注,而無《稽命徵》。然所采《詩·烈祖序》正義一條,以正義下文攷之,即鄭注也。"

鄭康成 禮記默房 《七録》:三卷。《隋志》:二卷 。

鄭康成 樂緯注 卷數佚。

章懷太子曰:"《樂緯》,《動聲儀》、《稽耀嘉》、《叶圖徵》也。"

侯康曰:"按趙氏衹載《動聲儀》注,然所采《檀弓》正義《稽耀嘉》注,亦鄭注也。正義引鄭氏諸經傳注,往往不名,餘人則名。唯《叶圖徵》注無攷。"

案《御覽》六引"日月遺其珠囊,珠謂五星也,遺其囊者,盈縮失度也",稱《樂叶圖》鄭注。

鄭康成 春秋緯注 卷數佚。

章懷太子曰:"《春秋》緯,《演孔圖》、《元命苞》、《文耀鉤》、《運斗樞》、《感精符》、《合誠圖》、《孜異郵》、《保乾圖》、《漢含孳》、《佑助期》、《握誠圖》、《潛潭巴》、《説題辭》。”

案范書《李云傳》注引“五帝修名立功,修德成化,統調陰陽,招類使神,故稱帝。帝之言諦也。鄭玄曰:‘審諦於物色也。’”稱《春秋運斗樞》注。《文選・褚淵碑文》注引“遞,去也”,稱鄭玄《春秋緯注》。

鄭康成　孝經緯注　卷數佚。

章懷太子曰:“《孝經》緯,《援神契》、《鉤命決》也。”

按《文選・東京賦》引“佳已感龍生帝魁,鄭玄曰:‘佳已,帝魁之母也。魁,神名。’”稱鄭玄《孝經鉤命決》注。

鄭康成　洛書注　卷數佚。

按《初學記》卷九引“有人出石夷,掘地代,戴成鈐,懷玉斗。鄭玄曰:‘懷璇璣玉衡之道,姚氏以禹匈有黑子如北斗。’”《文選・顏延年皇太子釋奠詩》注引“秦失金鏡,喻明道也”,《廣絶交論》注亦引。又《盧子諒贈劉琨詩》注引“魚目入珠,鄭玄曰‘魚目亂真珠’”,稱《洛書注》。又侯氏目中既著録《洛書注》,而案語中乃云《經義攷》有鄭康成《洛書靈準聽》注,葢本之《古微書》。然《古微書》所載,乃《乾鑿度》下卷引《雒書靈準聽》之文,鄭注即《乾鑿度》注,非别有《靈準聽》注也,故今不復著録。觀此,則侯氏之意以《洛書》爲一書,而《洛書靈準聽》又是一書也。然愚攷諸書所引,或稱《洛書靈準聽》,或稱《洛書甄曜度》,或稱《洛書摘六辟》,不一其名,而皆冠《洛書》於其上,則《洛書》是其大題,而《靈準聽》等皆其篇名,猶七緯之有《稽覽圖》等名也。康成既注《洛書》,必諸篇備注。況《初學記》所引一條,羅泌《路史・疏仡紀》即引作《靈準聽注》,安得謂其無《靈準聽》注乎?且既録《洛書》,則《靈準聽》已在其中,安得云不復著録乎?總之,朱氏不録大題,而偏舉篇目,又不據《初學記》

可信之文，而據《古微書》旁引之語，固智者之一失。而侯氏之録其大題，斥其篇目，則尤屬無謂。

宋衷　易緯注 卷數佚。

案《文選·東都賦》注引"代者赤兑，黄佐命。注曰：'赤兑者，謂漢高帝也。黄者，火之子，故佐命張良也。'"《後漢書·馬武傳》注亦引作鄭玄《通卦驗》注。《路史·疏仡紀》注引"泰表帶干，注曰：'干，盾也。'"標宋衷《易乾鑿度》注。《文選·謝靈運會吟行詩》注引'天文者謂三光，《景福殿賦》注亦引此句。地理謂五土也'，標宋衷《易緯》注。

宋衷　樂緯注 卷數佚。

案《水經注》三十四引"昔歸典協聲律，注：歸即夔"，稱宋衷《樂緯》注，《路史·疏仡紀》注亦引之。《文選·魏都賦》注"六英能爲天地四時，六合也。五莖能爲五行之道，立根本也"，稱宋衷《樂動聲儀》注。《史記·司馬相如傳》索隱引"焦明狀似鳳皇，注：水鳥也"，稱宋衷《樂汁圖》注。《文選·上林賦》注亦引之。

宋衷　春秋緯注 卷數佚。

案《文選·王元長永明策秀才文》注引"陽氣數成於三，故時别三月。注：'四時皆象此類，不唯秋也。'"《阮藉詠懷詩》注亦引。《沈休文安陸昭王碑》注引"精翼日，衣青光。注：'爲日精所羽翼，故以爲名。木神以其方色衣之。'"稱宋衷《春秋元命苞》注。《魏都賦》注引"五運七變，如以類驚。注：'五運，五行用事之運也。'"《北征賦》注、《盧子諒贈劉琨詩》注均引。《王子淵四子講德論》引"五帝異緒。注：'緒，業也。'"《七夕詩啟》注亦引。稱宋衷《保乾圖》注。曹植《七啟 》注引"黍爲酒陽，援陰乃能動，故以麥黍爲酒。注：'麥，陰也，先漬麴，黍後入，故曰陽。援陰相得而沸，是其動也。'"稱宋衷《春秋説題辭》注。又《羽獵賦》注引"驚，動也"，則但稱宋衷《春秋緯》注。

宋衷　孝經緯注　卷數佚。

案《文選·吴都賦》注引"神靈滋液則犀駭雞,注:'角有光,雞見而駭驚也。'"稱宋衷《孝經援神契》注。

景鸞　河洛交集　卷數佚。

范《書》:"鸞取《河》、《洛》,以類相從,名爲《交集》。"

案《册府元龜》引范《書》作"災集",《書鈔》引《益部耆舊傳》作"奥集",未知孰是。

朱倉　河洛解　卷數佚。

《華陽國志·廣漢士女讚》:"朱倉字雲卿,什邡人也。受學於蜀郡張寧,著《河洛解》。[1] 州辟治中從事,以諷詠自終。"

楊統　内讖解説　范《書》:二卷。《華陽國志》同。

《華陽國志·廣漢士女讚》:"建武初,天下求通《内讖》二卷者,不得。永平中,刺史張志舉統方正。司徒魯恭辟掾。上《家法章句》及二卷《解説》。"

惠棟曰:"《内讖》,孔子《内讖》,桓譚所云矯稱'孔某者爲《讖記》'是也。"

楊統　家法章句　卷數佚。

荀爽　辨讖　卷數佚。

凡緯候二十部,篇卷數可攷者十二篇三十四卷。

凡六藝二百十一部,章篇卷數可攷者五十章三百十八篇七百三十卷。

補後漢書藝文志攷卷四終

---

① "著",原作"注",據《華陽國志校補圖注》改。

補後漢書藝文志攷卷五

常熟　曾樸　纂

記傳志内篇第二之一

紀史記、雜史

宋衷　世本注　《隋志》：四卷。《新》、《舊唐志》同。

《索隱》："今《世本》無燕代系，宋衷依《太史公書》以補其闕。"

譙周《古史攷》曰："《世家》襄伯生宣伯，無桓公。今檢《史記》，並有桓公，立十六年。又宋衷據此史補《世家》，亦有桓公。"

侯康曰："諸書引《世本》多兼引宋衷注，故存者尚夥。又《唐志》載宋衷《世本别録》一卷，文承宋衷《世本》之下，未知是衷撰否。"

孝明皇帝　光武本紀　卷數佚。

《東觀漢記》："帝以自作《光武本紀》示蒼，蒼因上《世祖受命中興頌》。"

《續漢書》："明德馬皇后讀《光武皇帝紀》，至'有獻千里馬寶劍者，上以馬駕鼓車，劍賜騎士，手不持珠玉'，后未嘗不歎息也。"《御覽》百三十七。

肆仁　晋馮等　續史記　卷數佚。

《史通·正史篇》："《史記》所書年，止漢武太初，已後闕而不録。其後劉向、向子歆及諸好事者，若馮商、衛衡、揚雄、史岑、梁審、肆仁、晋馮、段肅、金丹、馮衍、韋融、蕭奮、劉恂等，相次撰續,迄於哀、平間,猶名《史記》。"

侯康曰:"晋馮以下,葢皆後漢人。馮,京兆祭酒。肅,弘農功曹。史見《班固傳》。'段'一作'殷'。"

案《東觀記》"肆仁與劉珍等,同著作東觀",則仁亦後漢人。

楊終　刪太史公書　卷數佚。

范《書》:"終受詔刪《太史公書》,爲十餘萬言。"

延篤　史記音義　《索隱》:一卷。

《索隱序》:"《太史公書》,古今爲注解者絶省,音義亦稀。後漢延篤乃有《音義》一卷,又別有《音隱》五卷,不記作者何人何代,近代鮮有二家之本。"

案《前漢書·天文志》注李奇引延篤曰:"極,堂前闌楯也。"即此書佚文。

班固　漢書　《隋志》:一百十五卷。《唐志》同。《宋志》:一百卷。今存一百二十卷。

《四庫全書提要》:"漢班固撰,其妹班昭續成之。始末具《後漢書》本傳。是書歷代寶傳,咸無異論。惟《南史·劉之遴傳》云:'鄱陽嗣王範得班固所撰《漢書》真本,獻東宫皇太子,令之遴與張纘、到溉、陸襄等參校異同,之遴録其異狀數十事。'以今考之,則語皆謬妄。據之遴云:'古本《漢書》稱永平十年五月二十日己酉郎班固上,而今本無上書年月日子。'案固自永平受詔修《漢書》,至建初中乃成。又《班昭傳》云:'八表並《天文志》未竟而卒,和帝詔昭就東觀藏書踵成之。'是此書之次第續成,事隔兩朝,撰非一手。之遴所見古本既有紀、表、志、傳,乃云總於永平中表上,殆不考成書之年月也。之遴又云:'古本《敘傳》號爲《中篇》,今本爲《敘傳》。又今本《敘傳》載班彪事行,而古本云彪自有傳。'夫古書敘皆載於卷末,固自述作書之意,故謂之敘。追溯祖父之事迹,故謂之傳。後代史家，皆沿其例。之遴謂原作《中篇》，文繫本末，中字竟何義也。至云'彪自有傳'，語尤荒誕。彪在光武之世，舉茂才，爲徐令，以病去官，後數應三公之召，實爲東漢之人。惟附於《敘傳》，故可於況、伯、斿、穉之後，詳其生平。若自爲一傳，列於西漢，則斷限之謂何？奚不考《敘傳》所云'起元高祖，終於孝平、王莽之誅'乎？之遴又云：'今本紀及表、志、列傳不相合爲次，而古本相合爲次，總成三十八卷。'案固自言'紀、表、志、傳，凡百篇'，篇即卷也，是不爲三十八卷之明證。又言述紀十二，述表八，述志十，述列傳七十，是各爲次第之明證。且《隋志》作一百十五卷，今本作一百二十卷，皆以卷帙太重，故析爲子卷。今本紀分一子卷，表分二子卷，志分八子卷，傳分九子卷。若併爲三十八卷，則卷帙更重，古書著之竹帛，殆恐不可行也。之遴又云：'今本《外戚》在《西域》後，古本次帝紀下。又今本《高五子》、《文三王》、《景十三王》、《孝武六子》、《宣元六王》雜在諸傳中，古本諸王悉次《外戚》下，在《陳項傳》上。'夫紀、表、志、傳之序，固自言之。如之遴所述，則傳次於紀，而表、志反在傳後。且諸王既以代相承，宜總題諸王傳，何以《敘傳》作《高五王傳》第八、《文三王傳》第十七、《景十三王傳》第二十三、《武五子傳》第三十三、《宣元六王傳》第五十耶？且《漢書》始改《史記》之《項羽本紀》、《陳勝世家》爲列傳，自應居列傳之首，豈得移在諸王之後？其述《外戚傳》第六十七、《元后傳》第六十八、《王莽傳》第六十九，明以王莽之勢成於元后，史家微意寓焉。若移《外戚傳》次於本紀，是惡知史法哉？之遴又引古本述云：'淮陰毅毅，仗劍周章，邦之傑子，實惟彭、英。化爲侯王，雲起龍驤。'然今'芮尹江湖'句有張晏注，是晏所見者即是今本。況《之遴傳》所云獻太子者，謂昭明太子也。《文選》載《漢書·述贊》云：'信惟餓隸，布實黔徒,越亦狗盜,芮尹江湖。雲起龍驤,化爲侯王。'與今本同,是昭明亦知之遴所謂古本者不足信矣。自漢張霸始撰僞經,至梁人於《漢書》復有僞撰古本。然一經考證,紕繆顯然。顔師古注本冠以指例六條,歷述諸家,不及之遴所説,葢當時已灼知其僞。李延壽不訊端末,遽載於史,亦可云愛奇嗜博,茫無裁斷矣。固作是書,有受金之謗,劉知幾《史通》尚述之。然《文心雕龍·史傳篇》曰:'徵賄鬻筆之愆,公理辨之究矣。'是無其事也。又有竊據父書之謗,然《韋賢》、《翟方進》、《元后》三傳俱稱司徒掾班彪曰。顔師古注發例於《韋賢傳》曰:'《漢書》諸贊,皆固所爲。其有叔皮先論述者,固亦顯以示後人,而或者謂固竊盜父名,觀此可以免矣。'是亦無其事也。師古注條理精密,實爲獨到,然唐人多不用其説,故《猗覺寮雜記》稱:'師古注《漢書》魁梧音悟,票姚皆音去聲。杜甫用魁梧、票姚,皆作平聲。楊巨源詩:請问漢家誰第一,麒麟閣上識酇侯。亦不用音贊之説。'殆貴遠賤近,自古而然歟? 要其疏通證明,究不愧班固功臣之目,固不以一二字之出入,病其大體矣。"

胡廣　漢書音義　卷數佚。

侯康曰:"《漢書》注屢引胡公,即廣也。似皆出廣所著《漢官解詁》。惟《史記·賈誼傳》索隱兩引胡廣,《司馬相如傳》索隱九引胡廣,則顯爲《漢書》注矣。"

案《史記·匈奴列傳》索隱引"鮮卑,東胡别種",《御覽》二百六十六引"秋、冬,廷尉課最殿",稱胡廣《漢書注》。又《史記·大宛列傳》正義引"奄蔡即闔蘇也",稱《漢書解詁》,《漢書》未聞有《解詁》之名,疑即廣書。云《解詁》者,涉《漢官》而譌。

漢書舊注　卷數佚。

案《風俗通·聲音篇》引"菰,吹鞭也。菰者,憮也。言其節憮威儀",又引"荻,箫也,言其聲音荻荻,名自定也",稱《漢書舊注》。《史記·高帝紀》集解、《風俗通》引"沛人語發聲其其"一條,稱《漢書注》。

蔡邕　漢書音義　卷數佚。

服虔　漢書音訓　《隋志》:一卷。《新》、《舊唐志》同。

應劭　漢書集解　《隋志》:百十五卷。

《顏氏家訓》:"世之學徒,多不曉字學。《漢書》者,悦應、蘇而畧《蒼》、《雅》,不知書音是其枝葉,小學乃其宗系。"

顏師古曰:"服、應曩說疎紊尚多。"

又曰:"《漢書》舊無注解,唯服虔、應劭等各爲音義,自别施行。至典午中朝,有臣瓚者,總集諸家音義,稍以己之所見,續厠其末,舉駁前説,喜引《竹書》,凡二十四卷,分爲兩帙。今之《集解音義》則是其書,而後人見者不知臣瓚所作,乃謂之應劭等《集解》。王氏《七志》、阮氏《七録》,並題云然,斯不審耳。"

侯康曰:"《隋志》有應劭《漢書集解音義》,而無臣瓚書,葢即誤以瓚書爲應書也。然應劭亦實有《漢書》注,又此名相沿已久,故仍從《隋志》著録。"

案服、應説今存顏注甚夥。

班固　劉珍等　東觀漢記　《隋志》:一百四十三卷。《唐志》:一百二十六卷、《錄》一卷。《舊唐志》:一百二十七卷。《宋志》:八卷。

范書《北海靖王興傳》曰:"初臨邑侯復好學,能文章。與班固、賈逵共述漢史,傅毅等皆宗事之。復子騊駼及從兄平望侯毅,並有才學。永寧中,鄧太后召毅及騊駼入東觀,與謁者僕射劉珍著中興以下名臣列士傳。"

又《班固傳》:"顯宗召詣校書部,除蘭臺令史,與前睢陽令陳宗、長陵令尹敏、司隸從事孟異共成《世祖本紀》。遷爲郎，典校祕書。固又撰功臣、平林、新市、公孫述事，作列傳、載記二十八篇。”

《伏湛傳》：“元嘉中，桓帝詔無忌與黄景、崔寔等共譔《漢記》。”

《蔡邕傳》：“邕前在東觀，與盧植、韓説等撰補《後漢記》，會遭事流離，不及得成，因上書自陳，奏其所著十意，分别首目，連置章左。帝嘉其才。”

又曰：“其撰集漢事，未見録以繼後史。適作《靈紀》及十意，又補諸列傳四十一篇，因李傕之亂，湮没多不存。”

《東觀漢記》：“蔡邕徙朔方，上書求還，續成十志。”

謝沈《書》：“太傅胡廣博綜舊儀，立漢制度，蔡邕因以爲志。”《續漢書・禮儀志》注。

又曰：“邕見太傅胡廣曰：‘國家禮有煩而不省者，吾惜不知先帝用心周密之至於此也。’廣曰：‘然。子當載之以示學者。’邕退而記焉。”同上。

又曰：“蔡邕撰建武以後星驗，著明以續前志。”《續漢》本志注。

袁山松《書》：“劉洪字元卓，拜郎中，檢東觀著作，作《律曆記》。洪善算，當世無偶，作《七曜曆》。及在東觀，與蔡邕共述《律曆記》，考驗天官及造乾象，述日月與象相應，皆傳於世。”《續漢志》注。

袁宏《後漢紀》：“馬皇后誦《易》，習《詩》、《論語》、《春秋》。讀《光武本紀》，至於‘獻千里馬寶劍，賜騎士，手不持珠玉’，未嘗不歎息也。”

又曰：“秋八月，黄龍見巴郡。初，民就池浴，相戲曰：‘此中有黄龍。’因流行民間。太守上言，時史以書帝紀。”

又云：“盧植徵拜議郎，與蔡邕、楊彪等並在東觀補《續漢記》。”

《續漢書·律曆志》:“光和元年,議郎蔡邕、郎中劉洪補《續律曆志》。邕能著文,清濁鐘律。洪能爲算,近敘三光。今攷論其業,義指博通,術數略舉,是以集録上、下篇,放續前志,以備一家。”

《吴志·韋曜傳》:“華覈上疏云:‘昔班固作《漢書》,文辭典雅。後劉珍、劉毅等作《漢記》,遠不及固,《敘傳》尤劣。’”

又《律曆志》:“蔡邕又記建武已後言律吕者。至司馬昭統,採而續之。”

又云:“劉歆、班固撰《律曆志》,亦紀十二律。京房始創六十律,至章帝時,其法已絶。蔡邕雖紀其言,亦曰今無能爲者。”

又云:“光和中,乃命劉洪、蔡邕共修律曆。其後司馬彪因之,以繼班史。”

《宋書·律志序》:“班固《禮樂》、《郊祀》,蔡邕《朝會》立志。”

《隋志》云:“起光武記注至靈帝。”

《隋志》又云:“明帝召班固爲蘭臺令史,與諸先輩陳宗、尹敏、孟冀等共成《光武本紀》。”

《論衡·别通篇》:“蘭臺之史,班固、賈逵、楊終、傅毅之徒,名香文美,委積不紲,大用於世。”

《蔡邕别傳》:“邕昔作《漢記》十意,未及奏上,遭事流離,因上書自陳曰:‘臣既到徙所,乘塞守烽,職在候望,憂怖焦灼,無心能復操筆成草,致章闕廷。誠知聖朝不責臣謝,但懷愚心有所不竟。臣自在布衣,常以爲《漢書》十志下盡王莽而止,光武以來唯記紀傳,無續志者。臣所事師故太傅胡廣,知臣頗識其門户,略以所有舊事與臣。雖未備悉,粗見首尾,積累思惟,二十餘年。不在其位,非外史庶人所得擅述。天誘其衷,得備著作郎,建言十志皆當撰録。會臣被罪,逐放邊野,恐所懷隨軀朽腐，抱恨黄泉，遂不設施，謹先顛踣，科條諸志。臣欲删定者一，所當接續者四，前《志》所無臣欲著者五，及經典羣書所宜捃摭，本奏詔書所當依據，分别首目，并書章左，惟陛下留神省察。臣謹因臨戎長霍圉封上。'有《律曆意》第一，《禮意》第二，《樂意》第三，《郊祀意》第四，《天文意》第五，《車服意》第六。"《後漢書·蔡邕傳》注。

《唐六典》九："明帝詔固入東觀，與陳宗、尹敏、孟冀共成《光武本紀》。其後劉珍、劉毅、伏無忌、黄景等，相次著述，東觀所撰書，謂之《東觀漢記》。"

魏文帝《典論》："《書鈔》六十二引。李尤字伯仁，少有文章。賈逵薦尤有相如、揚雄之風，拜蘭臺令史，與劉珍等共撰《漢記》。"

《史通·正史篇》："在漢中興，明帝始詔班固與睢陽令陳宗、長陵令尹敏、司隸從事孟異作《世祖本紀》，并撰功臣及薪市、平林、公孫述事，作列傳、載記二十八篇。又詔史官謁者僕射劉珍及諫議大夫李尤雜作紀，表，《名臣》、《節士》、《儒林》、《外戚》諸傳，起自光武，訖乎永初。珍、尤卒，復命侍中伏無忌與諫議大夫黄景作諸王、王子、[①]功臣恩澤侯表，《南單于》、《西羌傳》，《地理志》。至元嘉元年，復令太中大夫邊韶、大軍營司馬崔寔、議郎朱穆、曹壽雜作孝穆、崇二皇后及順烈皇后傳，又增《外戚傳》入安思等后，《儒林傳》入崔篆諸人。寔、壽又與議郎延篤雜作《百官表》，順帝功臣孫程、郭願及鄭眾、蔡倫等傳。[②] 凡百十有四篇，號曰《漢記》。熹平中，光禄大夫馬日磾，議郎蔡邕、楊彪、盧植著作東觀，接續紀傳之可成者，而邕别作《朝會》、《車服》二志。坐事徙朔方，上書求還，續成十

① "子"上原脱"王"字，據《史通通釋》補。

② 原脱"傳"字，據《史通通釋》補。

志。會董卓作亂，大駕西遷，舊文散佚。及在許都，楊彪頗存注記也。”

高似孫《史畧》曰：“劉知幾大譏《漢記》述前人之言，以爲可焚可嗤。其對蕭至忠有曰：‘古之國史，皆出一家，未嘗藉功于衆。惟後漢《東觀》集羣儒纂述，人人自爲政駿，其言盡之矣。’今姑録之序于前。夫張衡、蔡邕豈不以辭筆自騁，而所序如此，是可與班、馬抗歟？”

紀昀校輯本序：“《東觀漢記》，《隋書・經籍志》稱長水校尉劉珍等撰。今考之范《書》珍傳，未嘗爲長水校尉。且此書創始明帝時，不可題珍等居首。案范書《班固傳》云：‘明帝始詔班固與睢陽令陳宗、長陵令尹敏、司隸從事孟冀共成《世祖本紀》，并撰功臣、平林、新市、公孫述事，作列傳、載記二十八篇。’此《漢記》之初創也。劉知幾《史通・古今正史篇》云：‘安帝詔史官謁者僕射劉珍及諫議大夫李尤雜作記，表，《名臣》、《節士》、《儒林》、《外戚》諸傳，起建武，訖永初。’范書《劉珍傳》亦稱‘鄧太后詔珍與劉騊駼作建武以來名臣傳’，此《漢記》之初續也。《史通》又云：‘劉珍等卒，復命侍中伏無忌與諫議大夫黄景作諸王、王子、功臣恩澤侯表，《南單于》、《西羌傳》，《地理志》。元嘉元年，復令大中大夫邊韶、大軍營司馬崔寔、議郎朱穆、曹壽雜作孝穆、崇二皇后及順烈皇后傳，又增《外戚傳》入安思等后，《儒林傳》入崔篆諸人。寔、壽又與議郎延篤雜作《百官表》，順帝功臣孫程、郭願及鄭衆、蔡倫等傳。凡百十有四篇，號曰《漢記》。’范書《伏湛傳》亦云：‘元嘉中，桓帝詔伏無忌與黄景、崔寔等共撰《漢記》。’《延篤傳》亦稱：‘篤與朱穆、邊韶共著作東觀。’此《漢記》之再續也。蓋至是而史體粗備，乃肇有《漢記》之名。《史通》又云：‘熹平中，光禄大夫馬日磾，議郎蔡邕、楊彪著作東觀，接續紀傳之可成者,而邕别作《朝會》、《車服》二志。後坐事徙朔方,上書求還,續成十志。董卓作亂,舊文散佚。及在許都,楊彪頗存注記。’案范書《蔡邕傳》:‘邕在東觀,與盧植、韓説等譔補《後漢記》,所作《靈紀》及十意,又補諸列傳四十二篇。因李傕之亂,多不存。’《盧植傳》亦稱:‘熹平中,植與邕、説並在東觀補續《漢記》。’又劉昭《補注》司馬《書》引袁山松《書》云:‘劉洪與蔡邕共述《律曆記》。’又引謝承《書》曰:‘胡廣博綜舊儀,蔡邕因以爲志。’又引謝沈《書》曰:‘蔡邕引中興以來所修者,爲《祭祀志》。’范《書》李賢注稱:‘邕上書云:“臣科條諸志,所欲删定者一,所當接續者四,前志所無欲著者五。”’此《漢記》之三續也。其稱東觀者,范書《安帝紀》李賢注引洛陽宫殿名云:‘南宫有東觀。’《竇章傳》:‘永初中,學者稱東觀爲老氏藏室,道家蓬萊山。’蓋東漢之初,著述在蘭臺。至章、和以後,圖籍盛於東觀,修史者皆在是也,故以名書。《隋志》稱凡一百四十三卷,而《新》、《舊唐書·志》則云一百二十六卷,又《録》一卷,蓋唐時已有闕佚。《隋志》又稱是書‘起光武,訖靈帝’,今考列傳之文,間及獻帝時事,蓋楊彪所補也。晋時以此書與《史記》、《漢書》爲三史,人多習之,故六朝及初唐人隸事釋書,類多徵引。自唐章懷太子李賢集諸儒注范《書》,盛行於代,此書遂微。北宋時,尚有殘本四十三卷,趙希弁《讀書附志》、邵博《聞見後録》並稱其書乃高鹿所獻,蓋已罕得。南宋《中興書目》則止存《鄧禹》、《吴漢》、《賈復》、《耿弇》、《寇恂》、《馮異》、《祭遵》、《景丹》、《蓋延》九傳,共八卷。維時有蜀本流傳,而錯誤不可讀。上蔡任滂始以秘閣本讐校,羅願爲序行之,板刻於江夏郡。又陳振孫《書録解題》稱其所見本,卷第凡十二,而闕第七卷、八二卷,卷數雖似稍多,而核其列傳之數,亦止九篇,則同無異於書目所載也。自元以來,此書久佚。《永樂大典》于鄧、吴、賈、耿諸韻内，並無《漢記》一語，則所謂九篇，明初即已不存矣。本朝姚之駰撰《後漢書補逸》，曾蒐集遺文，析爲八卷。然所採祇據劉昭《續漢志補注》、范《書》李賢注、虞世南《北堂書鈔》、歐陽詢《藝文類聚》、徐堅《初學記》五書，又往往掇拾不盡，挂漏殊多。今謹據姚本舊文，以《永樂大典》各韻所載，參考諸書，補其闕逸，所增者幾十之六。其書久無刊本，傳寫多訛，姚本隨文鈔録，謬戾百出。《漢記》目録雖佚，而記、表、志、傳、載記諸體例，《史通》及各書所載，梗概尚一一可尋。姚本不加攷證，隨標題割裂顛倒，不可殫數。今悉加釐正，分爲帝紀三卷，年表一卷，志一卷，列傳十七卷，載記一卷。其篇第無可攷者，别爲佚文一卷。而以《漢記》與范《書》異同，附録於末，雖殘珪斷璧，零落不完，而古澤斑斕，罔非瑰寶。書中所載，如章帝之詔增修羣祀、杜林之議郊祀、東平王蒼之議廟舞，並一朝大典，而范《書》均不詳載其文。他如張順預起義之謀、王常贊昆陽之策、楊正之嚴正、趙勤之潔清，亦復概從闕如，殊爲疏畧。惟賴茲殘笈，讀史者尚有所循，則其有資攷證，良匪淺鮮，尤不可不亟爲表章矣。”

案據《史通》，則《漢志》原本諸志衹有《地理志》，餘志悉蔡邕所補續。今《漢記》輯本於諸志每多闕畧，且不知各書所引之蔡邕志即《漢記》，均失採録。今攷《邕傳》稱邕作十意，《别傳》亦言邕建言十志，而其戍邊上書，所載目録衹有《律曆》、《禮樂》、《郊祀》、《天文》、《車服》六志，合以《史通》所載《朝會志》，亦僅七志。其逸文存者，《文選·陸倕漏刻銘》注引“律所革，以變律吕，相生至六十也”，稱蔡邕《律曆志》，即《别傳》所謂《律曆意》弟一者也。《御覽》五百三十三引“孝武封禪，始立明堂於太山。元始中，王莽乃起明堂辟雍”，《初學記》、《類聚》均引。《續漢·禮儀志》中注引“漢樂四品”一條,《文選·西都賦》注、《長笛賦》注亦引。《書鈔》八十七引“國之大事,實在祀典”,范書《班固傳》注引“大予樂郊祀陵廟殿中諸食舉樂也”,俱稱蔡邕《禮樂志》。《書鈔》九十六引“世祖追修前業,採讖緯之文,改太樂食舉曰大予樂”,稱蔡邕敘樂,即《别傳》所謂《禮意》弟二、《樂意》弟三者也。《續漢·祭祀志下》注引“孝明立世祖廟”一條,下又引“宗廟迭毁”一條,中皆有“宜在《郊祀志》”等語,雖標目但稱表志,確爲《郊祀意》之文,無疑即《别傳》所謂《郊祀意》弟四者也。《御覽》七十三引“俗人失其名,故名冕爲平天冠,五時副車曰五帝,鸞旗曰雞翹,金根曰三蓋。其制非一”,《續漢書·輿服志》注引作表志,《文選·東都賦》注、《王元長曲水詩》序注。六百九十二引“孝明帝作蠙珠之佩,以郊祀天地”,一稱蔡邕《車服志》,一稱蔡邕《輿服志》,即《别傳》所謂《車服意》弟六者也。《續漢·禮儀志》中“論大朝受賀”下,注引“羣臣朝見之儀”一條,稱“蔡邕曰當出《朝會意》”,即《史通》所謂别作《朝會志》者是也。羣書稱引,亦無有出七志之外者。且邕上章云“前志所無,臣欲著者五”,今七志中《律曆》、《天文》、《禮樂》、《郊祀》四志,皆在邕上書所謂“當接續者四”之中。惟《車服》、《朝會》二志爲邕所獨創,尚有三志,豈有志而未卒業耶?故各書無從徵引耳。

荀悦　漢紀　《隋志》:三十卷。《唐志》、《舊唐志》、《宋史·志》俱同。今存三十卷。

《四庫全書提要》:“悦字仲豫,潁陰人。獻帝時官秘書監、侍中。《後漢書》附見其祖《荀淑傳》。稱‘獻帝好典籍,以班固《漢書》文繁難省,乃令悦依《左氏傳》體爲《漢紀》三十篇。詞約事詳,論辨多美’。張璠《漢紀》亦稱其因事以明臧否,致有典要,大行於世。唐劉知幾《史通·六家篇》以悦書爲《左傳》

家之首，其《二體篇》又稱其'歷代寶之，有逾本傳；班、荀二體，角力争先'。其推之甚至。故唐人試士，以悦《紀》與《史》、《漢》爲一科。《文獻通考》載宋李燾跋曰：'悦爲此《紀》，固不出班書，亦時有所删潤。而諫大夫王仁、侍中王閎諫疏，班書皆無之。'又稱'司馬光編《資治通鑑》，書太上皇事及五鳳郊泰畤之月，要皆舍班而從荀。蓋以悦修《紀》時，固書猶未舛譌'。又稱'其君蘭、君簡、端、瑞、興、譽、寬、竟諸字與《漢書》互異者，先儒皆兩存之'。王銍作《兩漢紀》後序，亦稱'荀、袁二《紀》於朝廷紀綱、禮樂刑政、治亂成敗、忠邪是非之際，指陳論著，每致意焉。反復辨達，明白條暢，啟告當代，而垂訓無窮'。是宋人亦甚重其書也。其中若壺關三老茂，《漢書》無姓，悦書云姓令狐。朱雲請尚方劍，《漢書》作'斬馬'，悦書乃作'斷馬'。證以唐張渭詩'願得上方斷馬劍，斬取朱門公子頭'句，知《漢書》字誤。資考證者亦不一。近時顧炎武《日知録》乃惟取其宣帝賜陳遂璽書一條，及元康三年封海昏侯詔一條，能改正《漢書》三四字。其餘則病其敘事索然無意味，間或首尾不備，其小有不同，皆以班書爲長，未免抑揚過當。又曰紀王莽事自始建國元年以後，則云'其二年'、'其三年'，以至'其十五年'，以别於正統，而盡没其天鳳、地皇之號云云。其語不置可否。然不曰盡削而曰盡没，似反病其疏畧者。不知班書莽自爲傳，自可載其僞號；荀書以漢系編年，豈可以莽紀元哉！是亦非確論，不足爲悦病也。是書考李燾所跋，自天聖中已無善本。明黄姬水所刊亦間有舛譌，康熙中襄平蔣國祥、蔣國祚與袁宏《後漢紀》合刻，後附《兩漢紀字句異同考》一卷，今用以參校，較舊本稍完善焉。"

應劭　注荀悦漢紀　《唐志》：三十卷。

劉艾　漢帝傳　《七録》：六卷。《新》、《舊唐志》同。《隋志》：三卷。

侯康曰:"《隋志》稱侍中劉艾,考艾官侍中,在獻帝興平年間,《獻帝本紀》'興平元年,使侍中劉艾出讓有司'是也。據《三國志·董卓傳》注引《獻帝紀》,知其曾爲陝令。據范書《董卓傳》,知其曾爲卓長史。据《魏武紀》建安元年注引張璠《漢紀》十九年注引《獻帝起居注》,知其又爲宗正。据廿一年注引《獻帝傳》,知其又以宗正使持節行御史大夫。而《隋志》但稱侍中者,豈其著書在興平間耶?今考《後漢書·靈紀》、《獻紀》、《董卓傳》注、《三國志·武紀》、《董卓》、《張楊》、《賈詡》、《劉焉》、《孫堅》諸傳注,屢引此書,或稱紀爲記。皆興平及建安初年事。惟《賈詡傳》引一條云:'後以段煨爲大鴻臚、光禄大夫,建安十四年,以壽終。'此或後來又有增益。艾官至行御史大夫,以後更不見其事蹟,蓋未嘗入魏,獻帝之名,當是後人追加耳。"

案《隋》、《唐志》皆作"《靈獻二帝紀》"。攷劉艾未嘗入魏,無由題獻帝謚。素蓄此疑,後讀《初學記·鳥部》引一條,題《漢帝傳》,知此書初題"漢帝","靈獻"二字後人追加耳。云傳者,蓋法《漢志》《高帝傳》、《孝文傳》而作。玆特改從《初學記》標之。又《文選·登孫權故城詩》注引《靈獻紀》太史丞許芝奏當塗高代漢一事,事涉曹魏,恐由後人增益。至《三國志》注所引《獻帝傳》,當另是一書,不與此書相涉也。

何英　漢德春秋　《華陽國志》:十五卷。

《華陽國志》:"英字叔俊,郪人。著《漢德春秋》十五卷。"

《蜀中著作紀》:"《漢德春秋》,漢何英著。英,郪人,何武弟也,與成都楊申俱通經緯。"

侯康曰:"《華陽國志·蜀都士女》卷中有英傳,不言何代,而《序志》卷中則屬之後漢。《經義考》引《蜀中著作紀》以爲何武之弟，未知何本。即如其言，亦未嘗不可入後漢也。”

杜撫等　建武注記　卷數佚。

范書《馬嚴傳》：“顯宗召見，嚴進對閑雅，意甚異之，有詔留仁壽闥，與校書郎杜撫、班固等雜定《建武注記》。”

案《漢書・律曆志》引“以景帝後高祖九世孫受命中興復漢，改元曰建武，歲在鶉尾之張度。建武三十一年，中元二年，即位三十三年”，稱“光武皇帝著紀”。

馬明德皇后　孝明皇帝起居注　卷數佚。

《隋志》：“起居注者，録人君言行動止之事。後漢明德馬皇后撰《明帝起居注》，然則漢時起居注似在宫中，爲女史之職。然皆零落不可復知，今之存者，有漢獻帝及晋代以來起居注。”

袁宏《後漢紀》：“初，明帝寢疾，馬防爲黄門郎，參侍醫藥。及太后爲《明帝起居注》，削去防名。”

《唐六典》八：“明德皇后撰《明帝起居注》，然則漢時起居注似在宫中，爲女史之職。”

高似孫曰：“《顯宗起居注》，明德皇后自撰，漢之後宫好文通史有如此者。”

案《初學記》三十：“《風俗通》引‘東巡泰山，到滎陽，有烏飛鳴乘輿上，虎賁王吉射中之，[①]而祝曰：“烏烏啞啞，引弓射左腋。[②] 陛下壽萬歲，臣爲二千石。”帝賜錢二百萬，令亭壁畫爲烏也。’”稱《明帝起居注》。《御覽》七百三十六、九百二十同。《文選・赭白馬賦》注小異。今《風俗通》佚此文。

長樂宫注　卷數佚。

---

① “虎”，原誤作“虞”，據中華本《初學記》改。

② “左”上原有“洞”字，據中華本《初學記》删。

范《書》:"元初五年,平望侯劉毅上書,以太后多德政,欲令史官著《長樂宫注》、《聖德頌》。帝從之。"《鄧太后本紀》。

漢靈帝起居注　卷數佚。

袁宏《後漢紀序》:"嘗讀《後漢書》煩穢,[①]聊以暇日,撰集爲《後漢紀》。其所會綴,《漢記》、謝承《書》、司馬彪《書》、謝沈《書》、華嶠《書》、《漢靈獻起居注》。"

侯康曰:"《獻帝起居注》,其書似魏人作,故今但録靈帝注。"

漢獻帝起居注　《隋志》:五卷。

案侯説非。漢時,起居注皆在宫中,爲女史之職。《隋志》謂"皆零落不可復知,今之存者,有《漢獻帝起居注》,皆近侍之臣所録"。則《隋志》不以爲魏人作,其言當有所據。裴松之《三國志》注數引《獻帝起居注》,其《武帝紀》所引最多。攷其事蹟,至建安十九年迎貴人一條而止。其餘列傳所引,如《董卓傳》注引李傕迎天子二條,在興平二年;《邴原傳》注引置徵事二人一條,在建安十五年;《蜀志・先主傳》注引董承事一條,在建安五年;《吴志・孫破虜傳》注引天子得六璽一條,在初平二三年間。總無及十九年以後事,則似自此年以後,曹女入宫,女史之職遂廢,故繁壇禪璽、山陽殂位事皆不入也。又魏時諸書,如王粲《英雄》、樂資《載記》,皆諱操名,稱其廟號。而《武帝紀》引此書載奏袁紹事一條,直稱曹操,亦非魏人作之一顯證也。起居之作,成非一朝,紀非一人,故《隋志》著録不標撰人,如《晋建武大興起居注》是也。其有後人網羅追述先典則標之,如李軌《晋泰始咸寧》等起居注是也。而其録此書,但云《漢獻帝起居注》五卷,無作者姓名,可見非後人追録矣。尋侯

① "嘗",原作"當",據文淵閣四庫全書本《後漢紀》改。

氏之意，不過以獻帝標目遂生疑竇。愚謂此當是後人追題，亦如《漢帝傳》之追改爲《靈獻二帝紀》耳，兹特辨而録之。

凡史記二十一部，卷數可攷者四百六十五卷。

延篤　戰國策論　《隋志》：一卷。《新》、《舊唐志》同。

案《史記索隱・高祖紀》引"商君告歸。告歸，今之歸寧也"，《魯仲連傳》引"富比陶衛。陶，陶朱。衛，衛公子荆"，《匈奴傳》引"胡革，帶鉤也"，《文選・曹公與孫權書》注引"尸，雞中主也。從謂牛子也"，《史記索隱・蘇秦傳》亦引。《文選・檄吴將校部曲》注引"係蹄，獸絆也"，並稱延篤《戰國策注》。《文選・阮籍詠懷詩》注引"因是已，因事已，[①]復有是也。茹谿，谿流所沃者美好也"，稱延叔堅《戰國策論》。《文選・求立太宰碑》注引"爲王先用填黄泉，爲王作蓐以御螻螻"，稱延叔堅《戰國策論語》。"語"字疑衍。《顔氏家訓・書證篇》引"雞尸牛從謂雞口牛後，俗寫之譌"，稱延篤《戰國策音義》。侯氏謂諸書所引，全非論體，顔黄門所稱其名似勝《隋》、《唐志》。然古人命名，各有義類。觀《文選・求立太宰碑》一條、《詠懷詩》注一條，其言大似論説。則知《隋》、《唐志》未必無本，不可輕改，仍從《隋志》標之。

高誘　戰國策注　《隋志》：二十一卷。《新》、《舊唐志》同。《宋志》：三十三卷。今存八卷。

《四庫全書提要》："舊本題漢高誘注。今攷其書，實宋姚宏校本也。《文獻通考》引《崇文總目》曰：'《戰國策》篇卷亡闕，第二至第十、第三十一至第三十三闕。又有後漢高誘注本二十

---

① "事"，原作"是"，據中華書局影印本《文選》李善注（以下簡稱《文選》李善注）改。

卷,今闕第一、第五、第十一至二十,止存八卷。'曾鞏《校定序》曰:'此書有高誘注者二十一篇,或曰三十二篇,《崇文總目》存者八篇,今存者十篇。'此爲毛晋汲古閣影宋鈔本,雖三十三卷,皆題曰高誘注,而有誘注者僅二卷至四卷、六卷至十卷,與《崇文總目》八篇數合。又最末三十二、三十三兩卷,合前八卷,與曾鞏《序》十篇數合。而其餘二十三卷,則但有考異而無注。其有注者,多冠以續字。其偶遺續字者,如《趙策一》郄疵注、雒陽注皆引唐林寶《元和姓纂》,《趙策二》甌越注引魏孔衍《春秋後語》,《魏策三》芒卯注引《淮南子》注。衍與寶在誘後,而《淮南子》注即誘所自作。其非誘注,可無庸置辨。葢鞏校書之時,官本所少之十二篇,誘書適有其十,惟闕第五、第三十一。誘書所闕,則官書悉有之,亦惟闕第五、第三十一。意必以誘書足官書,而又于他家書内摭二卷補之,此官書、誘書合爲一本之由。然鞏不言校誘注,則所取惟正文也。迨姚宏重校之時,乃併所存誘注入之,故其自序稱'不題校人并題續注者,皆余所益,'知爲先載誘注,故以續爲别。且凡有誘注,復加校正者,並於夾行之中又爲夾行,與無注之卷不同。知校正之時,注已與正文並列矣。卷端曾鞏、李格、王覺、孫樸諸序跋,皆前列標題,各題其字。而宏序獨空一行,列於末,前無標題。《序》中所言體例,又一一與書合,其爲宏校本無疑。其卷卷題高誘名者,殆傳寫所增,以贋古書耳。書中校正稱曾者,曾鞏本也;稱錢者,錢藻本也;稱劉者,劉敞本也;稱集者,集賢院本也;無姓名者,即宏《序》所謂不題校人,爲所加入者也。其點勘頗爲精密,吴師道作《戰國策鮑注補正》,亦稱爲善本。是元時猶知注出於宏,不知毛氏宋本何以全題高誘。考周密《癸辛雜識》稱賈似道嘗刊是書,豈其門客廖瑩中等皆媟褻下流,昧於檢校,一時誤題,毛氏適從其本影鈔歟？近時楊州所刊，即從此本録出，而仍題誘名，殊爲沿誤。今於原有注之卷，題'高誘注'；姚宏校正續注原注已佚之卷，則惟題'姚宏校正續注'，而不列誘名，庶幾各存其真。宏字令聲，一曰伯聲，剡川人。嘗爲删定官，以伉直忤秦檜，瘐死大理獄中。蓋亦志節之士，不但其書足重也。"

衛颯　史要　《隋志》：十卷。《新》、《舊唐志》作《史記要傳》，卷同。

《隋志》："約《史記》要言，以類相從。"

吴君高　越紐録　卷數佚。

《論衡·案書篇》："東藩鄒伯奇，臨淮袁太伯、袁文術，會稽吴君高、周長生之輩，位雖不至公卿，誠能知之囊橐，文雅之英雄也。觀伯奇之《元思》，太伯之《易章句》，文術之《咸銘》，君高之《越紐録》，[①]長生之《洞歷》，劉子政、楊雄不能過也。"

胡侍《珍珠船》曰："《論衡·按書篇》有會稽吴君高《越紐録》，意者君高即吴平之字，'越紐'爲'越絶'之譌也。"

侯康曰："論者多疑即《越絶書》，然究無實證，今仍分録之。"

案《書虚篇》引"會稽本山名，夏禹巡狩，會計於此山，因以名郡，故曰會稽"，稱吴君高説。

周樹　洞歷　《論衡》：十篇。

謝承《書》："周樹，八辟從事。"《書鈔》七十三。

《論衡·超奇篇》："周長生作《洞歷》十篇，上自黄帝，下至漢朝。鋒芒毛髮之事，莫不紀載，與太史公表、紀相似類也。上通下達，故曰《洞歷》。"又見《書虚篇》。

案范成大《吴郡志·人物門》載《史記正義》引"姓周，名術，字元道，太伯之後。漢高祖時，與東園公、綺里季、夏黄公俱出定太子，號曰四皓"，稱周樹《洞歷》。今《史記正義》無

---

① "之越"，原互倒，據《補編》本乙正。

此文，蓋爲後人刊落，樹當即長生名。

侯瑾　皇德傳　《宋書》：二十五卷。《隋志》：三十卷。《新》、《舊唐志》同，作《皇德紀》。

范《書》："瑾又案《漢記》撰中興以後行事，爲《皇德傳》三十篇，行於世。"

《宋書·大且渠榮遜傳》："茂虔奉表獻《皇德傳》二十五卷。"

《隋志》："起光武，至冲帝。"

案《書鈔》八十八引"章帝詔使者奉太牢祠唐堯於陽城靈臺"，《御覽》五百二十六引。八十九引"章帝至於岱宗，柴望既畢，黄鶴三十從西南來"，稱侯瑾《皇德傳》。《御覽》九十一引"安帝崩，北鄉侯即尊位。十月，北鄉侯薨，以王禮葬"，四百二十六引"蓋晋，燉煌人也，天性皎潔，自小未嘗過人飯，貧爲官書，得錢足供而已，不取其餘"，八百九十一引"世祖遣鄧禹西征，送之於道。既返，因於野田獵。路見二老翁即禽，並西指言此中多虎，大王勿往也"，《續漢五行志補注》引"白虹貫日，破軍，晋分也"，並稱《漢皇德傳》，不標侯瑾。《御覽》八百二十九引"侯瑾字子瑜，燉煌人"一條，稱《漢皇德頌》，此蓋其《自序》。本傳、《宋書》皆作"《皇德傳》"，《隋》、《唐志》作"《皇德紀》"，未知何本，玆從本傳。

伏無忌　古今注　《隋志》：八卷。《舊唐志》同。《唐志》：三卷。

范書《伏湛傳》："子無忌采古今，删著事要，號曰伏侯注。"

章懷曰："其書上自黄帝，下盡漢質帝，爲八卷。見行於今。"

又曰："伏侯《古今注》曰：'肇之子曰始，肇音兆。'案許慎《説文》'肇音大可反。上諱也'，但伏侯、許慎並漢時人，而帝諱不同，蓋應别有所據。"

馬國翰曰："其書多言符瑞災異，而於漢諸帝名諱、山陵爲詳。崔氏《古今注》蓋仿於此。《隋志》崔書入雜家，此書入雜史，不若《唐志》之允。”

侯康曰：“《後漢書》諸本紀注、又劉昭注《續漢志》屢引之，他列傳亦間引，或稱伏侯，或不稱伏侯，核其文義，皆出伏書，非出崔豹書也。惟《靈帝紀》注引一條云：‘宏之字曰大。’此則甚誤，章懷明言其書下盡質帝。《禮儀志》下注引此書，備載後漢諸帝陵丈尺頃畝，亦至質帝静陵止。葢無忌撰書在桓帝時，故不及桓、靈以後也。《史記索隱》屢引《古今注》，而不著名姓，其不見崔豹書者，當皆出此。然今世所行崔書，亦非原帙。《索隱》所引，終難定其爲崔爲伏耳。”

案章懷太子注稱其‘上自黄帝，下盡漢質’，今攷諸書所引，兩漢之事爲多。惟《書鈔》百四十五引“趙高獻蒲脯”，《初學記》二十六引“曾参鋤瓜，有三足烏集其冠”，范書《蔡邕傳》注引“黄帝與蚩尤戰於涿鹿之野，常有五色雲氣金芝玉葉，因而作華葢”，則皆遠稽上古。

應奉　漢書述　袁山松《後漢書》：十七卷。《册府元龜》作七十卷。

范書《應奉傳》：“著《漢書》《册府元龜》五百五十五引‘書’下有‘述’字，此脱。後序》，多所述載。”袁山松《書》：“奉又删《史記》、《漢書》及《漢記》三百六十餘年，自漢興至其時。”

案《史記索隱·匈奴傳》引“應奉曰：‘秦築長城，徒役之士，亡出塞外，依鮮卑山，因以爲號。’”《通典》職官門注引“應奉曰：‘高帝承秦，禮儀多闕。灌嬰服事七年，號大謁者，後人掌之，以姓灌章列於《漢書》也。’”范書《雷義傳》章懷注引“胡廣云：‘明、章二帝服勤園陵，謁者灌桓，後遂稱云。’應奉云：‘如胡公之言，則吉凶異制。’”皆此書中語。

應劭　中漢輯序　卷數佚。

范《書》：“劭又論著當時行事，著《中漢輯序》。”

《續漢書》：“劭又著《中漢輯敘》、《漢官儀》及《禮儀故事》，凡十一種,百三十六卷。朝廷制度、百官儀式所以不亡者,由劭記之。"《魏志·王粲傳》。

荀爽　漢語　卷數佚。

范《書》:"爽又集漢事成敗可爲鑒戒者,謂之《漢語》。"

《史記·孝文紀》索隱:"《漢語》,書名,荀爽作也。"

案《史記·文帝紀》"遺詔臨者,皆無踐"。晋灼曰:"《漢語》作'跣'。"《漢書·昭帝紀》注引"丁外人字少君",《宣帝紀》注引"馮殷字子都",《霍光傳》注引"光嫡妻東閭氏生安夫人,[1]昭后之母也",又引"東閭氏亡,顯以婢代立,素與馮殷姦",皆晋灼引《漢語》。

袁康　吴平　越絶書　《隋志》:十六卷。《新》、《舊唐志》同。《宋志》:一十五卷。今存十五卷。

《四庫全書提要》:"不著撰人名氏。書中《吴地傳》稱勾踐徙瑯琊,到建武二十八年,凡五百六十七年,則後漢初人也。書末敘外傳記,以廋詞隱其姓名。其云'以去爲姓,得衣乃成',是袁字也。'厥名有米,覆之以庚',是康字也。'禹來東征,死葬其疆',是會稽人也。又云'文詞屬定,自于邦賢。以口爲姓,承之以天',是吴字也。'楚相屈原,與之同名',是平字也。然則此書爲會稽袁康所作,同郡吴平所定也。王充《論衡·按書篇》曰:'東藩鄒伯奇,臨淮袁太伯、袁文術,會稽吴君高、周長生之輩,位雖不至公卿,誠能知之囊橐,文雅之英雄也。觀伯奇之《元思》,太伯之《易童句》,按'童'疑作'章'。文術之《箴銘》,君高之《越紐録》,長生之《洞歷》,劉子政、楊子雲不能過也。'所謂吴君高,殆即平字。所謂《越紐録》,殆即此書歟?楊慎《丹鉛録》、胡侍《珍珠船》、田藝蘅《留青日札》,

---

① "嫡"上原有"長女"二字,爲正文語,非注中語。據中華本《漢書》删。

皆有是說。核其文義,一一吻合。《隋》、《唐志》皆云子貢作,非其實矣。其文縱横曼衍,與《吴越春秋》相類,而博麗奥衍則過之。中如計倪内經軍氣之類,多雜術數家言,皆漢人專門之學,非後來所能依託也。此本與《吴越春秋》皆大德丙午紹興路所刊,卷末一跋,諸書所無,惟申明復仇之義,不著姓名。詳其詞意,或南宋人所題耶？鄭明選《秕言》引'《文選·七命》注引《越絶書》"大翼一艘十丈,中翼九丈六尺,小翼九丈"',又稱'王鏊《震澤長語》引《越絶書》"風起震方"'云云,謂今本皆無此語,疑更有全書,惜未之見。按《崇文總目》稱'《越絶書》舊有内記八、外傳十七。今文題闕舛,裁二十篇',是此書在北宋之初已佚五篇。《選注》所引,蓋佚篇之文。王鏊所稱,亦他書所引佚篇之文。以爲此本之外,更有全書,則明選誤矣。别有《續越絶書》二卷,上卷曰《内傳本事》、《吴内傳》、《德序記》、《子游内經外傳》、《越絶後語》、《西施鄭旦外傳》,下卷曰《越外傳》、《雜事别傳》、《變越上别傳》、《變越下經》、《内雅琴考序傳後記》。朱彝尊《經義攷》謂爲錢鶚僞撰,詭云得之石匣中。鶚與彝尊友善,所言當實。今未見傳本,其僞妄亦不待辨。以其續此書而作,又即託於撰此書之人,恐其幸而或傳,久且亂真。又恐其或不能傳,而好異者耳聞其説,且疑此書之真有續編,故附訂其僞於此,釋來者之惑焉。"

趙長君　吴越春秋　《隋志》:十二卷。《新》、《舊唐志》同。《宋志》:十卷。今存。

《四庫全書提要》:"煜,山陰人。見《後漢書·儒林傳》。是書前有舊序,稱'《隋》、《唐經籍志》皆云十二卷,今存者十卷,殆非全書'。又云'楊方撰《吴越春秋削繁》五卷,皇甫遵撰《吴越春秋傳》十卷,此二書今人罕見,獨煜書行於世。《史記》注有徐廣所引《吴越春秋》語,而《索隱》以爲今無此語。他如

《文選注》引季札見遺金事,《吴地記》載闔閭時夷亭事,及《水經注》嘗載越事數條,類皆援據《吴越春秋》,今煜本咸無其文'云云。考證頗爲詳悉,然不著名姓。《漢魏叢書》所載,合十卷爲六卷,而削去此序併注,亦不題撰人,彌失其初。此本爲元大德十年丙午所刊,後有題識云'前有文林郎、國子監書庫官徐天祜音注',然後知注中稱徐天祜曰者,即注者之自名,非援引他書之語。惟其後又列紹興路儒學學録留堅,學正陳昺伯,教授梁相,正議大夫、紹興路總管提調學校官劉克昌四人,不知序出誰手耳。煜所述雖稍傷曼衍,而詞頗豊蔚。其中如伍尚占甲子之日,時加於巳;范蠡占戊寅之日,時加日出,有螣蛇青龍之語;'文種占陰畫六、陽畫三',有玄武、天空、天關、天梁、天一、神光諸神名,皆非三代卜筮之法,未免多所附會。至於處女試劍、老人化猿、公孫聖三呼三應之類,尤近小説家言,然自是漢、晋間稗官雜記之體。徐天祜以爲不類漢文,是以馬、班史法求之,非其倫也。天祜注於事迹異同,頗有考證。其中如季孫使越,子期私與吴爲市之類,雖猶有未及詳辨者,而原書失實之處,能糾正者爲多。其旁核衆説,不徇本書,猶有劉孝標注《世説新語》之遺意焉。"

凡雜史十二部,篇卷數可攷者十篇一百十五卷。

補後漢書藝文志攷卷五終

補後漢書藝文志攷卷六

常熟　曾樸　纂

記傳志内篇第二之二

紀舊事、雜傳、地域。

王隆　小學漢官篇　《隋志》：三篇。《唐志》：三卷。《舊唐志》同。

胡廣　漢官解詁　《隋志》：三篇。《新》、《舊唐志》：三卷。

《續漢書・百官志》："新汲令王隆作《小學漢官篇》，諸文倜説，較畧不究。"

《隋志》："漢末王隆、應劭等，以《百官表》不具，乃作《漢官解詁》、《漢官儀》等書。"

胡廣注隆此篇，其論之曰："前安帝時，越騎校尉劉千秋校書東觀，好事者樊長孫與書曰：'漢家禮儀，叔孫通等所草創，皆隨律令在理官，藏於几閣，無紀録者久，令二代之業，闇而不彰。誠宜撰次，依擬《周禮》，定位分職，各有條序，令人無愚智，入朝不惑。君以公族元老，正丁其任，焉可以已！'劉君甚然其言，與邑子通人郎中張平子參議未定，而劉君遷爲宗正、衛尉，平子爲尚書郎、太史令，各務其職，未暇恤也。至順帝時，平子爲侍中典校書，方作《周官解説》，乃欲以漸次述漢事，[1]會復遷河間相，遂莫能立也。述作之功，獨不易矣。既感斯言，顧見故新汲令王文山《小學》爲《漢官篇》，畧道公卿

---

[1] "乃"，原误作"及"；"漸"，原误作"漢"，據中華本《後漢書》改。

内外之職,旁及四夷,博物條暢,多所發明,足以知舊制儀品。蓋法有成易,而道有因革,是以聊集所宜,爲作詁解,各隨其下,綴續後事,令世施行,庶明厥旨,廣前後憤盈之念,增助來哲多聞之覽焉。"

孫星衍《漢官解詁·序》:"《漢官篇》仿《凡將》、《急就》,四字一句,故在小學中。"

胡廣　百官箴　范《書》:四十八篇。

范《書》:"初,揚雄依《虞箴》作十二州、二十五官箴,其九箴亡闕。後涿郡崔駰及子瑗、又臨邑侯劉騊駼增補十六篇。廣復繼作四篇,文甚典美。乃悉譔次首目,爲之解釋,名曰《百官箴》,凡四十八篇。"

劉勰《文心雕龍》:"揚雄稽古,始範《虞箴》,卿尹州牧二十五篇。及崔、胡補綴,總稱百官,指事配位,鞶鑑可徵,信所謂追清風於前古,攀辛甲於後代者也。"

《文章流别論》:"揚雄依《虞箴》作十二州、二十五官箴,而傳於世,不具九官。崔氏累世彌縫其缺。胡公又次其首目而爲之解,署曰《百官箴》。"《書鈔》一百二。

章樵曰:"今存四十篇。"

嚴可均《全上古三代漢魏晋六朝文目敘録》曰:"後漢《胡廣傳》:'初,揚雄依《虞箴》作十二州、二十五官箴,其九箴亡闕。後涿郡崔駰及子瑗、又臨邑侯劉騊駼增補十六篇。廣復繼作四篇,乃悉撰次首目,名曰《百官箴》,凡四十八篇。'如傳此言,則子雲僅存二十八箴。今徧檢羣書,除《初學記》之《潤州箴》、《御覽》之《河南尹箴》顯誤不録外,得州箴十二,官箴二十一,凡三十三箴,視東漢時多出五箴。縱使《司空》、《尚書》、《太常》、《博士》四箴可屬崔駰、崔瑗,仍多出一箴,與《胡廣傳》未合。猝求其故而不得,覆審乃明。所謂亡闕者,謂有亡有闕。《侍中》、《太史令》、《國三老》、《太樂令》、《太官令》五箴多闕文,其四箴亡,故云九箴亡闕也。《百官箴》收整篇,不收殘篇,故子雲僅二十八篇。羣書徵引據本集,本集整篇、殘篇兼載,故有三十三篇。其《司空》、《尚書》、《太常》、《博士》四箴,《類聚》作揚雄,必可據信也。"

侯康曰:"《百官箴》今載《古文苑》者四十一篇,中有兩《尚書箴》。據《初學記》職官部,其一爲繁欽作,不得列四十八篇內,當除去,尚缺八篇。《御覽》二百廿九引胡廣《陵令箴》、崔寔《太醫令箴》、揚雄《太官令箴》,二百卅五引揚雄《太史令箴》,二百四十一引胡廣《邊都尉箴》,尚缺三篇。廣傳稱'揚雄十二州、二十五官箴,其九箴亡闕。崔駰及子瑗、劉騊駼增補十六篇。廣繼作四篇'。今合諸亡篇考之,其二爲廣作,其一篇不可考,《古文苑》所載名字參錯故也。《胡廣傳》載作箴諸人無崔寔,而《古文苑》及《御覽》有之;廣傳有廣及劉騊駼,而《古文苑》無之。然所載崔瑗《侍中箴》,《初學記》職官部引作胡廣;崔瑗《郡太守箴》,《藝文類聚》州郡部引作劉騊駼。以此類推,知其中或尚有劉、胡作而誤題崔氏者。又《文選·赭白馬賦》注引劉騊駼《郡太守箴》二語,《古文苑》不載。《御覽》職官部引《河南尹箴》多四語,《司徒箴》多二語。葢《古文苑》亦從諸書采輯而來,容有脱漏也。"

按《御覽》五百八十八引"箴諫之興,所由尚矣。聖君求之於下,忠臣納之於上,故《虞書》曰:'予違汝弼,汝無面從,退有後言。'墨子著書,稱夏箴之辭",稱胡廣《百官箴序》。又引"昔揚子雲讀《春秋傳·虞人箴》而善之,於是作爲《九州》及《二十五官箴》規匡救,言君德之所宜,斯乃體國之宗也",稱崔瑗《序箴》。又按《古文苑》引"揚雄州箴十二,官箴十六,適得二十八篇。崔駰四篇,崔瑗七篇,得十一篇。

胡廣得一篇。合以廣傳所云崔駰等十六篇,尚缺五篇。胡廣四篇缺三篇”。攷《書鈔》六十三引崔駰《虎賁中郎將箴》,范書《光武紀》注引崔瑗《中壘校尉箴》,《初學記》職官部引胡廣《諫議大夫箴》、《古文苑》作崔寔。又引胡廣《御史箴》,《書鈔》六十三引胡廣《邊都尉箴》,《御覽》二百四十一亦引。《御覽》二百二十九引胡廣《陵令箴》,皆《古文苑》所缺載。則崔駰等十六篇中加二篇,所缺者僅三篇,而胡廣反多一篇。攷《諫議大夫》一箴,《古文苑》題作崔寔,《初學》十一同,知此篇非廣作。廣既除去此篇,適合四篇之數,而崔駰等十六篇中又加崔寔一篇矣。又據《御覽》二百廿九所引崔寔《太醫令箴》入之,則此書所缺袛崔駰等十六篇中缺一篇耳。惟范書不言崔寔作箴,《古文苑》於崔寔《諫議箴》下加一“附”字,且在四十篇之外,似寔作不列書中。然攷《文章流别》云“崔氏累世彌縫其缺”,則亦不能謂寔必不在内。疑《古文苑》所據,乃不完之本。及採他書引寔作,以范書無其人,且係己所採入,不敢妄列,故加一“附”字以别之,無甚確據也。至揚雄《侍中》等五箴闕佚,胡廣《百官箴》所未收,嚴説甚確,故雄有《侍中箴》,廣復有《侍中箴》。此即可證揚箴闕佚,廣爲補作,觀《文選》所引“光光常伯”等句與《古文苑》所載無一同句可知矣。

應劭　漢官注　《隋志》:五卷。《唐志》同。

應劭　漢官儀　《隋志》:十卷。《新》、《舊唐志》同。《宋志》:三卷。

《直齋書録解題》:“按《唐志》有《漢官》五卷、《漢官儀》十卷。今惟存《漢官儀》一卷,載三公官名及名姓、州里而已,其全書亡矣。”

高似孫曰:“《漢官》,不知何人作,應劭注。舊五卷,今存一。”

孫星衍《漢官》輯本序:“據《後漢書·應劭傳》,劭所撰止一書，不知《隋志》何以分爲二。又劭傳云：'凡朝廷制度、百官典式，多劭所立。初，父奉爲司隸時，並下諸官府郡國各上前人像贊。劭乃連綴其名，録爲《狀人紀》。'今諸書引《漢官儀》有諸人姓名，《狀人紀》者，疑即其書中篇名。陳氏《書録解題》有應劭《漢官儀》一卷，載三公官名及名姓、州里。李埴補一卷。俱不傳。諸書引有作應劭《漢官》、應劭《漢官儀》，亦有彼此互舛，不可分别，今併録爲二卷。《續漢志》劉昭補注引《漢官》不標名應劭者，悉是目録，不知何人所撰，别爲一卷，以存其舊。"

侯康曰："《隋志》於《漢官》稱應劭注，《漢官儀》稱應劭撰，疑《漢官》即王隆《小學篇》，劭與胡廣皆有注也，本傳但指其自撰者，故祇有一書。"

按白居易《六帖》十一引"中書令位在丞相上"，《通典》三十六引"後漢官秩差次"，稱應劭《漢官注》。

又按《宋書・禮志》引"乘輿大駕，則御鳳凰車，金根爲副"，《續漢志》、《通典》禮門引同。《初學記》十五引"騎執菰"，稱《漢官・鹵簿圖》。《初學記》稱應劭《漢鹵簿》，與《宋志》稍異。《六典》注稱《鹵簿篇》，《書鈔》百三十引《鹵簿敘》。《書鈔》五十三、《御覽》二百二十五並引"御史，秦官也"，並稱《漢官儀・侍臣》下。《御覽》二百三十七又引"吾，禦也，常執金革以禦非常。緹騎二百人，五百六十人，[1]輿馬導從，充滿於路。世祖微時，歎曰'仕宦當作執金吾'是也"，稱《漢官・宰尹》下。《北堂書鈔》引作《漢官儀》。《初學記》十一引"南宫二十五星，哀烏即位，故明帝云：'郎官上應列宿。'即此也"，稱《漢官・天文志》。

---

① "五百"下，《補編》本有"編者案疑與伍伯通"八字。案疑"五百六十人"上有脱文。

《御覽》一百八十八引"泰山有天窗",稱《漢官·封禪儀》。《續漢志》引應劭《漢儀》,載馬伯第《封禪記》,當即在此篇之中也。又《續漢志》劉昭補注多引《漢官·名秩》。《百官志》引作《漢官秩》。皆全書中篇名。

蔡質　漢官典職儀式選用　《隋志》:二卷。《唐志》:一卷。《宋志》同。

孫星衍曰:"諸書所引又有作蔡質《漢官典職》、《漢官典職儀》者,皆後人省文也。陳氏《書録解題》:《漢官典儀》一卷,漢衛尉蔡質撰。雜記官制及上書謁見禮式。李埴續補一卷。俱不傳。今録成一卷,名從《隋志》。質字子文,蔡邕叔父,見《後漢書·蔡邕傳》、《晋書·蔡豹傳》。"

凡舊事職官之屬六部,五十四篇十七卷。

衛宏　漢舊儀　《隋志》:四卷。《唐志》同。《舊唐志》卷同,作《漢書儀》。《宋志》:三卷。今輯存一卷、補遺一卷。

《四庫全書提要》:"案《永樂大典》載《漢官舊儀》一卷,不著撰人名氏。考梁劉昭注《續漢書·百官志》引用《漢官儀》則曰應劭,引用《漢舊儀》則不著其名。《隋書·經籍志》、《唐書·藝文志》作四卷,《宋史·藝文志》作三卷。《書録解題》始作《漢官舊儀》,注曰:'衛宏撰。或云胡廣。宏本傳作《漢舊儀》四篇,以載西京雜事,不名《漢官》。今惟此三卷,而又有《漢官》之目,未知果當時本書否?'今案《永樂大典》此卷雖以《漢官》標題,而篇目自皇帝起居、皇后親蠶以及璽綬之等、爵級之差,靡不條繫件舉,與宏傳所云西京雜事相合。又《前》、《後漢書》注中凡引用《漢舊儀》者,並與此卷所載相同,則其爲衛氏本書,更無疑義。或後人以其多載官制,增題官字歟?原本轉相傳寫,節目淆亂,字句舛譌,殆不可讀。茲據班、范正史,綜覈參訂,以讞其疑。其原有注者,畧仿劉昭注《百官志》之例,通爲大書,稱本注以別之。又考《前》、《後漢書》紀志注中别有徵引舊儀數條，並屬郊天、祫祭、耕籍、飲酎諸大典，此卷俱未採入，葢流傳既久，脱佚者多。謹復蒐擇甄録，别爲一篇，附諸卷尾，以補本書之未備云。"

衛宏　中興儀　《七録》：一卷。

馬伯第　封禪儀記　卷數佚。

《册府元龜》："馬伯第建武末制《封禪儀》。"

嚴可均曰："明孫鑛有補訂本，采輯不全。"

侯康曰："《續漢書·祭祀志》注引應劭《漢官》中載之。"

曹褒　漢新定禮　范《書》：百五十篇。

范《書》褒傳曰："肅宗欲制定禮樂，章和元年正月，詔褒詣嘉德門，令小黄門令持班固所上叔孫通《漢儀》十二篇，勑褒曰：'此制散畧，多不合經，今宜依禮條正，使可施行。於南宫、東觀盡心集作。'褒既受命，廼次序禮事，依準舊典，雜以五經讖記之文，撰次天子至於庶人冠婚吉凶終始制度，以爲百五十篇，寫以二尺四寸簡。其年十二月奏上。帝以衆論難一，故但納之，不復令有司平奏。會帝崩，和帝即位，褒乃爲作章句，帝遂以《新禮》二篇冠。"

《儒林傳》："建武曹充習慶氏學，傳其子褒，遂撰《漢禮》。"

《東觀漢記》："曹褒按漢舊儀制《漢禮》，張酺以爲褒制禮非禎祥之特達，有似異端之術。上疏曰：'褒不被刑誅，無以絶毁，實亂道之路。'"袁宏《紀》同。

袁宏《漢紀》："章和元年，使褒於南宫、東觀差序禮事，依舊儀，參五經，驗以讖記，自天子至於庶人，百五十篇。袁宏曰：'曹褒父子，慨然發憤，可謂得其時矣。然褒之所撰，多案古式，建用失宜，異於損益之道，所以廢而不修也。'"

《漢名臣奏》："詔褒先序禮樂，以帝《新禮》一篇冠首。"

《宋書·禮志一》："漢順帝冠，兼用曹褒《新禮》，褒《新禮》今不存。”

《開元禮義鑒》:“漢順帝冠,曹褒《新禮》四加,初加緇布進賢,次爵弁、武弁,次通天,皆於高祖廟,以禮謁見世祖者。”

案《初學記》二十六引“天子弁,以白玉飾”,稱曹褒曰。《通典》八十六引“翣以木爲筐,廣三尺,高二尺四寸,方兩角高,衣以白布。畫雲氣,其餘各如其象。柄長五尺,車行使人持之而從,既窆,樹於壙中”,稱漢禮。

胡廣　漢制度　卷數佚。

謝承《書》:“太傅胡廣博綜舊儀,立漢制度,蔡邕因以爲志。”《續漢·禮儀志》注。

侯康曰:“《後漢書·光武紀》、《儒林傳》兩注、《續漢志》注俱引之,中有但稱胡廣説者。《御覽》服章部引董巴《輿服志》中每引胡廣説,應亦出此書。”

蔡邕　獨斷　《宋志》:二卷。今存二卷。

《四庫全書提要》:“王應麟《玉海》謂是書間有顛錯,嘉祐中,余擇中更爲次序,釋以己説,故别本題‘新定《獨斷》擇中之本’,今不傳。然今書中序歷代帝系末云:‘從高祖乙未至今壬子,歲三百一十年。’壬子爲靈帝建寧五年,而靈帝世系末行小注乃有二十二年之事,又有獻帝之謚,則決非邕之本文,蓋後人亦有所竄亂也。是書於禮制多信《禮記》,不從《周官》,若五等封爵全與大司徒異,而各條解義與鄭玄《禮》注合者甚多。其釋大祝一條,與康成大祝注,字句全符,則其所根據當同出一書。又《續漢書·輿服志》:‘樊噲冠廣九寸,高七寸,前後出各四寸。’是書則謂廣七寸,前出四寸,其詞小異。劉昭《輿服志》注引《獨斷》曰:‘三公諸侯九旒,卿七旒。’今本則作‘三公九,諸侯卿七’。建華冠注引《獨斷》曰:‘其狀若婦人縷鹿。’今本並無此文。又《初學記》引《獨斷》曰:‘乘輿之車皆副轄者,施轄於外,乃復設轄者也。'與今本亦全異。此或諸家援引偶譌,或今本傳寫脱誤,均未可知。然全書條理統貫,雖小有參錯,固不害其宏旨,究考證家之淵藪也。"

凡舊事禮制之屬六部,篇卷數可攷者一百五十篇七卷。

建武律令故事 《七録》:二卷。《唐志》:三卷。《舊志》同。

《唐六典》卷六云:"漢建武有《律令故事》上、中、下三篇,皆刑法制度也。"

侯康曰:"據此,則《隋志》作二卷者誤,今從《唐志》。"

陳寵 詞訟比 范《書》:七卷。

陳寵 決事都目 《東觀記》:八卷。

《東觀漢記·鮑昱傳》:"司徒例訟久者至數十年,比例輕重,非其事類,錯雜難知。昱奏定《詞訟》七卷、《決事都目》八卷,以齊同法令,息遏人訟也。"

《周禮·大司寇》鄭司農注:"邦成謂若今時決事比也。"疏云:"今律,其有斷事,皆依舊事斷之。其無條取,比類以決之,故云決事比也。"

袁宏《紀》:"寵父躬以律令,爲廷尉監。寵少習家法,辟太尉鮑昱府。昱高其能,使掌天下獄訟,寵以律訟多錯,不良吏得生因緣致重。乃爲譔《科條詞訟比例》,使事類相從,以塞姦源。"

華嶠《書》:"寵撰《科牒辭訟比例》,使事類相從,以塞姦源。"

《晋書·刑法志》:"司徒鮑公撰嫁娶辭訟決爲《法比都目》。"

《漢雜事》:"陳寵爲司徒掾,《科條詞訟比》率相從,撰爲八卷。"《書鈔》六十八引。

案馬總《意林》引《風俗通》"汝南張妙酒後捶死杜士",鮑昱《決事》曰:"酒後相戲,原其本心,無賊害之意,宜減死也。"又《史記·田敬仲陳完世家》索隱引鮑昱曰:"陳成子有數十婦,生男百餘人。"《御覽》六百四十引《風俗通》"許遠妻何侍,因遠捶其父,遂搏姑"事,司徒鮑宣《決事》曰:"夫妻一作婦。所以養姑也,今遠自辱其父,非姑所使。君子於凡庸尚不遷怒,況所尊重乎? 當減死論。"又八百四十六引《風俗通》"陳留趙祐騎馬將播,僞稱使者",司徒鮑宣《決獄》曰:"騎馬將播,起於戲耳,無它恶意。"此二條皆稱鮑宣。攷宣爲昱之祖,官至司隸,爲王莽所殺,見前漢及《鮑永傳》。並未爲司徒,比"宣"字當係"昱"之譌文。

陳忠　決事比　卷數佚。

叔孫宣　律章句　卷數佚。

郭令卿　律章句　卷數佚。

馬融　律章句　卷數佚。

鄭康成　律章句　卷數佚。

《晋書·刑法志》曰:"律凡九百六卷,世有增損,率皆集類爲篇,結事爲章。一章之中或事過數十,事類雖同,輕重乖異。而通條連句,上下相蒙,錯糅無常。後人生意,各爲章句。叔孫宣、郭令卿、馬融、鄭玄諸儒章句十有餘家,家數十萬言。言數益繁,覽者益難。天子於是下詔,但用鄭氏章句,不得雜用餘家。"

又曰:"叔孫、郭、馬、杜諸儒章句,但取鄭氏,又爲偏黨,未可承用。"

《唐六典》卷六:"後漢馬融、鄭玄諸儒十有餘家,律令章句數十萬言,定斷罪所用者,合二萬六千餘條。"

《通典》:"後漢獻帝之時,天下既亂,刑法不足以徵罪,於是名儒大才崔寔、鄭玄、陳紀之徒,咸以爲宜復肉刑。"

侯康曰:"叔孫宣、郭令卿,案《隋志》有郭顯卿,令卿或即其族人。不知何時人。《晋志》敘於馬、鄭之前,且魏時其律章句已行,則必後漢人矣。”

案范書《郭躬傳》述郭氏自弘後，數世皆習小杜律。其所載人名，躬子晊，躬弟子鎮，鎮子賀，賀弟禎，鎮弟子僖，僖子鴻。又《隸釋》載《丹陽太守郭旻碑》，案據碑，鴻爲旻從子。攷范《書》鴻爲禧子，禧爲鎮弟子，則旻與禧爲兄弟行，皆郭躬姪之子也。亦云治小杜律，下又載從子議郎柔、胤孫范。據此，則後漢郭氏世世以法律傳家，令卿即其族人，或即在范《書》及郭旻碑所載人中。而范《書》存其名，《晋書》則標其字。今攷范《書》、旻碑所載，除鎮字桓鍾顯標外，賀字惠公見謝承《書》，禧字君房見《靈紀》章懷注及《隸釋》郭禧殘碑，禧即僖。又旻字巨公見本碑。餘弘、晊、禎、鴻、柔、范字皆莫攷。令卿或在此六人中，亦未可知，要其爲後漢人則必矣。又《漢書・諸侯王表》注張晏引“封諸侯過限曰附益。或曰阿媚王侯，有重法”，稱律鄭氏説；《汲黯傳》晋灼引“律，矯詔大害，要斬。[①]鄭玄注‘矯詔有害、不害也’”，[②]皆鄭玄《律章句》佚文。

過翔　五曹詔書　卷數佚。

《風俗通》曰：“光武中興以來，《五曹詔書》題鄉亭壁，歲補正，多有闕謬。永建中，兖州刺史過翔箋撰卷别，改著板上，一勞而久逸。”

應劭　律本章句　尚書舊事　廷尉板令　決事比例　司徒都目　五曹詔書　春秋斷獄　范《書》：二百五十篇。

范《書》：“劭又删定律令爲《漢儀》，建安元年乃奏之。曰：‘夫國之大事，莫尚載籍也。載籍也者，決嫌疑，明是非，賞罰之宜，允獲厥中，俾後之人永爲監焉。故膠東相董仲舒老病致

---

① 案此條引文見於《漢書・景武昭宣元成功臣表》，爲如淳説。

② 鄭氏注見《漢書・竇嬰傳》。

仕,朝廷每有政議,數遣廷尉張湯親至陋巷,問其得失。於是作《春秋決獄》二百三十二事,動以經對,言之詳矣,逆臣董卓,蕩覆王室,典憲焚燎,靡有孑遺,開闢以來,莫或茲酷。今大駕東邁,巡省許都,拔出險難,其命維新。臣累世受恩,榮祚豐衍,竊不自揆,貪少云補,輒撰具《律本章句》、[①]《尚書舊事》、《廷尉板令》、《決事比例》、《司徒都目》、《五曹詔書》及《春秋斷獄》,凡二百五十篇。蠲去復重,爲之節文。'"

《晋書·刑法志》:"舊律繁蕪,未經纂集。獻帝建安元年,應劭删定律令,以爲《漢議》,表奏之。"

案《律本章句》,即《晋書·刑法志》所稱"諸儒章句"及陳寵所謂"漢興以來律有三家"者是也。《尚書舊事》者,尚書故事也,謝承曰:"高祖及光武之後將相名臣策文通訓,條在南宫,祕於省閣。"武帝案尚書大行無遺詔,左雄案尚書故事無乳母爵邑之制。靈帝徙南宫,閲録故事。故胡三省曰"漢故事皆尚書主之"是也。《廷尉板令》者,《張湯傳》曰:"廷尉挈令挈獄之要。"許慎亦云:"廷尉説律板令,猶之板官板詔也。"《五曹詔書》者,《風俗通》曰:"光武中興以來,《五曹詔書》題鄉亭壁。"《論衡》曰"五曹自有詔書,簿書自有故事"是也。《春秋斷獄》,葢《春秋決事》之類耳。

應劭　漢朝駁議　《隋志》:三十卷。《新》、《舊唐志》同。

范《書》:"劭奏云:'又集駁議三十篇,以類相從,凡八十二事。其見《漢書》二十五,《漢記》四,皆删敘潤色,以全本體。其二十六,博採古今瓌瑋之事,文章焕炳,德義可觀。其二十七,臣所創造。豈繄自謂必合道衷,心焉憤邑,聊以藉手。'"

案范《書》本傳載駁韓卓募兵鮮卑議,《類聚》十六引《漢名臣奏》。

---

① "貪少去補,輒撰具",原作"少云輒補撰",據殿本《後漢書》改。

又載追駁陳忠活尹次、史玉議,《類聚》六十五《漢名臣奏》引鮮卑胡市議,皆出此書,所謂"臣所創造"也。又侯康"劭有《律畧論》五卷",蓋据《隋志》。攷之《三國志·劉劭傳》,則此書爲劉劭作。且《御覽》六百三十八亦引《律畧論》,題劉劭,《隋志》譌,兩《唐志》作劉劭,是。茲削去。

凡舊事律令之屬十二部,篇卷數可攷者二百八十篇十八卷。

光武皇帝 詔籑京兆耆舊序 卷數佚。

馮翊耆舊序 卷數佚。

扶風耆舊序 卷數佚。

沛國節士序 卷數佚。

魯國名德讚 卷數佚。

廬江先賢讚 卷數佚。

《隋志》:"後漢光武始詔南陽撰作風俗,故沛、三輔有《耆舊》、《節士》之序,魯、廬江有《名德》、《先賢》之讚。"

《玉海·藝文》引許南容策云:"《京兆耆舊》,光武創其篇。"

案《隋志》"先賢之讚"下又云:"序、讚今並亡。"則"序讚"二字確爲當時書名,非作志者隨文换易之字。據《玉海》引許南容策所言,則知三輔各自爲書,非并合一帙。且可徵三輔之並名《耆舊》,而沛國之名《節士》,亦無疑矣。至魯國、廬江,姑依其先後次第分屬之。

趙岐 三輔決録 《隋志》:七卷。《唐志》:十卷。

岐《自序》曰:"三輔者,本雍州之地,世世徙公、卿、吏一有'大夫'字。二千石及高貲,皆一作'者'。以陪諸陵。五方之俗雜會,非一國之風,不但繫於《詩·秦》、《豳》也。其爲士,好高尚義,貴於名行。其俗失則趨勢,進權惟利是視。余以不才,生於西土,耳能聽而聞故老之言,目能視而見衣冠之疇,心能識而觀其賢愚。常以玄冬,夢黄髮之士,姓元名明字子真,與余寤言,言必有中,善否之間,無所依違,命操筆者書之。近從建武以來,暨於斯今,其人既亡,行乃可書,玉石朱紫,由此定矣,故謂之《決録》矣。”《後漢書》本傳注。“岐恐時人不盡其意,故隱其書,惟以示同郡嚴象。”《册府元龜》、《御覽》均引。

張澍《輯三輔決録序》:“《史通·書志篇》云:‘譜牒之作,盛於中古。漢有趙岐《三輔決録》,晋有摯虞《族姓記》,江左有兩王《百家譜》,中原有方思《殿格》,蓋氏族之事,盡在是矣。’《補注篇》云:‘若摯虞之《三輔決録》,陳壽之《季漢輔臣》,周處之《陽羨風土》,常璩之《華陽士女》,文言美詞,列於章句;委曲敘事,存於細書。’按岐纂《決録》,据其《自序》並昔人徵引逸篇,其書不類譜牒。至摯虞之注與陳壽等三書,亦不相侔。劉氏所考,未爲精碻。大抵簡者爲録,詳者爲注。又《決録》多作韻語,即《史通》所謂‘文言美句’也。諸書徵引録與注,不盡分晰,余鈔撮特分别之。”

侯康曰:“范書《隗囂傳》注引一條云:‘平陵之王,惠孟鏘鏘,激昂囂、述,困於東平。’則其書似有韻語作贊,然他不多見。《三國志·荀彧傳》注稱‘岐作《三輔決録》,恐時人不盡其意,故隱其書,惟以示同郡嚴象’,則當時蓋甚自矜重。今見於諸書所引者尚夥,然每與摯虞注相紊。”

案《御覽》二百十八引“杜陵韋伯考,鬻書力養親。既登常伯,貂璫煌煌,承事尤謹”,又九百三引“五門子孫,凡民之伍”,皆韻語。

袁湯　陳留耆舊傳　卷數佚。

袁宏《後漢記》:“袁湯字仲河。初爲陳留太守,褒善敘舊,以勸風俗。嘗曰:‘不值仲尼,夷、齊西山餓夫,柳下東國黜臣,[①]

① “黜”,原作“默”,據中華本《兩漢紀》改。

致聲名不泯者,篇籍然也。'乃使户曹吏退録舊聞,以爲《耆舊傳》。"

鄭廑　巴蜀耆舊傳　卷數佚。

《華陽國志·陳壽傳》云:"益部自建武後,蜀郡鄭伯邑、太尉趙彦信及漢中陳申伯、祝元靈,廣漢王文表,皆以博學洽聞,作《巴蜀耆舊傳》。"

侯康曰:"廑事又見《漢中志》及《蜀郡士女目録》,范書《西羌傳》作'鄭勤'。"

趙謙　巴蜀耆舊傳　卷數佚。

《華陽國志·蜀郡士女目録》云:"侍御史常翊字孟元,江原人,在趙太尉公《耆舊傳》。"

侯康曰:"太尉即謙也,字彦信,范書附《趙戒傳》末。"

祝龜　漢中耆舊傳　卷數佚。

常璩《漢中士女志》:"祝龜字元靈,南鄭人也。年十五,遠學汝穎及太學,通博蕩達,能屬文。太守張府君奇之,曰:'吾見海内士多矣,無如祝龜者也。'州牧劉焉辟之,不得已行,授葭萌長。撰《漢中耆舊傳》。以著述終。"

侯康曰:"《仙人唐公房碑》陰有處士南鄭祝龜,葢未授葭萌長以前之稱也。"

王商　巴蜀耆舊傳　卷數佚。

常璩《廣漢士女志》:"王商字文表,廣漢人也。博學多聞。州牧劉璋辟爲治中,試守蜀郡。荆州牧劉表、大儒南陽宋仲子遠慕其名,[①]皆與交好。許文休稱:'商,中夏王景興輩也。'"

侯康曰:"商事范書附《王堂傳》,堂曾孫也。"

按常璩稱陳壽以鄭伯邑等書不足經遠,乃並巴漢爲《益部

---

① "荆州"上原有"太守"二字,據《華陽國志校補圖注》删。

耆舊傳》。《益部耆舊傳》今諸書多引之。

崔瑗　南陽文學官志 卷數佚。

范《書》:"瑗著《南陽文學官志》,稱於後世。"

按《類聚》三十八引瑗《南陽文學官頌》。《御覽》五百三十四亦引。

仲長統　兖州山陽先賢傳讚 《舊唐志》:一卷。《新唐志》同,作《山陽先賢傳》。

圈稱　陳留耆舊傳 《隋志》:二卷。《唐志》同。

《隋志》云:"漢議郎。"

林寶《元和姓纂》曰:"後漢末有圈稱字幼舉。"《匡謬正俗》作"孟舉"。《史通·雜述篇》:"若圈稱《陳留耆舊》、周斐《汝南先賢》,此之謂郡書。"

案袁湯、見上。蘇林,見《隋志》。俱有《陳留耆舊傳》,諸書所引,爲圈、爲袁、爲蘇,未能定之。惟《類聚》八十引"劉昆爲江陵令,下詔問:'反風滅火,虎北渡河,何以致此?'昆曰:'偶然。'帝曰:'此長者之言。'"《御覽》八百六十八引同。又九十二引"魏尚,高帝時爲太史令",《御覽》二百三十引"楊仁字文義,明帝引見,問當代政治之事,仁對,上大奇之,拜侍御史",此三條稱高帝、明帝,不加"漢"字,且稱明帝爲上,確係後漢人語,當是袁、圈書。

曹大家　列女傳注 《隋志》:十五卷。《唐志》同。

曾鞏《序》曰:"劉向敘《列女傳》凡八篇,《隋書》及《崇文總目》皆稱向《列女傳》十五篇,曹大家注。以頌義考之,蓋大家所注,離其七篇爲十四,與頌義凡十五篇,而益以陳嬰母及東漢以來凡十六事,非向書本然也。《唐志》録《列女傳》十六家,大家注十五篇無録,然其書今在。"

案《顔氏家訓》六引"衿,交領也",《史記·周本紀》正義引"羣、眾、粲,皆多之名也。田獵得三獸,王不盡收,以其害深也”,《屈賈列傳》索隱引“體柔人之夸毗也。尤,甚也。言勢不甚用,則夸毗者可悲也”,《詩·柏舟》正義引“鼇音僖”,《文選·文賦》注引“瘞,深邃也”,《玉燭寶典》引“魚鱗有錯文”,“鮦魚有錯文”句注。《初學記》十三引“少采,降三采也,以秋分祀夕月,以迎陰氣也”,俱稱《列女傳》曹大家注。又《寶典》二引《列女傳》“褒姒化爲元蚖,曹大家依黿字而解”。

馬融　列女傳注 卷數佚。

劉熙　列女傳注 《唐志》:八卷。

梁鴻　逸民傳頌 卷數佚。

皇甫謐《高士傳》:“鴻仰慕前世高士,而爲四皓以來二十四人作頌。”

唐許南容策:“梁鴻作《逸人》之記,逸人即逸民,避唐諱改。劉向修《孝子》之圖。”《玉海》五十八。

案《文選·補亡詩》注引“無營無欲,澹爾淵清”,稱梁鴻《安邱嚴平頌》,葢二十四頌之一也。

應劭　狀人紀 卷數佚。

范書《應劭傳》:“初,父司隸校尉,並下諸官府郡國,各上前人像贊,劭乃連其名,録爲《狀人紀》。”

案孫伯淵《輯漢官儀》謂《狀人紀》即書中篇名,愚謂此説未爲確當。攷本傳云:“建安二年,拜劭爲袁紹軍謀校尉。時遷都於許,舊章湮没。劭慨然歎息,乃綴集所聞,著《漢官儀故事》。”則劭爲《漢官儀》,乃在建安以後也。至於此書,本傳稱其在父奉爲司隸時所作。案《應奉傳》云:“延熹中,武陵蠻復寇亂荆州,車騎將軍馮緄以奉有恩威,爲蠻夷所服,上書請與俱征。拜從事中郎。奉勤設方畧,賊破軍罷,緄推功於奉,薦爲司隸校尉。”今攷武陵蠻之初寇在延熹三年,其復寇在延熹五年。《桓帝紀》云:"三年十二月,武陵蠻寇江陵,車騎將軍馮緄討之,皆降散。"此初寇也。又云:"五年冬十一月,馮緄大破荆蠻於江陵。"此復寇也。應奉之爲司隸,以本傳合之,當即在此時。其後黨錮起,奉即自退。黨錮之起,在延熹九年,《桓帝紀》云:"九年冬十二月,司隸校尉李膺等百餘人受誣爲黨人。"即其事也。奉既於此時去位,則其爲司隸校尉不過五年耳。本傳既云此書成於父爲司隸之時,則不出此五年可知。直至建安二年,始又爲《漢官儀》。延熹五年至建安二年,相去三十六年,是此書之成先於《漢官儀》三十六年也,判然兩書,固無可疑。又《御覽》卷三十三引"漢永和元年十二月臘夜,王喬墓上哭聲,王伯聞。旦往視之,天大雪,見大鳥跡,並祭祀處。采薪者尹禿見人衣冠,曰:'我王喬也,汝莫取吾墓樹。'忽不見",稱蔡邕《王喬録》。侯氏據此證《隋志》《王喬傳》一卷爲蔡邕作,然攷《水經·汳水》注引"王子喬冢側有碑,題云'仙人王子喬碑'"其文云云,與《御覽》所引同,則所謂《王喬録》者,蓋即蔡邕《王子喬碑》文。此碑下文有"延熹八年"云云,適當邕時。侯氏若以《御覽》證此碑爲邕作則可,以證《隋志》《王喬傳》則謬矣。茲特削去,附識其説於此。

王閎本事 卷數佚。

按《御覽》三百六十八引"閎爲瑯琊太守,張步欲誅之,出東武城門,馬奔,墮車折齒,閎心惡,移病歸府,遂得免",稱《王閎本事》。閎事見范書《張步傳》及《前書·董賢傳》。

楊孚 董卓别傳 卷數佚。

按《續漢書·五行志》補注引京師歌董逃"卓改爲董安",稱楊孚《董卓傳》。攷孚字孝先,一作"孝元"。見《類聚》,有《交州異物志》。然據黄佐《廣州先賢傳》、歐大任《百越先賢志》,則孚在章、和時,何因爲卓立傳?豈漢末復有楊孚耶?其書《後漢書》本傳注引"卓父君雅,爲潁川輪氏尉,生卓及旻,故卓字仲潁、旻字叔潁",《御覽》天部引"卓鑄侯望璇璣儀",又三百六十四引"卓殺雒陽城外社民,還云攻賊大獲",皆《後漢書》、《三國志》本傳所無。又《後漢書》本傳稱"拜郎中,賜縑九千匹",《御覽》四百七十七引作"九十匹"。

張純别傳 卷數佚。

案《御覽》二百四十二引"純字伯仁,郊廟冠婚喪紀禮儀,多所正定,上甚重之,以純兼虎賁中郎將,一日數見",稱《張純别傳》。

鍾離意别傳 卷數佚。

案《類聚》五引"嚴遵與光武俱爲諸生",本傳注引"意爲魯相,修孔子廟",《類聚》八十三、《水經·泗水》注同引。《書鈔》六十引"堂邑令鍾離意,明帝詔徵",六十三引"南陽任延薦意",又引"意爲功曹,非周樹白事欺誕",七十一引"揚州刺史夏君三辟意署九江從事",七十七引"意謂會稽太守"云云,七十九引"意舉孝廉",《御覽》二百二十四引"太守賨翔召意署功曹",二百五十五引"黄讜召意署北部督郵",《書鈔》七十七同。二百六十八引"遷瑕邱令,笞男子直涉父子",《書鈔》七十七同。皆本傳所不載。餘《書鈔》五十九,《類聚》四十八,《御覽》二百九、三百四十一、四百二十二、四百五十五所引,與本傳同。

樊英别傳 卷數佚。

案《世説·文學篇》注引"漢順帝時,殿下鍾鳴,問英,對曰:'蜀岷山崩,山於銅爲母,母崩子鳴,非聖明災。'後蜀果上山崩,日月相應",《御覽》三百七十三引"英披髮,忽拔刀斫舍中妻,問故,曰:'郄生道遇賊。'郄生還,云:'道遇賊,賴披髮老人相救得全。'郄生名巡,字仲信,陳郡夏陽人。能傳英業",三百八十七引"樊英既見陳畢,西南向唾,天子問其故,對曰:'成都今日失火。'後蜀郡太守上火災,言時雲雨從東北來,故火不爲害"。三事本傳無,餘同。

李郃別傳 卷數佚。

案《御覽》七百七十九引使星事,與本傳同,稱《華陽李郃別傳》。餘如《類聚》四十六引"郃上書太后,數陳忠言,其詞不能盡施用,輒有策詔褒贊焉。博士著兩梁冠,朝會隨將大夫例,[①]時賤經學,博士乃在市長下。公奏以爲非所以敬儒德、重國體也,上善公言。正月大朝,引博士公府長史前",《御覽》二百三十六。《書鈔》七十六引"河南尹缺鄧隲弟豹爲將作大匠,欲得之,詔令公卿以下議,公卿悉舉豹。李公曰:'司隸河南尹當整頓京師,御貴戚,今反使親家爲之,不可。'豹竟不爲尹",《御覽》二百五十二引較此詳。《御覽》二百二十二引"郃以郎謁者爲上林苑令",又引"公長七尺八寸,多鬚髯,八眉,左耳有奇表,項猶如鼎足,手握三公之字",四百八十五引"公居貧,不好治產,有稻田三十畝,第宅一區",皆本傳所不載,餘同。

李固別傳 《唐志》:七卷。

案《御覽》四百二十八引議立事,與本傳同,稱《李固外傳》。七百十一引稱《李固傳》,蓋即《別傳》也。《書鈔》七十九引"固隱狼澤山",《御覽》二百六十五引"益州及司隸辟,皆不就。門徒或稱從事掾,固曰:'未曾受其位,不能獲其號。'"二事本傳不載。

① "將大夫",原作"士夫人",據汪紹楹校本《藝文類聚》改。

李燮別傳 卷數佚。

案《御覽》二百五十二引"燮爲京兆尹,吏民作歌",六百二十二引"逃亡,匿臨淄酒家。靈帝即位,以史官占,大赦求公子,酒家具車乘厚送之"。二事本傳無。

馬融別傳 卷數佚。

案《類聚》六十九引稱《馬融別傳》,事與本傳同。《續談助》、《殷芸小説》引"馬融歷二縣兩郡,七年在南郡,四年未嘗論刑殺一人。性好音樂,善鼓琴吹笛,笛聲一發,感得蜻蛚出,吟有如相和",稱《馬融列傳》,"列"即"别"字之譌。本傳不載。

梁冀傳 《唐志》:二卷。《舊志》同。

案《續漢志·五行志》注引"冀婦女又有不聊生髻",《御覽》二百七十三。《御覽》二百三十二引"壽姊夫宗炘不知書,因壽氣力起家,拜太倉令",二百四十二引"冀妻孫壽從弟安,以童幼拜黄門侍郎、羽林監事",皆稱《梁冀別傳》,其事本傳所不載。餘《御覽》、《廣韻》諸書所引尚多,畧同本傳。

鄭康成別傳 卷數佚。

俞正燮《癸巳存稿》曰:[①]"《後漢書·鄭康成傳》戒子益恩書云:'吾家舊貧,不爲父母羣弟所容。'元以後人多持此語,謂康成非聖賢。今高密有金承安五年立唐萬歲通天元年史承節所作碑,云兼疏本傳之文,載此書,則曰:'吾家舊貧,爲父母羣弟所容。'是唐以前本如此。《太平御覽》人事部載《鄭玄別傳》戒益恩書曰:'吾家舊貧,爲父母郡所容。'是宋以前本如此。'不'字,宋以後字匠誤多也。本傳云:'少爲鄉嗇夫,得休歸,嘗詣學官,不樂爲吏,父數怒之,不能禁。遂造太學

① "存",原誤作"類",此條見於《癸巳存稿》卷七,今據以改正。

受業。西入關。'《杜密傳》云:'密爲北海相,行春至高密,見鄭玄爲鄉嗇夫,知其異器,即召署郡職,遣就學。'是書所云'吾家舊貧,爲父母羣弟所容,去厮役之吏,遊學周秦之都'者也。本傳云:'自遊學,十餘年乃歸鄉里,家貧,客耕東萊。'即書所云'往來幽、并、兖、豫之域,年過四十,迺歸供養,假田播殖,以娱朝夕'。是康成躬耕養親之事。初言'爲父母羣弟所容'者,容,縱也。《史記・陳平傳》云:'兄伯常耕,縱平使遊學。'《張釋之傳》云:'久宦減仲産。'乃慈愛至行。康成謂己不能爲吏求禄,乃欲詣學,費資糧,家素貧,父母羣弟力不能給其費,父數怒禁之,猶不忍苦禁之,合家辛苦,以資其用、肆其意。此骨肉至愛相容之事。康成以學成歸美父母羣弟,故爲此言。《北齊書・樊遜傳》云:'遜少學,常爲兄仲優饒。既而自責曰:"名爲人弟,獨受安逸,可無愧於心乎?"'《隋書・劉光伯傳》自序云:'性本愚蔽,家業窶,爲父兄所饒,厠縉紳之末。'其語皆倣鄭書爲之。《别傳》載其文'爲父母郡所容',指言杜密之事,其義尤長。鄭之禁錮,葢由杜密所舉,所資,所容。《三國志》注云:'吴質,濟陰人。自以少時不爲本郡所饒。'饒亦容也,容亦饒也。若不爲所容,無所資以詣學,是無去厮役之事,又何從置此語哉?"

案《初學記》二十四引"北海有鄭玄儒林講堂",《世説・文學篇》[①]注引"年十七,在家見大風起,詣縣曰:'某時當有火災,宜祭爟禳,廣設禁備。'時火果起,而不果害,智者異之。扶風馬季長以英儒著名,玄往從之。此時涿郡盧子幹爲門人冠首,季長不解部裂七事,玄思得五,子幹得三。季長謂子幹曰:'吾與汝皆弗如也'",《三國志・孫乾傳》注引"玄

① "文學",原誤作"德行",據中華書局《世説新語箋疏》(1983 年版)改。

薦乾于州，乾被辟命，玄所舉也”，《御覽》五百四十一引“故尚書左丞同縣張逸，年十三，爲縣小史，君謂之曰：‘爾有贇道之質，玉雖美，須雕琢而成器，能爲書生不？’對曰：‘願之。’乃遂拔于其輩，妻以弟女”，五百八十八八百三十九引。引“年十六號曰神童，民有獻嘉禾者，欲表府，文辭鄙畧，玄爲改作，又著頌一篇，侯相高其才，爲修冠禮”，《太平廣記》二百十五引“玄以永建二年七月戊寅生，八九歲能下算乘除”，皆本傳所無。

陳寔別傳 卷數佚。

案《御覽》二百六十四、四百三、四百九十九引之。

盧植別傳 卷數佚。

案《御覽》五百五十五引“植，初平三年卒。臨困勑其子儉葬於山足，不用棺，附體單帛而已”，稱《盧植別傳》。

何伯求使君家傳 《隋志》：一卷。《新》、《舊唐志》同。

案《御覽》四百三十四引“永字伯求，謂同郡張仲景將爲良醫”，七百二十二引“仲景遇王仲宣，謂有病宜服五石湯”二事，稱《何永別傳》，本傳不載。

郭泰別傳 卷數佚。

案《世説·德行篇》注引“薛恭祖問黄叔度”，《類聚》二十二引“泰遊汝南，過袁閬”，《後漢書·黄憲傳》、本傳注引二條，事與《世説》、《類聚》同。《書鈔》九十七引“泰早孤，就屈伯彦”，《御覽》二百四十一引“王叔優問才之所宜”，五百四十二引“鄉人見泰，皆牀下拜”，五百六十一引“賈淑弔林宗”，俱稱《郭泰別傳》。《御覽》三百八十八引“林宗秀立高峙，澹然淵停。蔡伯喈告盧子幹、馬日磾曰：‘爲天下作碑銘多矣，未嘗不有慙色，唯郭先生碑頌無慚色耳。’”稱《郭子別傳》。餘書俱稱《郭林宗別傳》，范《書》謂後之好事附益增張,故多華詞不經。可見當時爲泰立傳,不止一家。今《御覽》四百三十四所引《林宗别傳》,與《後漢書·黄憲傳》所引《郭泰别傳》,事同而辭異,疑《郭泰别傳》、《林宗别傳》係二人作,非引書者隨意標題也。以無確據,不敢分標。

徐穉别傳　卷數佚。

案《殷芸小説》《續談助》載。引"徐穉亡,海内羣英論其清風高致,乃比夷、齊,或參評由夏侯豫章追美名德,立亭於穉墓首,號曰思賢亭",稱《徐穉别傳》。

蔡邕别傳　卷數佚。

案本傳注引上十意表,《書鈔》九十八引"弱冠始讀《左氏傳》",一百十一引"邕嘗經高遷亭,見屋椽竹可以爲籥,因取用之,果有異聲,其知音皆如此",皆本傳所不載。《書鈔》一百八引焦尾琴,與本傳同。

王允别傳　卷數佚。

案《御覽》二百六十三引"允仕郡,民有路拂者少無行,太守王珠召以補吏,允犯顏固争,珠怒,收允,欲殺之。刺史鄧盛聞而馳傳,辟爲别駕從事。允由是知名,路以之廢棄",稱《王允别傳》。

趙岐别傳　卷數佚。

案《御覽》五百五十八"岐字臺卿,年九十餘,建安六年卒。先自爲壽藏圖,季札、子産、晏嬰、叔向四像居賓位,又自圖其像居主位,皆爲讚誦。勑其子曰:'我死之日,墓中取沙爲牀,布簟白衣,散髪其上,復以單被,即日便下,下便掩。'"稱《趙岐别傳》。

孔融别傳　卷數佚。

案本傳注引"融兄弟七人,融第六,幼有自然之性。又聞漢中李公清節直諒,遂造公門。又兄褒,字文禮。又客言於何進”云云，俱稱《孔融家傳》，核以《御覽》三百八十五所引，即《别傳》也。惟本傳稱“詣河南尹李膺”，而此云“漢中李公”，侯氏謂融卒於建安十三年，年五十六，則年十歲當桓帝延熹五年，是時李固誅死已久，《别傳》誤。其説甚是。又《御覽》四百二十八引理楊彪事，直稱曹操，其書確非魏人作，而《書鈔》四十八引“融平生狎太祖，太祖制酒禁，融作書嘲之”，云云，稱太祖。攷此傳語與《三國志》裴松之注所引張璠《漢記》文無一字異，疑《書鈔》從此抄出，裴注多改諸書曹操爲太祖。而誤題《别傳》也。

平原禰衡别傳 卷數佚。

案《三國志·魏志·荀彧傳》注引稱《平原禰衡别傳》，事同本傳。《類聚》五十六、《書鈔》四百二十五、《御覽》引之甚多，皆不出本傳。惟《御覽》五百九十六引“南陽冦柏松託劉景升，景升嘗待過，景升當蹔小出，屬守長胡政令給視之。柏松父子宿與政不佳。景升不在，柏松子在後羅人盜迹胡政無狀，便爾殺之。景升還，慙悼無已，即治殺胡政者，爲作三牲醊焉。正平爲作板書弔之。時當行駐馬，援壁倚柱而作之”，此事本傳無。又《御覽》八百三十三引黄祖殺衡事，亦較本傳爲詳。

司馬徽别傳 卷數佚。

案《世説·言語篇》注引之，又《殷芸小説》《續談助》四。引“司馬德操初見龐士元，稱之曰：‘此人當爲南州冠冕。’時士元尚少，及長，果如其言”。又《御覽》九百三、《類聚·獸部》俱引《董正别傳》，而所述皆司馬徽事，疑徽傳爲董正所作，引者便文，遂稱《董正别傳》耳。董正，未詳何時人。

劉根别傳 卷數佚。

案《書鈔》百三十三引武帝見少室女子事，《御覽》七百十同。

《御覽》十引爲潁川太守高府君消除疫氣事。七百十七引以“九寸明鏡照面,令自識己形,疾患不入”,七百二十引“取七歲男子齒、女髮,[①]與己頸垢合燒,使老有少容”,《類聚》菓部引“服棗核中仁,百邪不復干”,皆本傳所不載。

蘇耽傳　《成武丁傳》附。《通志·藝文畧》:一卷。

侯康曰:“見《通志·藝文畧》。二人皆不見范《書》。據《水經·耒水》注引《桂陽列仙傳》,耽,漢末時郴縣人。少孤,養母至孝,後仙去。”《御覽》道部六引陰君自序:“武丁,桂陽人。後漢時爲縣小吏。少言大度,博通經學,後爲地仙。”又《御覽》引《桂陽先賢畫讚》,亦載二人事。卷三百四十五、八百二十四、九百八十四。

荀采別傳　卷數佚。

案《類聚》八十引“荀采,爽女,爲陰瑜妻,而夫早亡。爽逼嫁與太原郭奕,采入郭氏室,暮乃去其帷帳,建四燈,歛色正坐,郭氏不敢逼”,《御覽》八百七十引同。稱《荀采傳》,與范《書》本傳事同文異,葢《別傳》也。

蔡琰別傳　卷數佚。

案《御覽》四百三十二引“六歲,邕夜中鼓琴,絃絶,琰曰:‘第一絃絶。’乃故絶其一絃,問之,琰曰第二絃”云云,五百九引同。本傳所無。餘《類聚》、《書鈔》、《御覽》引同本傳。本傳“操問夫人家先多墳籍”,《書鈔》三百四引作“曹植問”,與本傳小異。又案諸書所引,如《邴原別傳》、《三國志》注、《御覽》。《管寧別傳》、《三國志》注、《御覽》。《華佗別傳》、《後漢書》本傳注、《三國志》注、《御覽》。《許劭別傳》、《殷芸小説》。《邊讓別傳》、《御覽》。《楊彪別傳》,同上。並魏人作。又《御覽》七百五十五引

---

① “取”,原作“服”,據中華本《御覽》改。

《桓譚别傳》,而細按其事,全與桓譚無涉,蓋誤引也,皆不著於録。

鄧氏官譜 卷數佚。

《隋志》:“後漢有《鄧氏官譜》,晋亂已亡。”

凡雜傳四十七部,卷數可攷者四十四卷。

光武皇帝 詔嫢南陽風俗傳 卷數佚。

楊終 哀牢傳 卷數佚。

《論衡·佚文篇》:“楊子山爲郡上計吏,見三府爲《哀牢傳》不能成,歸郡作上,孝明奇之,徵在蘭臺。”

案范書《西南夷傳》注引“九隆代代相傳,名號不可得而數,至於禁高,乃可記知。禁高死,吸代;吸死,子建非代;建非死,子哀牢代;哀牢死,子桑藕代;桑藕死,[①]子柳承代;柳承死,子柳貌代;柳貌死,子扈栗代”,稱《哀牢傳》。

張衡 地形圖 《歷代名畫記》:一卷。

案張彦遠《歷代名畫記》三《秘畫珍圖》目録載之。

王逸 廣陵郡圖經 卷數佚。

案《文選·蕪城賦》注引“郡城,吴王濞所築”,稱王逸《廣陵圖經》。

班勇 西域記 卷數佚。

范《書》:“班固記諸國風土人俗,皆已詳備前書。今撰建武以後,其事異於先者,以爲《西域傳》,皆安帝末班勇所記。”

盧植 冀州風土記 卷數佚。

案《寰宇記·河北道》十二引“黄帝以前,未可備聞。唐虞以來,冀州乃聖賢之泉藪,帝王之舊地”,稱盧植《冀州風土記》,《御覽》一百六十一引“冀州乃聖賢之泉藪”二句。此似其書序。《水

① “桑”上原有“立”字,據中華本《後漢書》删。

經注·㶟水》代城下引"初築此城,板榦一夜自移於此",稱盧植言。

應劭　十三州記　卷數佚。

案《水經·泗水》注引"漆鄉,邾邑也",《淄水》注引"太山萊蕪縣,魯之萊柞邑",《夏水》注引"江别入沔,爲夏水源",並稱應劭《十三州記》。但稱《十三州記》不標名及稱"應劭曰"者不録。

應劭　地理風俗記　卷數佚。

案《水經注·河水》二引"敦煌酒泉,其水甘若酒味故也。張掖,言張國臂掖,以威羌狄",《河水》四引"大陽縣故城在大河之陽",《清水》注引"河内,殷國也,周名之爲南陽",《路史·羅苹疏仡紀》注同。又引"晋始啟南陽,今南陽城是也。秦始皇改曰修武",《淇水》注引"東武城西北五十里有棗彊城故縣",《滱水》注引"唐縣西四十里得中人亭",《沂水》注引"冠石山,武水出也",《淮水》注引"縣爲一都之會,故曰江都",《温水》注引"鬱人氏郡",又引"日南,故秦象郡,漢武帝元鼎六年,開日南郡,治西捲縣",並稱應劭《地理風俗記》。《寰宇記·河北道》十一引"中人城西北四十里有左人亭,鮮虞故地",《路史·羅苹疏仡紀》注引同。疏稱應劭《地理記》。但稱《地理》、《風俗》記者不録。

趙寧　鄉俗記　卷數佚。

《華陽國志·蜀志》云:"太尉趙公,初爲九卿,適子寧還,蜀太守陳留高胅命爲文學,撰《鄉俗記》。"

侯康曰:"范書《趙典傳》載典父戒及兄子謙,皆爲太尉,寧不知爲戒子爲謙子也。《隸釋》有益州太守高眹修周公禮殿記陳留人事,在初平五年,高眹葢即高胅"。

楊孚　異物志　《隋志》:一卷。

楊孚　交州異物志 《隋志》:一卷。

侯康曰:"據黄佐《廣州先賢傳》、歐大任《百越先賢志》諸書,則孚乃章、和時人,然未知所本。劉昭注《續五行志》引楊孚《卓傳》,謂《董卓傳》也,則又似漢末人,未知孰是。其書見於《水經注》三十七卷所引者,又稱楊氏《南裔異物志》。餘諸書引者甚多。"

曾釗輯本序:"考楊孚爲漢章帝時議郎,又《續漢書·五行志》注引楊孚《董卓傳》,據此,則議郎歷漢末至吴時尚存,蓋百餘歲人矣。而史志猶稱爲漢議郎,其不仕吴可知。粵人著作見於史志,以議郎爲始。"

案《書鈔》一百四十八引"文草作酒,其味甚美,土人以金買草,不言貴也",《初學記》二十引"橘爲樹,白華而赤實,交趾有橘官長一人,秩三百石,主貢橘",二十七引"稻,交趾冬又熟,農者一歲再種",范書《賈琮傳》注引"翠鳥似鷰",《馬融傳》注引"鸕能没於深水取魚",陸佃《埤雅》六同。[1]《御覽》九百四十七引"鮫鯉吐舌,蟻附之",並稱楊孚《異物志》。范書《明帝紀》注引"儋耳,南方夷",稱楊浮《異物志》。"浮"字疑即"孚"字之譌。《類聚》九十一引"孔雀,人拍其尾則舞",《御覽》九百二十四。稱楊孝元《交州異物志》。李昉《太平廣記》四百二十四引鮫魚,稱楊孚《交州異物志》。《類聚》九十二引"翠鳥先高作巢",稱楊孝先《交趾異物志》。《水經·温水》注引"儋耳、朱崖,俱在海中",《葉榆河》注引"髯惟大蛇"一條,文俱有韻,似頌贊,稱楊孚《南裔異物志》。唐慎微《大觀本草》十四引"鬱金出罽賓國",稱楊孚《南州異物志》。《隋志》"萬震有《南州異物志》",此因其書而誤題。《初學記》三十引"錯魚,鹿文青目",又引"板魚,片立合體",又

---

① "埤",原作"碑",據《補編》本改。

引“魚牛,象獺,大如犢子”,並稱楊孚《臨海水土記》。漢無臨海郡,臨海置於吴太平二年,此葢因沈瑩《臨海水土物志》而譌。陳彭年《重修廣均》十六蒸引鯪魚,稱楊孚《臨海風土記》。《文選·江賦》注引“海豨,豕頭,身長九尺”,稱楊孚《風土記》。凡此諸名,實皆一書。即如翠鳥一條,《類聚》引作“交趾”,《御覽》引作“交州”,黄泰泉《廣東志》二十四引作“南裔”,范《書》注引但稱《異物志》。儋耳一條,范《書》注但稱《異物志》,水經注引作“南裔”。據此,則《隋志》標《異物志》、《交州異物志》爲兩書尚未可信。推《隋志》標題之意,《異物志》似總記天下,而《交趾異物志》則專記一方。然《初學記》所引稻交趾再熟,又引交趾有橘官二條,並單稱《異物志》,而亦但記交趾事,可知《隋志》不足據矣。茲以相沿已久,未肯輕削,姑仍其舊。

圈稱　陳留風俗傳　《隋志》:三卷。《新》、《舊唐志》同。圈,《舊唐志》作“闕”,誤。

《元和姓纂》曰:“後漢末有圈稱,字幼舉,撰《陳留風俗傳》。”

顔師古《匡謬正俗》曰:“圈稱自序爲圈公之後。圈公,秦博士,避地南山,惠太子即位以圈公爲司徒。師古案班書述四皓,但有園公,非圈公也。公避地入商洛深山,不爲博士。又漢初不置司徒,且呼惠帝爲惠太子無意義。孟舉之説,實爲鄙野。”

《漢書》顔師古注:“四皓更無姓名可稱,後代皇甫謐、圈稱之徒,竟爲四人施安姓字,自相錯互,語又不經。”

侯康曰:“圈稱不知當漢何代,《水經注》卷八引《陳留風俗傳》曰:‘孝安帝以建光元年封元舅宋俊爲侯國。’則稱章帝後人也。”

按王瓘《北道刊誤志》《續談助》一。引“人多髦,俊通儒術,雜以游俠,施與有魏公子遺風,故其人難動以非,易感以義”,似書中序文。《史記·殷本紀》集解引外黄莘昌亭,《類聚》六十二引“浚儀有師曠、蒼頡城,城上有列仙之吹臺”,王瓘《北道刊誤志》同。《水經·汳水》注引“陳留縣有鉼鄉亭”,又引“外黄縣有大齊亭”,又引“科城縣有科稟亭”,又引“考城縣有斜亭”,又引“利望亭故曰安成”,《太平寰宇記·河南道》二引“張垣西北有甾樓”,此紀亭臺樓觀。《類聚》二引“雍邱縣有祠,名曰夏后公祠,神井能致霧”,《初學記》二。《路史·羅苹國名記》注引“張垣縣有蘧伯鄉,一名新鄉,有蘧亭、伯玉祠、伯玉冢”,《水經·濟水》二。《寰宇記·河南道》一引“裘氏鄉有澹臺子羽冢,又有子羽祠”,又引“李壽字長孟,爲太守,九子,並葬於此”,此紀冢祠。《類聚》八十七引“尉氏章樹生酸棗”,《文選·宋孝武宣貴妃誄》注引“允吾縣出鳴鷄”,《水經·睢水》注引“睢涣之間出文章,故有黼黻藻錦、日月華蟲,以奉天子”,《御覽》六百九十、《書鈔》一百二十五同。此記土物。《書鈔》六十二引“桓烈字惠君,爲侍御史。王莽之初,遁入山林”,《御覽》四百九十六引“許晏字偉君,授《魯詩》於瑯琊王”,此紀人物。《廣均》上平六脂引“資姓,黄帝之後”,十七真引“舜陶甄河濱,其後爲氏”,一先引“邊祖於宋平公,又虔氏祖於黄帝”,十陽引“張、王、李、趙,黄帝賜姓也”,二十三阮引“陳留太守瑯琊徐焉改圈姓”,卷五十候引“寇氏,黄帝之後”,《御覽》三百六十二引“侯氏,侯爵,周微,官失其守,故以侯爵爲姓”,又引“秦之先曰伯翳,佐舜擾馴鳥獸,錫姓嬴氏,其後分封以國爲姓,有徐氏、郯氏、黄氏、江氏”,《路史·羅苹疏仡紀》注引“新垣衍居大梁墟,爲梁垣氏”,《九頭紀》注“郱武公字伯顔,人謂顔公,子孫爲氏”,此並記姓氏。門分類别,後世府縣志之例,實肇於此矣。

朱瑒　九江壽春記　卷數佚。

案《路史·國名紀》六引“金明城西南百二十里有黄帝時霍丘城,楚莊五年廢爲戍”,稱後漢朱瑒《九江壽春記》。《寰宇記·淮南道》亦引“瑒”作“湯”,未知孰是。《寰宇記·淮南道》十引“金明城西南一百二十里有雩婁城,堯之樓子城也”,稱後漢朱湯《九江壽春記》。又引“金明城一百三十里有州城銅邑”,稱《壽春記》。

凡地域十三部,卷數可攷者六卷。

凡記傳一百一十七部,篇卷數可攷者四百九十四篇六百七十二卷。

補後漢書藝文志攷卷六終

補後漢書藝文志攷卷七

常熟　曾樸　纂

子兵志内篇第三

紀儒、道、陰陽、法、名、墨、縱横、雜家、農、小説、兵。

程曾　孟子章句　卷數佚。

馬國翰曰："諸書絶少徵引，惟宋熙時子所注《孟子外書》第三篇引一則。"

案宋熙時子《孟子外書注·孝經》第三"子敖餞於犖門"下引程氏曾曰："犖門，齊南門，力博反。"此書隋時已佚，唐人尚未及見，熙時何從引之，恐不足信。

劉陶　復孟子　卷數佚。

鄭康成　孟子注　《隋志》：七卷。《新》、《舊唐志》同。

周廣業《孟子四考》曰："鄭注，遍攷未得。就所注六經言之，中頗多稱引《孟子》而自爲證釋者，要衹依經立義，不可即謂之注孟。而唐人正義每遇注有孟文，輒全取趙岐注繫之，初不及鄭，則知其書亡佚久矣。昔孔穎達之疏《詩》也，謂鄭注之《禮》、《周易》、《中候尚書》皆大名在下，一題識之，微猶詳述之如此，安有孟注現存反忍割棄者乎？抑更有疑者，是注不見本傳。章懷謂謝承載玄所注與此畧同，不言注《孝經》，惟此書獨有也，則謝承亦無孟注可知。夫二史既絶，唐儒復不得見，《隋志》果何據而録之耶？又曰《通志·藝文畧》作鄭氏注，避聖祖諱也。北監本、汲古閣本作'鄭亢'，此因宋時避其字改爲元，寫刻者遂譌爲亢。《三遷志》以范《書》鄭傳不言注孟，乃疑《隋志》字訛，而據監本作'鄭亢'，洵如所云，亢何許人，其注又安在耶？《四書逸箋》亦誤作'鄭亢'。"

案《史記·五帝本紀》"堯知子朱丹之不肖"集解引鄭玄曰："肖，似也。"《周本紀》"踰梁山"正義引鄭玄曰："岐山在梁山西南。"皆出孟注。而其最顯者，《五帝本紀》連引三條曰"歷山，在河東"，"雷澤，雷夏，兖州澤，今屬濟陰"，"負夏，衛地"，皆稱鄭玄曰，此三條除却孟注，復何所附邪？周氏謂諸書無引，失之。又鄭所注諸經引《孟子》，與今本多異，如《周禮·地官》引"樹之以桑"，"桑"下多"麻"字；又引"關譏而不征，則天下之旅皆悦，而願出於其路矣"，"譏"作"幾"，"旅"上有"行"字，"路"作"塗"；又引"皆悦而願爲之氓矣"，"氓"作"民"；又引"穀禄不平"，"穀"作"貢"；"暴君污吏"，"污"作"姦"；《秋官》注引"雖有鎡基"，"鎡基"作"兹其"；《攷工記》引"治地莫善于助及，雖周亦助也"，"助"作"莇"；又引"九一而助"，"助"作"税"。《儀禮·大婚禮》注引"將瞯良人之所之"，"瞯"作"見"。《禮記》註引"以其乘輿濟人于溱洧"，"輿"作"車"。至于《周禮·春官·外史》注引"晋之《乘》，楚之《檮杌》，魯之《春秋》"，"魯之《春秋》"句在"晋之《乘》"上，則又其章句之異矣。

趙岐　孟子章句　《隋志》：十四卷。《新》、《舊唐志》、《宋志》同。今存十四卷。

《四庫全書提要》："漢趙岐註。其疏則舊本題宋孫奭撰。岐字邠卿，京兆長陵人。初名嘉，字臺卿。永興二年，辟司空掾，遷皮氏長。延熹元年，中常侍唐衡兄玹爲京兆尹，與岐夙隙，岐避禍逃避四方，乃自改名字。後遇赦得出，拜并州刺史。又遭黨錮十餘歲。中平元年，徵拜議郎，舉燉煌太守，後遷太僕，終太常。事蹟具《後漢書》本傳。奭字宗古，博平人。太宗端拱中，九經及第。仁宗時，官至兵部侍郎、龍圖閣學士。事蹟具《宋史》本傳。是注即岐避難北海時，在孫賓家夾柱中所作。漢儒注經，多明訓詁名物，惟此注箋釋文句，乃似後世之口義，與古學稍殊。然孔安國、馬融、鄭玄之注《論語》，今載於何晏《集解》者，體亦如是。蓋《易》、《書》文皆最古，非通其訓詁則不明。《詩》、《禮》語皆徵實，非明其名物亦不解。《論語》、《孟子》詞旨顯明，惟闡其義理而止。所謂言各有當也。其中如謂宰予、子貢、有若緣孔子聖德高美而盛稱之，孟子知其太過，故貶謂之污下之類，紕繆殊甚。以屈原憔悴爲徵於色，以寧戚扣角爲發於聲之類，亦比擬不倫。然朱子作《孟子集注或問》，於岐説不甚掊擊。至於書中人名，惟盆成括、告子不從其學於孟子之説，季孫、子叔不從其二弟子之説，餘皆從之。書中字義，惟折枝訓按摩之類不取其説，餘亦多取之。蓋其説雖不及後來之精密，而開闢荒蕪，俾後來得循途而深造，其功要不可泯也。胡爌《拾遺録》據李善《文選注》引《孟子》曰：'墨子兼愛，摩頂致於踵。'趙岐曰：'致，至也。'知今本經文及注均與唐本不同。今證以孫奭《音義》所音，岐注亦多不相應，語詳《孟子音義》條下。蓋已非舊本。至於《盡心》下篇'夫子之設科也'，注稱'孟子曰：夫我設教授之科'云云，則顯爲'予'字，今本乃作'夫子'。又'萬子曰'句，注稱'萬子，萬章也'，則顯爲'子'字，今本乃作'萬章'。是又注文未改，而經文誤刊者矣。其疏雖稱孫奭作，而《朱子語録》則謂'邵武士人假託，蔡季通識其人'。今考《宋史·邢昺傳》，稱昺於咸平二年受詔與杜鎬、舒雅、孫奭、李慕清、崔偓佺等校定《周禮》、《儀禮》、《公羊》、《穀梁春秋傳》、《孝經》、《論語》、《爾雅》義疏，不云有《孟子正義》。《涑水紀聞》載奭所定著有《論語》、《孝經》、《爾雅正義》,亦不有云《孟子正義》。其不出奭手,確然可信。其疏皆敷衍語氣,如鄉塾講章,故《朱子語録》謂其全不似疏體,不曾解出名物制度,只繞纏趙岐之説。至岐注好用古事爲比,疏多不得其根據,如注謂非禮之禮,若陳質娶妻而長拜之,非義之義,若籍交報讎,此誠不得其出典。案籍交報讎,似謂藉交游之力以報讎,如朱家、郭解,非有人姓藉名交也,疑不能明,謹附識於此。至於單豹養其内而虎食其外,事出《莊子》,亦不能舉,則弇陋太甚。朱彝尊《經義考》摘其欲見西施者人輸金錢一文事,詭稱《史記》。今考注以尾生爲不虞之譽,以陳不瞻爲求全之毁,疏亦並稱《史記》。尾生事實見《莊子》,陳不瞻事見《説苑》,案《説苑》作陳不占,蓋古字同音假借。皆《史記》所無。如斯之類,益影撰無稽矣。以久列學官,姑仍舊本録之爾。"

高誘　正孟子章句　卷數佚。

馬國翰曰:"誘作《吕氏春秋序》,自言正《孟子章句》。其書久佚,故歷代書志不著録。宋熙時子注《孟子外書》引高氏誘二則,此外亦無引之者。焦循作《孟子正義》,頗篤古訓,以誘所注諸書多及《孟子》,尚可考見,迺詳取《吕氏春秋》、《淮南子》、《戰國策》三注,凡涉《孟子》者,彙集之附於序説,語辭多少,往往與今本不同。如以北宫黝爲齊人,陳賈爲姚賈,匡章、陳仲子爲孟子弟子之類,説多歧指。"

侯康曰:"似正程會之書也。"

案今以《吕氏春秋》、《淮南子》、《戰國策》諸注所引《孟子》校之,與今本多異。如《吕氏春秋·樂成篇》注引"望之不似人君","之"下有"而"字;《懷寵篇》注引"簞食壺漿以迎王師","簞食"上有"百姓"二字;《壹行篇》注引"由反手也"作"猶"。《淮南子·氾論訓》注"娉溺而不援","援"作

"拯";《修務訓》注引"掩鼻而過之","鼻"上有"其"字。《戰國策·齊策》注引"將以釁鐘","鐘"作"鍾"。至《吕氏春秋·樂成篇》注引"公孫丑曰伊尹放太甲於桐"一節,[①]《用衆篇》注引"有楚大夫欲其子齊言也"一節,《慎人篇》注引"百里奚,虞人也"一節,《戰國策·齊策》注引"子噲無王命"一節,則字句與今本全異矣。

劉熙　孟子注 《隋志》:七卷。《新》、《舊唐志》同。

馬國翰曰:"《史記》、《漢書》、《文選》等注尚有徵引,而注上所列經文,往往與今本不同,蓋所據之本劉與趙異。宋熙時子《孟子外書·孝經》第三注引劉氏熙一則,案熙注七卷無外書,不知熙時何據。"

翟灝《四書攷異》:"《張皓王龔傳》注所引,與《孟子》本經大殊,《郅惲傳》注復引此節,文都與本經不異,一人一書,各出如是,可見唐時《孟子》本視今爲尤錯雜。"

侯康曰:"劉氏注與今本不同者,'孟子去齊宿於晝','晝'作'畫',音'獲',云'齊西南近邑';《史記·田單傳》注。'摩頂放踵'作'摩頂致於踵',云'致,至也'。"《文選·江文通詣建平王上書》注。

案翟灝謂《張皓王龔傳》注引與今本大殊者,觀其下引劉熙注"折枝,若今之按摩也",則據熙之本也。《郅惲傳》注與今同,乃用趙岐之本耳。李善《文選注》引《孟子》,凡用劉熙注,亦多與今異。《東都賦》注引劉熙注"横而射之曰詭遇"上引經文曰:"趙簡子使王良與嬖奚乘,終日不獲一禽,反曰:'天下之賤工也。'王良請復冠之,一朝而獲十,反曰:'良工也。'簡子曰:'吾使汝掌乘。'王良曰:'不可。吾爲範我馳驅,終日不獲焉,爲之詭遇,一朝而獲十。'"《張景陽雜

① "篇",原誤作"訓"。

詩》注引劉熙注"陳仲子,齊一介士也。螬,蟲也"云云上引經文曰:"陳仲子豈不誠廉士哉!居於陵,三日不食,耳無聞,目無見也。井上有李實,螬食者過半矣,匍匐往將而食之,三咽,然後耳有聞,目有見也。"餘如《李蕭遠運命論》注、《陸士衡塘上行》注、《古詩十九首》注、《王仲寶褚淵碑》注、《任彦升竟陵文宣王行狀》注、《江文通上建平王書》注、《北山移文》注、《補亡詩》注所引,皆與今本少有異同。又《原本玉篇》亦多引之,其與今本異者,《言部》引"則人將曰施","施"作"訑訑",注:"訑訑,自得之貌。"《山部》引"可使高於岑楼"作"岑婁",注曰:"岑婁,小山鋭頂者也。"《㚘部》引"使舜完廪捐階"作"捐附階",注:"階,梯也。"他所引尚多,與今同。又熙書無《外書》,觀《隋志》卷數可見,而宋熙時子《孟子外書》引之,此可見熙時子所引多係僞造,偶爾失攷,遂露破綻矣。

張衡　太玄經注　卷數佚。

崔瑗　太玄經注　卷數佚。

侯康曰:"並見《華陽國志·蜀郡士女讚》。"

宋衷　太玄經注　《隋志》:九卷。《唐志》:十二卷。作"宋仲孚","孚"蓋因古"子"字作"孚"而譌。

陸績《太玄經》注自述云:"章陵宋仲子作《太玄解詁》,仲子之思慮,誠爲信篤。然玄道廣遠,淹廢歷載,師讀斷絶,難可一備,故往往有違本錯誤。"又云:"夫玄之大義,揲蓍之謂,而仲子失其指歸。休咎之占,靡所取定,雖得文間異説,大體乖矣。"

案《原本玉篇·欠部》引《太玄經》"下欱出入九虚",宋衷注曰:"欱,合也。"《車部》引《太玄經》"車軨馬騣,以周天下",宋衷注曰:"銅繫曰軨,尾結曰騣。"又引"軫轉其道",宋衷

注:"軫,展也。"又引"伍各殊輩",宋衷注曰:"輩,類也。"《糸部》"乃綜也千名",宋衷曰:"綜所以紀綜之也。"又引"鴻綸天",宋衷注曰:"綸,絡也。"《文選・任彦升薦士表》注引《太玄經》"爰質所疑",宋衷注:"質,問也。"《西京賦》注引"堂,高也",《東京賦》注引"軫,界也",阮嗣宗《詠懷詩》註亦引。《江賦》注亦引"摎,猶糾也",並稱宋衷《太玄經注》。

宋衷　法言注 《隋志》:十三卷。《唐志》:十卷。《舊》同。

案《文選・文賦》注引《法言》"羣言之長",宋衷注"羣,非一也",《蘇子卿古詩》注引《法言》"吾不睹參、辰",宋衷注"辰,龍星也。參,虎星也。吾不見龍虎俱見"。范書《逸民傳》論注引《法言》"鴻飛冥冥,弋者何篡也",宋衷注"篡,取也。鴻高飛冥冥薄天,雖有弋人,何施巧行而取也。喻賢者隱處,不罹暴亂之害",又《文選・陸機高祖功臣讚》注引"張良爲高祖畫策六,陳平出奇策四,皆權謀也,非正也",稱宋仲子《法言注》。

梁鴻書 卷數佚。

《東觀漢記》:"梁鴻少孤,以童幼詣太學受業,治《禮》、《詩》、《書》、《春秋》。後適吴,依大家臯伯通廡下,爲賃舂,閉户吟詠書記,遂潛思著書十餘篇。"

《後漢紀》:"鴻當門吟咏,著書十餘篇。"

《高士傳》:"鴻閉户著書十餘篇。"

蘇竟　記誨篇 卷數佚。

周黨書 袁宏《記》:二篇。

《後漢紀》:"黨字伯况,舉動必以禮。赤眉之亂,所在殘破,聞黨德行,不入其邑,由是名重天下。三徵然後至,自陳願守所志,上聽之。既退,著書上下篇,終于洿池,百姓賢而祠之。"

郅惲書 范《書》:八篇。

桓譚 新論 《隋志》:十七卷。《新》、《舊唐志》同。

范書《桓譚傳》:"初,譚著書言當世行事二十九篇,號曰《新論》,上書獻之,世祖善焉。《琴道》一篇未成,肅宗使班固續成之。"

《東觀漢記》曰:"光武讀之,敕言卷大,令皆別爲上、下,凡二十九篇。《琴道》未畢,但有《發首》一章。"

章懷曰:"《新論》一曰《本造》,二《王霸》,三《求輔》,四《言體》,五《見徵》,六《譴非》,七《啟寤》,八《祛蔽》,九《正經》,十《識通》,十一《離事》,十二《道賦》,十三《辨惑》,十四《述策》,十五《閔友》,十六《琴道》。《本造》、《閔友》、《琴道》各一篇,餘有上下。"

《論衡·超奇篇》:"桓君山作《新論》,論世間事,辯照然否。虛妄之言,僞飾之辭,莫不證定。"

《晉書·陸喜傳》載其《自序》云:"劉向省《新語》而作《新序》,桓譚詠《新序》而作《新論》。"

案《御覽》六百二引"余爲《新論》述古今,亦欲興治也,何異《春秋》褒貶耶? 今有疑者,所謂蚌異蛤二五而非十也。譚見劉向《新序》、陸賈《新語》,乃爲《新論》。莊周寓言乃云堯問孔子,《淮南子》共工争帝地維絶,亦皆爲妄作,故世人多云短書不可用。然論天間莫明于聖人,莊周雖虛誕,故當採其善,何云盡棄耶",稱桓譚《新論》,此似其書序。范《書》稱"《琴道》一篇未成,使班固續之",《東觀記》謂"但有《發首》一章",今范書《陳元傳》注、《三國志·郤正傳》注、《書鈔》七十一、《御覽》五百八十及《文選注》所引《新論》事涉音樂者,皆係班固所續。惟《意林》載《新論》末一條論琴,係《發首》一章。何以證之? 攷《文選·琴賦》注引"《七畧》《雅暢》弟十七曰:'《琴道》曰:堯暢逸。又曰:達則兼善天下，無不通暢，故謂之暢。又曰：《微子操》，微子傷殷之將亡，終不可奈何，見鴻鵠高飛，援琴作操。'"文正與《意林》所載同。《七畧》係劉歆作，譚曾爲莽掌樂大夫，與歆相接，即爲所采用，則非固作可知矣。

韋彪　韋卿子 范《書》：十二篇。袁宏《紀》同。

袁宏《後漢紀》："彪著書十二篇，號《韋卿子》。"

鄒伯奇　元思 卷數佚。

《論衡·超奇篇》："東番鄒伯奇，位雖不至公卿，誠能知之囊橐，文雅之英雄也。觀伯奇之《元思》，劉子政、楊雄不能過也。"《案書篇》亦云。

鄒伯奇　檢論 卷數佚。

《論衡·對作篇》："桓君山《新論》、鄒伯奇《檢論》，可謂論矣。"

唐羌　唐子 卷數佚。

謝承《書》："唐羌字伯游，辟公府，[①]補臨武長。和帝時，棄官還，不應徵。著《唐子》三十餘篇。" 《後漢書·和紀》注。

羅泌曰："羌本名堯，後人惡其僭而改之。"

案《書鈔》、《文選》、《御覽》每引《唐子》，核之《意林》，則唐滂作也。

王符　潛夫論 《隋志》：十卷。《新》、《舊唐志》、《宋志》同。今存十卷。

《四庫全書提要》："漢王符撰。符字節信，安定臨涇人。《後漢書》本傳稱：'和、安之後，世務游宦，當途者更相薦引，而符獨耿介不同於俗，以此遂不得升進。志意蘊憤，乃隱居著書二十餘篇，以議當時得失，不欲章顯其名，故號曰《潛夫論》。'今本凡三十五篇，合敘録爲三十六篇，葢猶舊本。卷首《讚學》一篇論勵志勤修之旨，卷末《五德志篇》述帝王之世次，

① 原脱"辟"字，據中華本《後漢書》補。

《志氏姓篇》考譜牒之源流。其中《卜列》、《相列》、《夢列》三篇,亦皆雜論方技,不盡指陳時政,范氏所云,舉其著書大旨爾。符生卒年月不可考,本傳之末載度遼將軍皇甫規解官歸里,符往謁見事。規解官歸里,據本傳在延熹五年,則符之著書在桓帝時,故所説多切漢末弊政。惟桓帝時皇甫規、段熲、張奂諸人,屢與羌戰,而其《救邊》、《邊議》二篇,乃以避寇爲憾,殆以安帝永初五年嘗徙安定北地郡,順帝永建四年始還舊地,至永和六年又内徙。符,安定人,故就其一鄉言之耶?然其謂失涼州則三輔爲邊,三輔内入則宏農爲邊,宏農内入則洛陽爲邊,推此以相況,雖盡東海,猶有邊,則灼然明論,足爲輕棄邊地之炯鑒也。范氏録其《貴忠》、《浮侈》、《實貢》、《愛日》、《述赦》五篇入本傳,而字句與今本多不同,晁公武《讀書志》謂其有所損益,理或然歟?范氏以符與王充、仲長統同傳,韓愈因作《後漢三賢贊》。今以三家之書相較,符書洞悉政體似《昌言》,而明切過之;辨别是非似《論衡》,而醇正過之。前史列之儒家,斯爲不愧。惟《賢難篇》中稱'鄧通吮癰爲忠於文帝',又稱'其欲昭景帝之孝,反以結怨',則紕繆最甚,是其發憤著書立言,矯激之過,亦不必曲爲之諱矣。"

王逸　正部論　《七録》:八卷。《意林》:十卷。

案《書鈔》四十引"或問:'張騫可謂名使者歟?'自京師以西,安息以東,方數萬里,騫皆經歷",《類聚》七十三引"顔淵之單瓢,則勝慶封玉杯,何者?德行高遠,能殊絶也",八十二引:"或問玉符,曰:'赤如雞冠,黄如蒸栗,白如猪肪,黑如純漆,玉之符也。'"又引"自比如萍,隨水浮游",《初學記》二十八引"木有扶桑梧桐,皆受氣淳美,異於羣類者也",《御覽》九百五十六引。《御覽》七百六十五引"自幽、厲禮壞樂崩,天綱絁絶,諸侯力攻,轉相吞滅,德不能懷,威不能制。至于赧王，遂喪玉斗"，九百九十四引"草有巨暢威蒽"，九百五十六亦引。並稱《王逸子》。餘引《正部論》者不著。又《書鈔》九十七引"用道德爲弓弩，仁義爲鎧甲"，稱王逸《折武論》。吴淑《事類賦注》引玉符一條，稱王逸《玉論》。疑皆此書中篇名。又《意林》四引"仲尼敘書，上謂天談，下謂民語，兼該男女。究其表裏，《淮南》浮僞而多恢，《太玄》幽虚而少效，《法言》雜錯而無主，《新書》繁文而鮮用"，似此書序文，蓋自謂出諸子上也。

梁竦　七序 卷數佚。

《後漢紀》："竦閩門不出，作經書數篇，名曰《七序》。班固見而稱之曰：'昔孔子作《春秋》而亂臣賊子懼，梁竦作《七序》而竊位素餐者慙。'"

魏朗　魏子 《隋志》：三卷。《新》、《舊唐志》同。《意林》：十卷。

侯康曰："《意林》作十卷，徵引數條。餘見《御覽》卷十五所引者云：'北夷之氣象羣羊，南夷之氣類船，山海之氣象樓臺，宫闕都邑之氣象林木。'又云：'雲霧之盛，須臾而訖；暴雨之盛，不過終日。是以人君喜怒不見于容。'五百九十八引云：'仲尼無券契于天下，而德著古今，善惡明也。'七百三十八引云：'待扁鵲乃治病，終身不愈也；用道術，則無所不治也。'九百三十二引云：'夫樹樹異風，人人異心，不可以一檢量，故黿鼉得水則生，虎豹得水則死多。'《意林》所未載。惟仲尼一條，與《意林》同。"

案《文選・陸士衡演連珠》注引"昔者許由之立身也，恬然守志存己，不甘禄位，洗耳不受帝堯之讓，謙退之高也"，稱《魏子》，亦《意林》所未載。

應奉　後序 《隋志》：十二卷。

華嶠《書》："奉才敏，善諷誦，讀書五行俱下。著《後序》十餘篇,爲世儒者。”《魏志·王粲傳》注。

荀爽　新書　卷數佚。

李固弟子　德行　范《書》:一篇。

范書《李固傳》:“固誅,弟子趙承等悲歎不已,乃共論固言迹,以爲《德行》一篇。”

謝承《書》曰:“固所授弟子,潁川杜訪、汝南鄭遂、河内趙承等七十二人,相與哀歎悲憤,以爲眼不復瞻固形容,耳不復聞固嘉訓,乃共論集《德行》一篇。”《後漢書·李固傳》注。

陳紀　陳子　卷數佚。

邯鄲淳《鴻臚陳君碑》曰:“既處隱約,潛躬味道 ,足不踰閾,乃覃思著書三十餘萬言。言不務華,事不虚設。其所交釋合贊規聖哲,而後建首明歸焉,今所謂《陳子》者也。”

荀悦　申鑒　《隋志》:五卷。《新》、《舊唐志》同。今存五卷。

《四庫全書提要》:“漢荀悦撰。悦有《漢紀》已著録。《後漢書·荀淑傳》稱‘悦侍講禁中,見政移曹氏。志在獻替,而謀無所用,乃作《申鑒》五篇。其所論辨,通見政體,既成奏上,帝覽而善之’。其書見於《隋·經籍志》、《唐·藝文志》者,皆五卷,卷爲一篇。一曰《政體》,二曰《時事》,皆制治大要及時所當行之務。三曰《俗嫌》,皆禨祥讖緯之説。四曰《雜言》上,五曰《雜言》下,則皆泛論義理,頗似揚雄《法言》。《後漢書》取其《政體篇》‘爲政之方’一章,《時事篇》‘正當主之制’、‘復内外注記’二章載入傳中。又稱悦别有《崇德》、《正論》及諸論數十篇,今並不傳。惟所作《漢紀》及此書尚存於世,《漢紀》文約事詳,足稱良史;而此書剖析事理,亦深切著明。蓋由其原本儒術,故所言皆不詭於正也。明正德中,吴縣黄省曾爲之注,凡萬四千餘言,引據博洽,多得悦旨。其於《後漢書》所引,間有同異者,亦並列其文於句下,以便考訂。然如

《政體篇》'真實而已'句，今本《後漢書》'實'作'定'，'不肅而治'句，今本《後漢書》'治'作'成'，而省曾均未之及，則亦不免偶疎也。"

王祐　王子　《華陽國志》：五篇。

《華陽國志·廣漢士女讚》："王祐，字平仲，郪人也。少與雒高士張浮齊名，不應州郡辟命。司隸尉陳紀山名知人，稱祐天下高士。年四十二卒。弟獲，志其遺言，撰《王子》五篇。"

曹大家　女誡　《隋志》：一卷。《唐志》、《宋志》同。

《書録解題》曰："俗號《女孝經》。"

荀爽　女誡　卷數佚。

案《類聚》二十三引之。

蔡邕　女史篇　《七録》：一卷。

案《文選·女史箴》注引"夫心猶首面，一旦不脩飾，則塵垢穢之；人心不脩善，則邪惡入之。人盛飾其面，而不脩其心，惑矣"，《書鈔》一百二十九引"而今之務在奢麗，志好美飾，帛必細薄，采必輕淺。或一朝之宴，再三易衣，從慶移坐，不因故服也"，《御覽》四百五十九引"覽照拭面，則思其心之潔，傅脂則思其心之妍，加粉則思其心之鮮，澤髪則思其心之順，用櫛則思其心之理，立髻則思其心之正，攝鬢則思其心之整"，並稱蔡邕《女誡》。又《書鈔》一百八、《御覽》五十七引對舅姑鼓琴之禮甚詳，稱《女訓》。其實皆《隋志》《女史篇》文也。

凡儒三十二部，篇卷數可攷者五十八篇一百一十六卷。

馬融　老子注　卷數佚。

鄭康成　老子注　卷數佚。

《南齊書·王僧虔傳》："誡子書曰：'汝開《老子》卷頭五尺許，未知輔嗣何所道，平叔何所説，馬、鄭何所異。"

案據此,則康成亦有《老子》注矣。

王充　養性書　范《書》:十六篇。

《論衡·自紀篇》:"庚辛域際,雖懼終徂,愚猶沛沛,乃作《養性書》十六篇。養氣自守,適食則酒,閉明塞聰,愛精自保。適輔服藥引導,庶冀性命可延,斯須不老。既晚無還,垂書示後。"

虞豫《會稽典録》曰:"王充年漸七十,乃作《養性》之書,凡十六篇。養氣自守,閉聰塞明,愛精自輔,服藥道引,庶幾獲道。"

劉陶　匡老子　卷數佚。

想余老子注　《敘録》:二卷。

《敘録》:"不詳何人。一云張魯,或云劉表。"

牟融　牟子　一名《理惑論》。《隋志》:二卷。《新》、《舊唐志》同。

《自序》云:"牟子既修經傳諸子,書無大小,靡不好之。雖不樂兵法,然猶讀焉。惟讀神仙不死之書,抑而不信,以爲虛誕。是時,靈帝崩後,天下擾亂,獨交州差安。北方異人,咸來在焉,多爲神仙辟穀長生之術,時人多有學者。牟子常以五經難之,道家術士,莫敢對焉,比之于孟軻距楊朱、墨翟。先是時,牟子將母避世交趾,年二十六歸蒼梧,娶妻。太守聞其守學,謁請署吏,時年方盛,志精于學,又見世亂,無仕宦意,竟遂不就。是時,諸州郡相疑,隔塞不通,太守以其博學多識,使致敬荆州。牟子以爲榮爵易讓,使命難辭,遂嚴當行。會被州牧優文處士,辟之,復稱疾不起。牧弟爲豫章太守,爲中郎將笮融所殺,時牧遣騎都尉劉彦將兵赴之,恐外界相疑,兵不得進。牧乃請牟子曰:'弟爲逆賊所害,骨肉之痛,憤發肝心,當遣劉都尉行,恐外界疑難,行人不通。君文武兼備,有專對才,今欲相屈之零陵桂陽,假塗于通路,何如?'牟子曰:'被秣伏櫪,見遇日久,烈士亡身,期必騁效。'遂嚴當發。會其母卒亡,遂不果行。久之,退念以辯達之故,輒見使命,方世擾攘,非顯己之秋也,乃歎曰:'老子絶聖棄智,修身保真,萬物不干其志,天下不易其樂。天子不得臣,諸侯不得友,故可貴也。'于是鋭志于佛、道,兼研《老子》五千文,含玄妙爲酒漿,翫五經爲琴笙。世俗之徒多非之者,以爲背五經而向異道。欲争則非道,欲默則不能,遂以筆墨之間,畧引聖賢之言證解之,名曰《牟子理惑》云。"

洪頤煊曰:"《隋書·經籍志》:'《牟子》二卷,後漢太尉牟融撰。'《新》、《舊唐志》同。梁僧祐《宏明集》有漢牟融《理惑論》三十七篇,前有《自序》,云一名《牟子理惑》。《世説》注、《文選注》、《太平御覽》引《牟子》數條,雖字句異同,皆在《理惑論》三十七篇中,知《隋》、《唐志》所載《牟子》即是書也。《後漢書·牟融傳》:'融代趙熹爲太尉,建初四年薨。'是書《自序》云:'靈帝崩後,天下擾亂。'則相距已百餘年,《牟子》非融作明矣。《宏明集》題下有注云:'一云蒼梧太守牟子博傳。'子博之名,不見於史。據《自序》云'歸蒼梧娶妻,太守聞其守學,謁請署吏,不就',是牟子本蒼梧人,未嘗爲蒼梧太守,或下脱'從事掾史'等字。又據《自序》,牟子未嘗居官,《宏明集》作'蒼梧太守牟子博傳',豈從其後而署之耶?抑别有其人耶?是書雖崇信佛、道,尚不背于聖賢之旨,故《隋志》列於儒家。"

侯康曰:"《隋志》列於儒家,究不若《唐志》列於道家之爲善,今從《唐志》。"

馮顥　刺奢説

《華陽國志·廣漢士女讚》:"顥作《刺奢説》,修黄老,恬然終日。"

凡道七部,篇卷數可攷者十六篇四卷。

陰陽　闕。

王充　政務書　卷數佚。

《論衡·對作篇》:"桓君山《新論》、鄒伯奇《檢論》,可謂論矣。今觀《論衡》、《政務》,桓、鄒之二論也。"又《自紀篇》:"充既疾俗情,作《譏俗》之書。又閔人君之政,徒欲治人,不得其宜,不曉其務,愁情苦思,不睹所趨,故作《政務》之書。"

李尤　政務論　《華陽國志》:七篇。

《華陽國志》:"尤著《政務論》七篇。"

劉陶　反韓非　卷數佚。

崔寔　政論　《隋志》:六卷。《唐志》同。

范書《崔寔傳》:"寔明于政體,吏才有餘,論當世便宜事數十條,名曰《政論》。指切時要,言辨而確,當世稱之。仲長統曰:'凡爲人主,宜寫一通,置之坐側。'"

《晉書·祖納傳》:"王隱謂納曰:'蓋聞古人遭逢,則以功達其道,若其不遇,則以言達其道。古必有之,今亦宜然。當今晉未有書,而天下大亂,舊事蕩滅,何不記述而有裁成?應仲遠作《風俗通》,[①]崔子真作《政論》,蔡伯喈作《觀學篇》,史游作《急就章》,猶皆行於世,便成没而不朽。況國史明于得失之迹,俱取散愁,何必圍棋!'"

嚴可均曰:"《隋志》法家《正論》五卷,漢大尚書崔寔撰。《舊唐志》《政論》五卷,《意林》亦五卷。《新唐志》作六卷。各書引見,或作《正論》,又作《本論》,止是一書。其書成於守遼東後,故有'僕前爲五原太守,及今遼東耕犂'云云。本傳繫於桓帝初除爲郎時,未得其實。其本北宋時已佚失,故《崇文總

① 原脱"作"字,據中華本《晉書》補。

目》不著録,《郡齋讀書志》、《直齋書録解題》亦無之。《通志畧》載有六卷,虚列書名,不足據。今從《羣書治要》寫出七篇,從本傳及《通典》各寫出一篇,凡九篇,畧依《意林》次第之。剌取各書引見,校補僞脱,定著一卷。其畸零短段三十事,不能成篇者,載於卷末。《治要》專取精實,而腴語美詞,芟除淨盡,然於當時積弊,已臚列無遺。治亂興亡,古今一軌,本傳引仲長統曰'凡爲人主,宜寫一通,置之坐側',誠哉是言也!"

案《文選·孫子荆爲石仲容與孫皓書》注引"孝宣帝方外安静,單于稽顙來朝",《漢高祖功臣頌》注引"舉彌天之網,以羅海内之雄",《三國名臣贊》注引"且觀世人之相論也,徒以一面之交,定臧否之決",俱稱崔寔《本論》。

凡法四部,篇卷數可攷者七篇六卷。

名 闕。

墨 闕。

杜篤 明世論 范《書》:十五卷。

案《文選·魏都賦》注引"親録譯導,緩步四來",稱杜篤《通邊論》。《御覽》七百八引"匈奴請降,毾㲪登罽褥,帳幔氊裘,積如丘山",稱《邊論》。《王元長曲水詩序》注引"文越水震,鄉風仰流",稱杜篤《展武論》。葢即十五篇之二。又《書鈔》十五引稱杜篤論。

凡從横一部十五篇。

許慎 淮南子注 《隋志》:二十一卷。《唐志》同。

《衢本郡齋讀書志》:"《淮南子》二十一卷,慎自名注曰'記上'。今存《原道》、《俶真》、《天文》、《時則》、《覽冥》、《精神》、《本經》、《主術》、《繆稱》、《齊俗》、《道應》、《氾論》、《詮言》、《兵畧》、《説山》、《説林》等十七篇,李氏《書目》亦云第七、第十九亡,[①]《崇文目》則云存者十八篇。蓋李氏亡二篇,《崇文》亡三篇。家本又少其一,俟求善本是正之。”袁本云:“慎標其首皆曰‘間詁’,當作詁。次曰‘《淮南鴻烈》’,自名注曰‘記上’。第七、十九缺。”

《直齋書録解題》:“《淮南鴻烈解》二十一卷,後漢太尉許慎叔重注。案《唐志》又有高誘注。今本既題‘許慎記上’,而詳序文則是高誘,不可曉也。”

蘇頌《校淮南子題序》云:“今校崇文舊書與蜀印本,暨臣某家書,凡七部,並題曰‘淮南子注’,許、高相參,不復可辨。惟集賢本卷末有前賢題載云:‘許標其首,皆是“間詁”;“鴻烈”之下,謂之“記上”。高題卷首,皆謂之“鴻烈解經”,“解經”之下曰“高氏注”,每篇之下皆曰“訓”,又分數篇爲上下,以此爲異。’《崇文總目》亦云如此,又謂高注更詳於許氏,本書文句亦有小異。然今此七本皆有高氏訓敘,題卷仍各不同,或於‘解經’下云‘許慎記上’,或于‘間詁’上云‘高氏’,或但云‘鴻烈解’,或不言‘高氏注’,或以《人間篇》爲第七,或以《精神篇》爲第十八,參差不齊,非復昔時之體。臣某據文推次,頗見端緒。高注篇名,皆有‘故曰因以題篇’之語,其間奇字,並載音讀。許於篇下粗論大意,卷内或有假借用字,以周爲舟,以楯爲循,以而爲如,以恬爲惔,如此非一。又其詳畧不同,誠如《總目》之説。互相考證,去其重複,共得高注十三篇,許注十八篇。又案高氏《敘》‘典農中郎將弁揖借八卷,會揖喪,遂亡,後補足’,今所闕八卷,得非後補者?失其定著外,所闕卷但載淮南本書,仍於篇下題目注云‘今亡’,許注仍不敘録。并以黄紙繕寫,藏之館閣。”

莊逵吉《淮南敘目》:“公武謂許注題‘記上’,陳振孫謂今本皆

---

① “李”,原誤作“季”,據王先謙合校本《郡齋讀書志》改。下同。

云許注，而詳敘文即是高誘。逵吉以爲，此乃後人誤合兩家爲一，故溷而不分也。如《墬形訓》'大汾'，誘注云'在晋'，《吕覽》則云'未聞'。同爲一人語釋，未必聞於此而不聞於彼也。《俶真訓》'剞劂'注云'剞，巧工鉤刀。劂者，規度刺畫墨邊箋，所以刻鏤之具也'，《本經訓》則云'剞，巧刺畫盡頭黑邊箋也。劂，錏刀'。同爲一書語釋，未必前後惑亂如是也。此亦兩家不分之明驗矣。又《文選注》引許注'三光'云'日、月、星'，'明月珠'云'夜光之珠，有似明月'。歐陽詢《藝文類聚》引許注'柳下惠'云'展禽樹柳行惠'。釋玄應《一切經音義》引許注'奇屈之服'云'屈短奇長'。《太平御覽》引許注'畫隨灰而月暈闕'云'有軍事相圍守'，'土龍致雨'云'以象雲龍'。皆即高注。殷敬順《列子釋文》引許注'策錣'云'馬策端有利鋒，所以刺不前'。《太平御覽》引許注'方諸見月'云'諸，珠也。方，石也。以銅盤受之，下水數升'。皆與高異。《文選注》引許注'莫鑒于流潦，而鑒于澂水'云'楚人謂水暴溢爲潦'，'鷄棲井幹'云'皆屋構飾也'。《太平御覽》引許注'騏麟鬥而日月食，鯨魚死而彗星出'云'騏麟，大角獸，故與日月符。鯨魚，海中魚之王也'，'一墣塞江'云'墣，塊也'。皆高之所無。又《文選注》引'綄之候風'許注云'綄候風者，楚人謂之五兩'。今高注則'綄'作'俔'，云'世謂之五兩'。'自西南至東南，有裸人國、黑齒民'，許注云'其民不衣'，'其人黑齒'。今高注則裸國在東南，黑齒在東北，但有'其人黑齒'注語，而無'其民不衣'云云。更可見本之故多殊異，注之互有脱訛矣。故'釣射鸕鷀'，《太平御覽》引作'釣射瀟湘'，是足證其殊異。'牛蹄之涔，無尺之鯉；塊阜之山，無丈之材，皆其營宇狹小，而不能容巨大'，《太平御覽》引作'牛蹄之涔，無經尺之鯉；魁父之山，無營宇之材，皆其狹小，而不能容巨大'，是足證其脱訛。葢唐、宋以前，古本尚存，皆得展轉引據。今亡之，又爲庸夫散亂，難言攷正耳。”

洪亮吉《漢魏音序》：“許君注淮南王書，今不傳。惟《道藏》中《淮南鴻烈篇》二十八卷，尚題漢南閣祭酒許慎注，或當有據。然世所盛行之本，則皆題漢涿郡高誘注。今考許君之注，有淆入誘注中者，或本誘采用許君之説，後人遂誤以爲誘也。今畧論之，《淮南王》書‘軵其肘’，高誘注‘軵讀近茸急察言之’；又‘罧者扣舟’，高誘注‘今沇州人積柴水中搏魚爲罧’，皆與《説文》之説同。此類尚多，以是知許君之注有淆入誘注者矣。”

勞格《讀書雜志》：“今《道藏》本題許慎記，與陳氏所見本合，知高注僅存十三篇。其《繆稱》、《齊俗》、《道應》、《詮言》、《兵畧》、《人間》、《泰族》、《要畧》八篇注，皆無是句。又注文簡約，與高注頗殊，與諸書所引許注相合，當是許注無疑。較晁本少《原道》、《俶真》、《天文》、《時則》、《覽冥》、《精神》、《本經》、《主術》、《氾論》、《説山》、《説林》十一篇，多《人間》、《泰族》、《要畧》三篇。又高注十三篇，《宋史》亦作十三卷，僅据見存殘本而言耳。又蘇頌校本於高注所闕卷，但載本書，許注仍不敘録。今本以許注補高本之闕者，葢别是一本也。”

案勞氏謂諸書所引許注，與《繆稱》、《齊俗》等八篇合。今考《繆稱訓》許注，《原本玉篇・言部》引“謄，傳也”，與今本“子産謄辭”句注合；《𨸏部》引“陀，落也”，《山部》引“嶞，陗也”，與“城嶞者必崩”二句注合；《史記・武帝紀》索隱引“晏，無雲”，與“暉目知晏”句注合。《齊俗訓》注，《原本玉篇・糸部》“綄候風也，楚人謂之五兩”，與“若俔之見風”句注合；《水部》引“澆，薄也”，與“澆天下之淳”句注合；《文選・廣絶交論》註同。《後漢書・劉平傳》注引“楚人謂袍爲短褐”，與"短褐不完"句注合;《路史·疏仡紀》注引"三月之服,夏后氏之禮",與"三月之服"句注合。《道應訓》注,《原本玉篇·工部》引"二玉謂工",今"玄玉百工"句注作"三玉",蓋二字譌也;《史記·天官書》索隱引"杓,引也",與"杓國門之關"句注合;《文選·辨命論》注引"朝生暮死蟲也,生水上,似蠶蛾",與"朝菌不知晦朔"句注合。《詮言訓》注,《原本玉篇·舟部》引"朕,兆也",與"遊無朕"注合;《欠部》引"持舟楫者謂近岸爲欱,遠欱爲張",與"一謂張之"二句注合;《可部》引"屈,短也。奇,長也",與"屈奇之服"句注合。《兵畧訓》注,《原本玉篇·糸部》引"縮,貫也",與"枹縮而鼓之"注合;《一切經音義》二十同。又引"緜,絡也",與"緜以方城"句注合;《史記·禮書》集解引"垂沙,地名",與"兵殆於垂沙"句注合;《劉敬叔孫通傳》索隱引"搴,取也",與"搴巨旗"句注合;《文選·江賦》注引"九旋之淵至深",與"九旋之淵"句注合;《御覽》三百七十引"明衣,送終衣也。剪手足指爪者,示必死也",與"翦指爪句",注小異而大同。《人間訓》注,《原本玉篇·水部》"滫,臭汁",與"漸之於滫"句注合。《泰族訓》注,《原本玉篇·糸部》引"訟,容也。繆,静也",與"訟繆胸中"句注合;瞿曇《開元占經》百二十引"蛟龍,鼉屬,乳謂卵自乳者",與"蛟龍伏寢于淵"二句注合;《御覽》五百七十五引"刻簴爲九龍,縣鐘也,"與"九龍之鐘"句注合。《要畧訓》注,《原本玉篇》引"繚,綃縠也",今"箴縷繚繳之間"句注"縠"譌作"煞";《初學記》樂部引"族,聚也。其鐘聲如雷震,雉皆應之",與"郊雉皆應"句注合。鉤稽諸書所引許注,與此八篇注幾無一不合。且亦無諸書引之,而八篇闕佚者,則知此八篇尚完帙也。惟注則用許,而本文則仍是高本,何以知之?《泰族訓》"蛟龍伏寢於淵,而卵割於陵",《開元占經》百二十所引許本作"卵乳於陵",而今本此下注亦曰"乳於陵而伏於淵",則亦不從割字解,痕迹顯然。又"子產謄辭",《玉篇》明列《言部》作"謄",而今本正文及注均作"謄",則并注改之也。又高注稱一説,稱或,蓋即許注。《原道訓》"昔者馮夷、大丙之御也",高注"夷或作遲,丙或作白",而《文選·七發》注引《淮南子》正作"馮遲、太白",下引許君曰"馮遲、太白,河伯也"。《俶真訓》"從敦圄"高注曰"一曰仙人名",而《史記·司馬相如傳》索隱引許注"淳圄,仙人也"。《主術訓》"發鉅橋之粟"高注"一説鉅鹿漕運之橋",而《史記·殷本紀》集解引許慎曰"鉅橋,鉅鹿水之大橋也,有漕粟也"。此三條即其明證。至諸書所引許注,其正文每與高異。《原道訓》"廓四方,析八極",《原本玉篇·广部》引作"厈廓四方八極",下引許注曰"厈,拓也";"峭法刻誅",《玉篇·阜部》引作"峭法峻刑",許注"峭,峻也";《文選·西征赋》注同。"曲隈深潭",《玉篇·水部》引作"曲隈深涧",許注"涧入之处也";"激抮之音",《玉篇·車部》引"抮"作"軫",許注"轉也";"下出於無垠之門",《文選·西京賦》注引"垠"下有"鍔"字,許注"垠鍔,端崖也";"游於江潯,《文選·江賦》注引作"南游江潯",許注"水崖也";"揚鄭、衛之浩樂",《文選·七發》注引"浩"作"皓",許注"皓樂,善倡也";"羽者嫗伏",《玉燭寶典》一引"羽"作"剖",許注"嫗以氣伏卵"。《俶真訓》"從敦圄",《史記·司馬相如傳》索隱引作"淳圄",許注"仙人也";"人莫鑑於流沫,而鑑於止水",《文選·江賦》注引"沫"作"潦","止"作"澄",許注"楚人謂水暴溢爲潦";"飛鳥鎩翼",《文選·蜀都賦》注引"翼"作"羽",許注"鎩,殘羽也";"含哺而游",釋玄應《一切經音義》一引"游"作

"興",許注"口中嚼食也"。《天文訓》"賁星",《開元占經》七十六引作"奔星",許注"流星也";"主朱雀",《占經》六十六引作"朱鳥",許注"大風之御朱鳥";"夷丘上屋",《玉燭寶典》"丘"作"居",許注"夷,平也"。《覽冥訓》"庶女叫天",《文選·江文通詣建平王上書》注引"叫"作"告",許注"不能自解,故冤告天"。諸如此類,不一而足。又《類聚》、《御覽》諸書所引《淮南》,不標誰何者,往往與高注不合,且多異文,葢即許注也。

馬融　淮南子注 卷數佚。

高誘　淮南子注 《隋志》:二十一卷。《新》、《舊唐志》、《宋志》同。今存二十一卷。

《四庫全書提要》:"漢淮南王劉安撰,高誘注。安事蹟具《漢書》本傳。《漢書·藝文志》雜家《淮南内》二十一篇,《外》三十三篇,顏師古注曰:'《内篇》論道,《外篇》雜説。'今所存者二十一篇,葢《内篇》也。高誘《序》言此書'大較歸之於道,號曰《鴻烈》',故《舊唐志》有何誘《淮南鴻烈音》一卷,言《鴻烈》之音也。《宋志》有《淮南鴻烈解》二十一卷,亦《鴻烈》之解也,而注其下曰'淮南王安撰',似乎解亦安撰者。諸書引用,遂併《淮南子》之本文,亦題曰《淮南鴻烈解》,誤之甚矣。晁公武《讀書志》稱《崇文總目》亡三篇,李淑《邯鄲圖書志》亡二篇,其家本惟存《原道》、《俶真》、《天文》、《墬形》、《時則》、《覽冥》、《精神》、《本經》、《主術》、《繆稱》、《齊俗》、《道應》、《氾論》、《詮言》、《兵畧》、《説林》、《説山》十七篇,亡其四篇。高似孫《子畧》稱讀《淮南》二十篇,是在宋已鮮完本。惟洪邁《容齋隨筆》稱今所存者二十一卷,與今本同。然白居易《六帖》引烏鵲填河事,云出《淮南子》,而今本無之,則尚有脱文也。公武謂許慎注稱'記上',陳振孫謂今本題許慎注,而詳序文即是高誘,殆不可曉。蘆泉、劉績又謂'記上'猶言標題進呈,並非慎爲之注。然《隋志》、《唐志》、《宋志》,皆許氏、高氏二注並列。陸德明《莊子釋文》引《淮南子》注稱許慎,李善《文選注》、殷敬順《列子釋文》引《淮南子》注,或稱高誘,或稱許慎,是原有二注之明證。後慎注散佚,傳刻者誤以誘注題慎名也。觀書中稱'景,古影字',而慎《説文》無影字,其不出於慎審矣。誘,涿郡人,盧植之弟子。建安中辟司空掾,歷官東郡濮陽令,遷河東監。並見於《自序》中。慎則和帝永元中人,遠在其前,何由記上誘注? 劉績之説,蓋徒附會其文而未詳考時代也。"

高誘　吕氏春秋注　《隋志》:二十六卷。《新》、《舊唐志》、《宋志》同。今存二十六卷。

《四庫全書提要》:"舊本題秦吕不韋撰。考《史記·文信侯列傳》,實其賓客之所集也。《太史公自序》又稱'不韋遷蜀,世傳《吕覽》'。考《序意篇》稱'維秦八年,歲在涒灘',是時不韋未遷蜀,故自高誘以下皆不用後説,蓋史駁文耳。《漢書·藝文志》載《吕氏春秋》二十六篇。今本凡《十二紀》、《八覽》、《六論》,記所統子目六十一,覽所統子目六十三,論所統子目三十六,①實一百六十篇,《漢志》蓋舉其綱也。其《十二紀》即《禮記》之《月令》,顧以十二月割爲十二篇,每篇之後各間他文四篇。惟夏令多言樂,秋令多言兵,似乎有義,其餘則絶不可曉,先儒無説,莫之詳矣。又每紀皆附四篇,而《季冬紀》獨五篇,末一篇標識年月,題曰《序意》,爲《十二紀》之總論,殆所謂紀者猶内篇,而覽與論者爲外篇、雜篇歟? 唐劉知幾作

---

① 原脱"六十一"至"論所統子目"十六字,據中華書局影印本《四庫全書總目提要》補。

《史通》内、外篇，而《自序》一篇亦在《内篇》之末、《外篇》之前，蓋其例也。不韋固小人，而是書較諸子之言獨爲醇正，大抵以儒爲主，而參以道家、墨家，故多引六籍之文與孔子、曾子之言。其他如論音則引《樂記》，論鑄劍則引《考工記》，雖不著篇名，而其文可案。所引《莊》、《列》之言，皆不取其放誕恣肆者；墨翟之言，不取其《非儒》、《明鬼》者。而縱橫之術，刑名之説，一無及焉。其持論頗爲不苟。論者鄙其爲人，因不甚重其書，非公論也。自漢以來，注者惟高誘一家，訓詁簡質，於引證顛舛之處，如《制樂篇》稱成湯之時穀生於庭，則據《書序》以駁之；稱南子爲蠺夫人，則據《論語》、《左傳》以駁之；稱西門豹在魏襄王時，則據《魏世家》、《孟子》以駁之；稱晋襄公伐陸渾，稱楚成王慢晋文公，則皆據《左傳》以駁之；稱顔闔對魯莊公，則據《魯世家》以駁之；稱衛逐獻公立公子黚，則據《左傳》、《衛世家》以駁之。皆不蹈注家附會之失。然如稱魏文侯虜齊侯，獻之天子，傳無其事，不知誘何以不糾？其謂梅伯説鬼侯之女好，妲己以爲不好，因而見醢；謂白乙丙、孟明皆蹇叔子；謂甯戚扣角所歌乃《碩鼠》之詩；謂公孫龍爲魏人；並不著所出，亦不知其何所據？又共伯得乎共首及張毅、單豹事，均出《莊子》，乃於共伯事則曰不知其出何書，於張毅、單豹事則引班固《幽通賦》，竟未見漆園之書，亦爲可異。若其注'五世之廟'曰《逸書》，則梅賾僞本尚未出，引《詩》'庶姜孽孽'作'䡾䡾'，'鼉鼓逢逢'作'韸韸'，則經師異本，均不足爲失也。"

王充　論衡 《隋志》：二十九卷。《新》、《舊唐志》：三十卷。《宋志》同。今存三十卷。

《四庫全書提要》："漢王充撰。充字仲任，上虞人。《自紀》謂在縣爲掾功曹，在都尉府位亦掾功曹，在太守爲列掾五官功曹行事。又稱‘永和三年,徙家,辟詣揚州部丹陽、九江、廬江,後入爲治中。章和二年,罷州家居’。其書凡八十五篇,而第四十四《招致篇》有録無書,實八十四篇。考其《自紀》曰:‘書雖文重,所論百種。案古太公望、近董仲舒,傳作書篇百有餘,吾書亦纔出百,而云太多。’然則原書實百餘篇,此本目録八十五篇,已非其舊矣。充書大旨詳於《自紀》一篇,蓋内傷時命之坎坷,外疾世俗之虚僞,故發憤著書。其言多激,《刺孟》、《問孔》二篇,至於奮其筆端,以與聖賢相軋,可謂誖矣。又露才揚己,好爲物先。至於述其祖父頑狠,以自表所長,傎亦甚焉。其他論辨,如日月不圓諸説,雖爲葛洪所駁,載在晋志,然大抵訂譌砭俗,中理者多,亦殊有裨於風教,儲泳《祛疑説》、謝應芳《辨惑編》不是過也。至其文反覆詰難,頗傷詞費,則充所謂‘宅舍多,土地不得小;户口衆,簿籍不得少。失實之事多,虚華之語衆,指實定宜,辨争之言,安得約徑’者,固已自言之矣。充所作别有《譏俗書》、《政務書》,晚年又作《養性書》,今皆不傳,惟此書存。儒者頗病其蕪雜,然終不能廢也。高似孫《子畧》曰:‘袁崧《後漢書》載充作《論衡》,中土未有傳者,蔡邕入吴始見之,以爲談助。談助之言,可以了此書矣。’其論可云允愜。此所以攻之者衆,而好之者終不絶歟。”

王充　譏俗節義 《論衡》:十二篇。

《論衡·自紀篇》:“充升擢在位之時,衆人蟻附,廢退窮居,舊故叛去,志俗人之寡恩,故閑居作《譏俗節義》十二篇。冀俗人觀書而自覺,故直露其文,集以俗言。”又云:“充疾俗情,作《譏俗》之書。”

唐檀　唐子 范《書》:二十八篇。

侯瑾　矯世論 卷數佚。

案《御覽》八百五引"白玉之肖牙者,惟離婁能察之",又八百九引"碧似玉,惟猗頓别之",稱《矯世論》,即瑾作也。

應奉 洞序 《七録》:九卷,《録》一卷。

案疑即儒家《後序》,然無實證,姑仍之。

應劭 風俗通義 《七録》:三十卷。《隋志》:三十一卷,《録》一卷。《新》、《舊唐志》:三十卷。《宋志》:十卷。今存十卷。

《四庫全書提要》:"漢應劭撰。劭字仲遠,汝南人。嘗舉孝廉。中平六年,拜泰山太守。事蹟具《後漢書》本傳。馬總《意林》稱爲三國時人,不知何據也。考《隋書·經籍志》,《風俗通義》三十一卷,注云:'《録》一卷,應劭撰。梁三十卷。'《唐書·藝文志》,應劭《風俗通義》三十卷。《崇文總目》、《讀書志》、《書録解題》皆作十卷,與今本同。明吴琯刻《古今逸史》,又删其半,則更闕畧矣。各卷皆有總題,題各有散目,總題後畧陳大意,而散目先詳其事,以'謹案'云云,辨證得失。《皇霸》爲目五,《正失》爲目十一,《愆禮》爲目九,《過譽》爲目八,《十反》爲目十,《音聲》爲目二十有八,《窮通》爲目十二,《祀典》爲目十七,《怪神》爲目十五,《山澤》爲目十九。其自序云:'謂之《風俗通義》,言通於流俗之過謬,而事該之於義理也。'《後漢書》本傳稱'撰《風俗通》,以辨物類名號,識時俗嫌疑',不知何以删去'義'字,或流俗省文,如《白虎通義》之稱《白虎通》,史家因之歟?其書因事立論,文辭清辨,可資博洽,大致如王充《論衡》,而敘述簡明則勝充書之冗漫。舊本屢經傳刻,失於校讐,頗有譌誤。如《十反》類中分范茂伯、郅朗伯爲二事,而佚其斷語;《窮通》類中孫卿一事,有書而無録;《怪神》類中城陽景王祠一條,有録而無書。今並釐正。又宋陳彭年等修《廣韻》,王應麟作《姓氏急就篇》,多引《風俗通·姓氏篇》,是此篇至宋末猶存,今本無之,不知何時散佚。

然考元大德丁未無錫儒學刊本，前有李果序，後有宋嘉定十三年丁黼跋，稱‘余在餘杭，借本于會稽陳正卿，正卿葢得於中書徐淵子，譌舛已甚，殆不可讀。愛其近古，鈔録藏之。攜至中都，得館中本及孔復君寺丞本，互加參考，始可句讀。今刻之于夔府，好古者或得舊本，從而增改，是所望云’。則宋寧宗時之本已同今本，不知王氏何以得見是篇，或即從《廣韻》注中輾轉援引歟？《永樂大典》通字韻中尚載有《風俗通·姓氏》一篇，首題馬總《意林》字，所載於《廣韻》注多同，而不及《廣韻》注之詳，葢馬總節本也。然今本《意林》無此文，當又屬佚脱。今採附《風俗通》之末，存梗概焉。”

案是書《崇文總目》、《郡齋讀書志》、《書録解題》、《文獻通攷》所載均作十卷，則宋時已殘缺。據《蘇魏公集》卷六十六。稱魏公以官私兩本互校，次爲十卷，則今《四庫》本即魏公互校本也。國朝錢曉徵、孫貽穀、盧弨弓，皆纂集《御覽》、《廣均》諸書所引之《風俗通》而不見今本者，爲《風俗通佚文》，刊入《羣書拾補》中。嚴鐵橋《全上古三代漢魏晋六朝先唐文》中亦有輯本。於是應氏佚文，搜羅畧備矣。惟原書三十卷，篇各有名，今自十篇之外，書亡而篇名亦亡，雖以錢、孫、盧、嚴諸家之博，僅據《太平御覽》、《續漢書·五行志》攷得《論數》、《災異》兩篇，他無及也。今攷《蘇魏公集·校正風俗通義序》引《意林》載《風俗通義》篇目，除今存《皇霸》、《正失》等十篇之外，曰《心政》，曰《古制》，曰《陰教》，曰《辨惑》，曰《析當》，曰《恕度》，曰《嘉號》，曰《徽稱》，曰《恃遇》，曰《姓氏》，曰《諱篇》，曰《釋忘》，曰《輯事》，曰《服妖》，曰《喪祭》，曰《宫室》，曰《市井》，曰《數紀》，曰《新秦》，曰《獄法》，凡二十目，皆錢、孫諸家所未及，合之今存十篇，適得三十篇。其《御覽》所引《論數》，當即《數紀篇》。

盧、嚴兩家據《續漢書・五行志》增《災異》一目,恐未必然也。

仲長統　昌言　《隋志》:十二卷,《録》一卷。《唐志》:十卷。《舊志》同。

范書《仲長統傳》:"統每論説古今及時俗行事,恒發憤歎息。因著論名曰《昌言》,凡三十四篇,十餘萬言。"

《魏志・劉劭傳》:"繆襲友人山陽仲長統,漢末爲尚書郎,早卒。著《昌言》,詞佳可觀省。"

裴松之注引繆襲表云:"統字公理。少好學,博涉書記,贍于文辭。年二十餘,游學青、徐、并、冀之間,與交者多異之。并州刺史高幹素貴有名,招致四方游士,多歸焉。統過幹,幹善待遇之,訪以世事。統謂幹曰:'君有雄志而無雄才,好士而不能擇人,所以爲君深戒也。'幹雅自多,不納統言。統去之,無幾而幹敗。并、冀之士以是識統。大司農常林與統共在上黨,爲臣道統性倜儻,敢直言,不矜小節,每列郡命,召輒稱疾不就,默語無常,時人或謂之狂。漢帝在許,尚書令荀彧領典樞機,好士愛奇,聞統名,啟召以爲尚書郎。後參太祖軍事,復還爲郎。延康元年卒,時年四十餘。統每論説古今世俗行事,發憤太息,輒以爲論,名曰《昌言》,凡二十四篇。"

《抱樸子》曰:"仲長統作《昌言》,未竟而亡,後董襲撰次之。"

《崇文總目》:"今所存十五篇,分爲二卷,餘皆亡。"

《玉海》引《中興書目》:"今存十六篇。"

嚴可均曰:"《隋志》雜家《仲長子昌言》十二卷、《録》一卷,漢尚書郎仲長統撰。《舊唐志》作十卷,《新唐志》移入儒家,亦十卷。《崇文總目》稱'今所存十五篇,分爲二卷,餘皆亡'。《郡齋讀書志》、《直齋書録解題》不著録。明陳第《世善堂書目》有二卷。其刻本僅見明胡維新《兩京遺編》,有《理亂》、《損益》、《法誡》三篇。歸有光《諸子彙函》有《理亂》、《損益》二篇,皆出本傳,無所增多,則北宋十五篇本又復佚失。今從

《羣書治要》寫出九篇,益以本傳三篇,以《意林》次第之。剌取各書引見,補正脱譌,定著二卷。其遺文墜句,于原次無考,依各書先後附于末。本傳:'統,山陽高平人。著論三十四篇十餘萬言。'今此搜輯纔萬餘言,亡者葢十八九。而《治要》所載又頗删節,斷續伛離,殆所不免。然其闓陳善道,指摘時弊,剴切之忱,踔厲震盪之氣,有不容摩滅者。繆熙伯方之董、賈、劉、揚,非過譽也。"

何汶　世務論　《華陽國志》:三十篇。

《華陽國志》:"何英孫汶,字景由,亦深學。初徵,上日食,盜賊起,有効,爲謁者;京師旱,請雨,即澍。遷犍爲屬國。著《世務論》三十篇。"

凡雜十二部,篇卷數可攷者七十篇一百四十一卷。

崔寔　四民月令　《隋志》:一卷。《新》、《舊唐志》同。

韓鄂《四時纂要・序》曰:"徧閲羣書,《爾雅》則言其土産,《月令》則序彼時宜,氾勝種藝之書,崔寔試穀之法。"

《經義考》曰:"按《四民月令》其書雖佚,而賈思勰《齊民要術》引之特多,合以《太平御覽》所載,好事者尚可捃摭成卷也。"

嚴可均曰:"《隋志》農家《四人月令》一卷,後漢大尚書崔寔撰。《舊唐志》同。《新唐志》作'崔湜',誤。《宋志》不著録。近人任兆麟、王謨皆有輯本,編次不倫,且多罣漏。王本又誤以《齊人月令》謂即《四民月令》,而所采《齊民要術》有今本所無者六事,其文不類,未知何據。余既輯崔寔《政論》一卷,因兼及此書,蒐録遺佚,得二百許事,省并重複,逐月分章,爲十二章,定著一卷。有注,疑即崔寔撰,徵用者或以注爲正文,今加'注'字間隔之。而王本所采《齊民要術》六事,附存俟考。又《齊人月令》一卷,唐孫思邈撰,《宋志》在時令類,本今亡,並附于後,免與崔寔書混。夫農爲邦本,食爲民天,《洪範》八政,一曰食,孔子論政先足食。自古及今,未有不知稼穡之艱難，而能有國有家者也。惜古書流傳日少，《漢志》農九家，見于《隋志》者僅《氾勝之》一家，見于《新唐志》者僅《尹都尉》、《氾勝之》二家，而多出《漢志》《范子計然》一家。至宋時著錄，乃起《齊民要術》。前此數家，絶無傳本，顧乃增收晚出空疏不適用之書，濫及茶蟹花石不急之務，殊非農家本意。同硯生洪頤煊始輯《范子計然》一卷、《氾勝之書》二卷及余所輯此書，雖皆殘缺，然而網羅散佚舊聞，竊有力焉。數十百年後，此書存佚，余又不敢知，是在好古者之廣爲傳布也。"

案《六帖》三引崔寔注《月令》曰："十月，農人事畢，五穀既登，家家儲蓄，乃順時令。"據此條，則諸書所引《四民月令》有注者，皆崔寔自注也。

凡農一部一卷。

陳寔　異聞記　卷數佚。

《抱樸子》曰："陳仲弓，篤論士也，撰《異聞記》。"

案《抱樸子·對俗篇》，張廣定女效龜吞氣，處古冢三年，得不死。又段公路《北户録》一引"東城池有王餘魚，池決，魚不得去"，並稱陳仲弓《異聞説》。

張道陵　峨嵋山神異記　《通志·藝文畧》：三卷。

凡小説二部三卷。

楊由　兵雲圖　卷數佚。

《益部耆舊傳》曰："楊由作《兵雲圖》，時竇憲將兵在外，太守高安遣工從由，寫圖以進憲，由口授以成圖。"《書鈔》引。

案《兵雲圖》蓋即《隋志》兵家《用兵秘法》、《雲氣占》之類。

凡兵一部無卷數。

凡子兵六十部，篇卷數可攷者一百六十六篇二百七十一卷。

補後漢書藝文志攷卷七終

補後漢書藝文志攷卷八

常熟　曾樸　纂

文翰志内篇第四

紀詩、賦、雜文。

馬融　離騷注　卷數佚。

王逸　楚辭章句　《隋志》：十二卷，并目録。《新》、《舊唐志》：十六卷。《宋志》：十七卷。《通志》、《通攷》、《崇文總目》同。今存十七卷。

《四庫全書提要》曰："舊本題校書郎中，蓋據其注是書時所居官也。初，劉向裒集屈原《離騷》、《九歌》、《天問》、《九章》、《遠遊》、《卜居》、《漁父》，宋玉《九辨》、《招魂》，景差《大招》，而以賈誼《惜誓》、淮南小山《招隱士》、東方朔《七諫》、嚴忌《哀時命》、王褒《九懷》及向所作《九歎》，共爲《楚辭》十六篇，是爲總集之祖。逸又益以己作《九思》與班固二序爲十七卷，而各爲之注。其《九思》之注，洪興祖疑其子延壽所爲。然《漢書・地理志》、《藝文志》即有自注，事在逸前。謝靈運作《山居賦》，亦自注之。安知非用逸例耶？舊説無文，未可遽疑爲延壽作也。陳振孫《書録解題》載有《古文楚詞釋文》一卷，其篇第，首《離騷》，次《九辨》、《九歌》、《天問》、《九章》、《遠游》、《卜居》、《漁父》、《招隱士》、《招魂》、《九懷》、《七諫》、《九歎》、《哀時命》、《惜誓》、《大招》、《九思》，迥與今本不同。興祖據逸《九章》注中稱'皆解於《九辨》中'，知古本《九辨》在前，《九章》在後。振孫又引朱子之言'據天聖十年陳説之序，謂舊本篇第混併,乃攷其人之先後,重定其篇第,知今本爲説之所改'。則自宋以來,已非逸之舊本。又黄伯思《東觀餘論》謂逸注《楚詞》,序皆在後,如《法言》舊本之例,不知何人移於前,不但篇第非舊,併其序亦非舊矣。然洪興祖攷異,於《離騷經》下注曰'《釋文》弟一',無'經'字,而逸注明云:'離,别也。騷,愁也。經,徑也',則逸所注本確有'經'字,與《釋文》本不同。必謂《釋文》爲舊本,亦未可信,姑存其説可也。逸注雖不甚詳核,而去古未遠,多傳先儒之訓詁,故李善注《文選》全用其文。《抽思》以下,諸篇注中往往隔句用韵,如'哀憤結縎,慮煩冤也。哀悲太息,損肺肝也。心中結屈,如連環也'之類,不一而足,蓋仿《周易》象傳之體,亦足以攷證漢人之韻。而吴棫以來談古韵者,皆未徵引,是尤宜表而出之矣。"

應奉　感騷　范《書》:三十篇。

范《書》:"黨事起,奉乃慨然以疾自退,追愍屈原,因以自傷,著《感騷》三十篇。"

孝明皇帝詔纂　畫讚　《舊唐志》:五十卷。《歷代名畫記》卷同。

《歷代名畫記》曰:"起庖犧五十雜畫讚,明帝雅好画圖,别立畫官。詔博洽之士班固、賈逵輩取諸經史事,命尚方画工圖畫,謂之《畫贊》。"

孝明皇帝太子　歌詩　《古今注》:四章。

《古今注》曰:"漢明帝爲太子,樂人作歌詩四章,以贊其德。一曰《日重光》,二曰《月重輪》,三曰《星重輝》,四曰《海重潤》。"《玉海》五十九引。

孝章皇帝　靈臺十二門詩　《東觀記》:十二章。

《東觀記·樂志》:"孝章皇帝親著《靈臺十二門詩》,各以其月祀而奏之。熹平四年正月中,出《靈臺十二門新詩》,下大予樂官誦習。”

劉復　漢德頌　卷數佚。

范《書》:“臨邑侯復,永平中,著《漢德頌》。”

劉毅　漢德論并憲論　范《書》:十二篇。

范《書》:“平望侯毅,元初元年,上《漢德論》并《憲論》十二篇。”

曹朔　漢頌　范《書》:四篇。

永平神雀頌　卷數佚。

范《書》:“顯宗永平中,《東觀記》永平十四年。有神雀集宮殿官府,冠羽有五采色,[①]帝異之,以問臨邑侯劉復,復不能對,薦賈逵博學多識,帝乃召逵,問之。對曰:‘昔武王終父之業,[②]鸑鷟在岐;宣帝威懷夷狄,神雀仍集;此降胡之徵也。’因刺蘭臺給筆札,使作《神雀頌》。”

《論衡》:“永平中,神雀羣集,孝明詔上《神雀頌》。百官上頌,文比瓦石。唯班固、賈逵、傅毅、楊終、侯諷五頌金玉,孝明覽焉。”

《隋志》:“《神雀賦》一卷,後漢傅毅撰。”

案《書鈔》十三引“威震赤谷”,稱賈逵《永平頌》。脱“神雀”二字。劉賡《稽瑞》引“戴文履武,玄黄五色”,稱班固《神雀頌》。

孝竹頌　卷數佚。

《秦中記》:“一云《述異記》。章帝三年,子母竹生白虎殿前,時謂之孝竹,羣臣獻《孝竹頌》。”

楊終　述鴻業　范《書》:十五章。

范《書》:“章帝東巡,鳳皇、黄龍並集。終贊頌嘉瑞,並述祖宗

---

① 原脱“冠”字,據中華本《後漢書》補。

② “父”,原作“文”,據中華本《後漢書》改。

鴻業十五章。"

東平王蒼所著章奏、書、記、賦、頌、七言、别字、歌詩 《七録》:五卷。《唐志》:二卷。《舊志》同。

《東觀漢記》:"上以所作《光武本紀》示蒼,蒼因上《世祖受命中興頌》,上甚善之,以問校書郎此與誰等,皆言類揚雄、相如,前世史岑之比。"

案《書鈔》七十引"體長大,美鬚眉,腰圍長八尺二寸",稱《劉蒼集序》。又引"言出爲論,下筆成章",稱《東平王集》。凡引散目而不標集者,但列嚴目總數於後,不復臚舉。若嚴目有闕有譌,則補正之。

嚴可均《上古三代至先唐文目》輯存疏四、上書二、議三,凡九篇。後凡稱嚴目即此。

北海敬王睦所著賦、頌 卷數佚。

桓譚所著賦、誄、書、奏 范《書》:二十六篇。《七録》:五卷。《新》、《舊唐志》:二卷。

《文心雕龍·才畧篇》:"桓譚著論,富號猗頓,宋宏稱薦,爰比相如。而《集靈》諸賦,案今亡。偏淺無才,故知長於諷論,不及麗文也。"

嚴目輯存賦一、疏二、便宜二、啟一、書一,凡七篇。

陳元所著 《隋志》:一卷。

班彪所著賦、論、書、記、奏事 范《書》:九篇。《七録》:五卷。《隋志》:二卷。《唐志》:三卷。《舊唐志》:二卷。

范《書》:"二十餘,更始敗,三輔大亂。時隗囂擁衆天水,彪乃避難從之。彪傷時方艱,乃著《王命論》,以爲漢德承堯,有靈命之符,王者興祚,非詐力所致,以感囂,而囂終不寤,遂避地河西。"

《文心雕龍·論説篇》:"班彪《王命》,敷述昭情,善入史體。"

嚴目輯存賦三、騷一、疏一、上言二、奏事一、上事一、奏議

一、書二、論二,凡十四篇。案《書鈔》六十六引班彪箋,嚴失採。又范《書》統合九篇,而嚴輯反多五篇,古無今有,似無其理。且《隋志》云"梁有五卷",以五卷之數核之,似亦必不止九篇也,疑范《書》有譌脱。

王隆所著詩、賦、書、銘 范《書》:二十六篇。《七録》:二卷。《新》、《舊唐志》同。

夏恭所著賦、頌、詩、勵學 范《書》:二十篇。

夏牙所著賦、頌、讚、誄 范《書》:四十篇。

朱勃所著 《七録》:二卷。《新》、《舊唐志》同。

《隋志》曰:"雲陽令。"

嚴目輯存上書一篇。

馮衍所著賦、誄、銘、説、問交、德誥、慎情、書記説、自序、官録説、策 范《書》:五十篇。《隋志》:五卷。《新》、《舊唐志》同。

王符《潛夫論》曰:"馮奉世孫衍,字敬通。篤學重義,諸儒號之曰'德行雍雍馮敬通'。著書數十篇。孝章皇帝愛重其文。"

《文章緣起》曰:"誥漢司隸從事馮衍作。"

《文心雕龍·銘箴篇》:"敬通雜器,準矱戒銘,而事非其物,繁畧違中。"《才畧篇》:"敬通雅好詞説,而坎壈盛世,顯志自序,亦蚌病成珠矣。"

章懷太子曰:"衍集有《問交》一篇、《慎情》一篇。"又曰:"衍集見有二十八篇。"

案范《書》注引《與陰就書》、《又與陰就書》。《文選·任彦升宣德皇后令》注引"定國家之大業,成天地之元功",案此説鮑永語,見本傳。《御覽》七百十九引《與任武達書》,並稱《馮衍集》。《類聚》三十五亦引,稱《馮敬通集》。

嚴目輯存賦二、疏一、上書一、説三、箋一、書九、誥一、銘九，凡二十七篇。

杜篤所著賦、誄、弔、書、讚、七言、女誡、雜文 范《書》十八篇。《隋志》：一卷。《唐志》：五卷。《舊》同。

《東觀記》："大司馬吴漢薨，世祖詔諸儒誄之。篤於獄中爲誄，辭最高，帝美之。賜帛，免死。"

《文心雕龍·誄碑篇》："杜篤之誄，有譽前代。吴誄雖美，而結篇頗疏。"

嚴目輯存賦五、頌一、連珠一、文一、祝一、誄一、弔一、凡十一篇。案《書鈔》百五十五引《上巳賦》，嚴目無之。然細校其文，即《續漢·禮儀志》、《類聚》四《玉燭寶典》三亦引之。所引之《祓禊賦》也，特異其名耳。嚴目有論三篇，案此係《明世論》佚文，非集中文也。

衛宏所著賦、頌、誄 范《書》：七首。

班固所著典引、賓戲、應譏、詩、賦、銘、誄、頌、書、文、記、論議、六言 范《書》四十一篇。《隋志》：十七卷。《唐志》：十卷。《舊志》同。

范《書》："固九歲能屬文誦詩賦，及長，遂博貫載籍，九流百家之言，無不窮究。永平初，東平王蒼以至戚爲驃騎將軍輔政，開東閣，延英雄。時固始弱冠，奏記説蒼。蒼納之。自爲郎後，見京師修起宫室，濬繕城隍，而關中耆老猶望朝廷西顧。固感前世相如、壽王、東方之徒，造搆文辭，終以諷勸，乃上《兩都賦》。及肅宗雅好文章，固愈得幸。每行巡狩，輒獻上賦頌。固自以二世才術，位不過郎，感東方、揚雄自論，以不遭蘇、張、范、蔡之時，作《賓戲》以自通焉。固又作《典引篇》，敘漢德，以爲相如《封禪》，靡而不典；揚雄《美新》，典而不實。葢自謂得其致焉。"

《論衡》曰："觀杜撫、班固等所上漢頌，頌功德符瑞，汪濊深廣，滂沛無量，踰唐虞，入皇域。"又曰："班孟堅頌孝明漢家功德,頗見可觀。”

傅玄《敘連珠》曰:“所謂連珠者,興於漢世,班固、賈逵、傅毅三子,受詔作之。班固喻美辭壯,文章宏麗,最得其體。蔡邕似論,言質而辭碎,然旨篤矣。賈逵儒而不艷,傅毅文而不典。”

《顔氏家訓》曰:“班固書集,亦云家孫。”

鍾嶸《詩品》曰:“孟堅才流,而老於掌故,觀其《詠史》,有感慨之辭。”

案范《書》本傳注引奏記東平王,《書鈔》六十二引“馬仲都,明帝舅也,從車駕於洛川浮橋,馬入水溺死。帝顧謂侍御史班固爲上作哀辭”,《文選·曹子建與楊德祖書》注引“擊轅相杵,亦足樂也”,《御覽》四百七十引《與竇憲箋》,俱稱《班固集》。《初學》二十五引固有《白綺扇賦》,稱《班孟堅集》。

嚴目輯存賦六,疏一,議一,箋一,奏記一,書二,答賓戲一,論三,序三,頌四,連珠一,銘三,典引、弈各一,哀辭一,文一,凡三十一篇。案《文章流别論》《御覽》五百八十八引。有《安豐戴侯頌》,《初學記》二十五有《白綺扇賦》,今並亡。又詩有《籍田歌》、《册府元龜》五百六五。《詠史》。《詩品》下。又《書鈔》一百二十二引“寶劍直千金,指之於樹枝”,稱班固詩。凡詩列此。

賈逵所著詩、頌、誄、書、連珠、酒令　范《書》:九篇。《七録》:二卷。《隋志》:一卷。《唐志》:二卷。《舊唐志》同。

案《書鈔》九十六引“逵弱冠誦《春秋》,能爲古今學”,稱《賈逵集序》。

嚴目輯存上書一、奏一、頌一、連珠一,凡四篇。

賈逵　東平王蒼世祖受命中興頌訓故　卷數佚。

傅毅所著詩、賦、誄、頌、祝文、七激、連珠　范《書》二十八篇。《七録》:

五卷。《隋志》:二卷。《新》、《舊唐志》:五卷。

范《書》:"毅,少博學。永平中,於平陵習章句,因作《迪志詩》。毅以顯宗求賢不篤,士多隱處,故作《七激》以爲諷。建初中,毅追美孝明皇帝功德最盛,而廟頌未立,乃依《清廟》作《顯宗頌》十篇奏之。"

《文章流别論》曰:"傅毅《顯宗頌》,文與《周頌》相似,而雜以《風》、《雅》之意。"《御覽》五百八十八。

《文心雕龍·雜文篇》:"傅毅《七激》,會清要之工。"

《晋書·樂志》:"鞞舞,未詳所起,然漢代已施於燕享矣。傅毅、張衡所賦,皆其事也。"

案《書鈔》六十九引"毅字武伯,本傳作'仲',未知孰是。爲大將軍竇憲主記掾,遷司馬",稱《傅毅集》。

嚴目輯存賦五、誄二、頌三、七激一、銘一、書一,凡十三篇。案詩除《迪志》外,《十九首·孤竹篇》,《文心雕龍》以爲傅毅作。

梁鴻所著 《七録》:二卷。《新》、《舊唐志》同。

范《書》:"鴻博覽無所不通。以遭亂世,東出關,過京師,作《五噫之歌》。居齊魯之間,有頃,又去適吴,將行,作詩云云。"

《後漢紀》:"肅宗時,承平久,宫室臺榭,漸爲壯麗,扶風梁鴻作《五噫之歌》。上聞而非之,求索不得。"

崔駰所著詩、賦、銘、頌、書、記、表、七依、婚禮結言、達旨、酒警 范《書》:二十一篇。《隋志》:十卷。《新》、《舊唐志》同。

范《書》:"駰博學有偉才,與班固、傅毅同時齊名。常以典籍爲業,未遑仕進之事。時人或譏其太玄静,[1]駰擬揚雄《解

[1] 原脱"玄"字,避清帝諱,據中華本《後漢書》補。

嘲》,作《達旨》以答焉。元和中,肅宗始修古禮,巡狩方岳。駰上四《巡頌》以稱漢德,詞甚典美。及竇憲爲車騎將軍,辟駰爲掾。憲擅權驕恣,駰數諫之。及出擊匈奴,愈多不法,駰爲主簿,前後奏記數十,指切長短。憲不能容。"

《文心雕龍·銘箴篇》:"崔駰品物,讚多戒少。"《誄碑篇》:"崔駰誄趙,今亡。劉陶誄黄,並得憲章,工在簡要。"《雜文篇》:"崔駰《七依》,入博雅之巧。"

章懷太子曰:"駰集有東、西、南、北四《巡頌》,流俗本'四巡'誤作'西巡'。"

嚴目并官箴,輯存賦四、銘十一、頌八、奏記一、七一、婚禮結言一、達旨一、議一、箋一、書一、論一、箴八,凡三十九篇。案《書鈔》一百二十三引《刀劍韜銘》,嚴失採。又詩有《安豐侯詩》、《類聚》五十八,《御覽》三百十九。《三言詩》。《書鈔》九十七。

崔瑗所著賦、碑、銘、箴、頌、七蘇、歎辭、移社文、悔祈、草書勢、七言　范《書》并《南陽文學官志》,五十七篇。《七録》:五卷。《隋志》:六卷。《唐志》:五卷。《舊唐志》同。

《文章流别論》曰:"哀辭者,誄之流也。崔瑗、蘇順、馬融等爲之率,以施於童殤夭折不以壽終者。"

《文心雕龍·哀弔篇》:"後漢汝陽王亡,崔瑗哀辭,始變前式。然履突鬼門,怪而不辭;駕雲乘龍,仙而不哀;又卒章五言,頗似歌謡,亦仿佛乎漢武也。"《汝陽王哀辭》今亡。《雜文篇》:"崔瑗《七勵》,植義純正。"今亡。《書記篇》:"後漢書記,崔瑗尤善。"

章懷太子曰:"《七蘇》,瑗集載其文,即枚乘《七發》之流。"

嚴目并官箴,輯存碑三、銘六、箴九、頌一、七一、草書勢一、誄三、上言一、書一、勅一、遺令一、敘一,凡三十篇。案《廣均》上平十虞引崔子玉《清河王誄》,嚴失採。

崔琦所著賦、頌、銘、誄、箴、弔、論、九咨、七言 范《書》：十五篇。《七録》：二卷。《隋志》：一卷。《新》、《舊唐志》：二卷。

范《書》："初舉孝廉，爲郎。河南尹梁冀聞其才，請與交。琦數引古今成敗以戒之，冀不能受，乃作《外戚箴》。琦以言不從，失意，復作《白鵠賦》以風。冀遣琦歸。"

嚴目輯存頌一、箴一、七一，合三篇。案嚴目曰："《四皓頌》，梅鼎祚《文紀》引《書鈔》，檢《書鈔》無。"不知嚴所據係《書鈔》何本。以樸所藏曹楝亭本攷之，第一百六卷明引崔琦《四皓頌》曰"秦之博士，遭世闇昧，焚滅《詩》、《書》，是公乃退而作歌"云云，似是《頌》之序文，安得云無耶？豈《大唐類函》本反不如曹本之詳耶？抑嚴之偶疏耶？

崔寔所著碑、論、箴、銘、答、七言、祠、文、表、記、書 范《書》：十五篇。《七録》：二卷，《録》一卷。

嚴目輯存箴二、答譏一、賦一，合四篇。案《六帖》三引《轖銘》，《書鈔》一百四十八引《酒箴》，嚴失採。

崔烈所著詩、書、教、頌 范《書》：四篇。

摯虞《文章志》："烈字威考，駰之孫，瑗之兄子。烈自司徒遷太尉，封平陽亭侯。"

《孔彪碑》陰曰："司徒掾博陵崔烈字威考。"

張衡所著詩、賦、銘、七言、應間、七辨、巡誥 范《書》：并《靈憲懸圖》，凡三十二篇。《七録》：十二卷，又一本十四卷。《隋志》：十一卷。《唐志》：十卷。《舊唐志》同。《宋志》：六卷。

范《書》："衡少善屬文。永元中，天下承平日久，自王侯以下，莫不踰侈。乃擬班固《兩都》，作《二京賦》，因以諷諫。精思傅會，十年乃成。順帝初，爲太史令。衡不慕當世，所居之官，輒積年不徙。自去史職，五載復還，乃設客問，作《應間》以見其志云。衡常思圖身之事，以爲吉凶倚伏，幽微難明，乃作《思玄賦》，以宣寄情志。"

《文心雕龍·明詩篇》:“張衡《怨篇》,清典可味;《仙詩》緩歌,雅有新聲。”《仙詩》今亡。《詮賦篇》:“張衡《二京》,迅發以宏富,辭賦之雄傑也。”《雜文篇》:“張衡《七辨》,結采綿靡。”

案本傳注引“《應間》序上事論司馬遷、班固所序不合”,又引“公輸班與墨翟並當子思時,出仲尼後”,又引“後人皮傳,無所容竄”,《御覽》六百八十二引“南陽太守鮑德有詔所賜先公綬笥,傳世用之,時德更治笥,張平子爲主簿作銘”,並稱《張衡集》。

嚴目輯存賦十三、銘一、應間一、七辨一、誥一、策一、表二、上事三、疏三、奏一、議一、書二、序一、讚一、誄三,共三十五篇。

案《玉燭寶典》五引《逍遥賦》,嚴未採。詩有《怨篇》、《文心雕龍·明詩篇》。《同聲歌》、《初學》樂部。《四愁詩》。《文選》。又《御覽》二十“浩浩陽春發,楊柳何依依。百鳥自南歸,翱翔萃我枝”,稱張衡歌。

馬融所著賦、頌、碑、誄、書、記、表、奏、七言、琴歌、對策、遺令

范《書》:二十一篇。《隋志》:九卷。《唐志》:五卷。《舊唐志》同。

范《書》:“融元初二年,上《廣成頌》以諷諫。頌奏,忤鄧氏,滯於東觀,十年不調。因兄子喪自劾歸。安帝親政,車駕東巡岱宗,融上《東巡頌》,帝奇其文。初,融懲於鄧氏,不敢忤勢家,遂爲梁冀草奏李固,又作大將軍《西第頌》,以此頗爲正直所羞。”

《文章流别論》曰:“馬融《廣成》、《上林》之屬,純爲今賦之體,而謂之頌,失之遠矣。”《御覽》五百八十八。

《文心雕龍·才畧篇》:“馬融鴻儒,思洽識高,吐納經範,華實相扶。”

案范《書》本傳注引“融,茂陵成懽里人也”,又引“兄伉子在融舍物故,融因是自劾而歸",又《竇章傳》注引《與竇伯向書》,《續漢書·五行志》六引"延熹三年,日蝕,上書",《白帖》三十五引"書雖兩紙八行"云云,並稱《馬融集》。

嚴目輯存賦五,頌三,書二,奏一,策、遺令一,章一,疏一,上書三,序一,自敘一,凡二十篇。案《玉燭寶典》三引《上林頌》,嚴未採。

李固所著章、表、奏、議、教令、對策、記、銘 范《書》:十一篇。《七録》:十卷。《隋志》:十二卷。《唐志》:十卷。《舊唐志》同。

范《書》:"陽嘉二年,有地動、山崩、火災之異,公卿舉固對策,固對曰云云。梁商請爲從事中郎,固欲令商先正風化,退辭高滿,乃奏記曰云云。商不能用。永和中上疏陳事。"

嚴目輯存議二、教二、策三、奏記二、疏三、上書二、書四、勑一,共十九篇。案《水經·江水》一注引與弟圄書,卷子殘本《文館詞林》九十九引《恤奉高令喪事教》,又《祀胡毋先生教》,嚴均未採。

高彪所著 《七録》:二卷,《録》一卷。《新》、《舊唐志》同。

范《書》:"嘗從馬融欲訪大義,融疾不獲見,乃覆刺遺融書。後郡舉孝廉,除郎中,校書東觀,數奏賦、頌、奇文,因事諷諫,靈帝異之。時京兆第五永爲督軍御史,使督幽州,百官祖餞於長樂觀。《初學》二十一引謝承《書》作'平樂館'。議郎蔡邕等皆賦詩,彪獨作箴。"

案《書鈔》一百引"五經爲府藏,雜藝爲庖厨",稱《高彪集》。

嚴目輯存書一,箴、誡一,共三篇。

劉珍所著誄、頌、連珠 范《書》:七篇。《隋志》:二卷,《録》:一卷。《唐志》:二卷。《舊唐志》同。

案《書鈔》一百引劉珍《賈逵碑》,又十六引"飾玉輅,及居山隅,而鳳凰集"二句,皆稱劉珍曰。又嚴目所載諸序,皆《東觀記》中語,不應羼入集中。

劉騊駼所著賦、頌、書、論 范《書》:四篇。《七録》:二卷,《録》一卷。《隋志》:一卷。《唐志》:二卷。《舊唐志》同。

嚴目輯存賦一、書二、上書一、箴一,此疑崔瑗作。凡五篇。案《六帖》十引"縹碧以爲瓦",稱劉騊駼詩。

皇甫規所著賦、銘、碑、讚、禱文、弔、章表、教令、書、檄、牋記 范《書》:二十七篇。《七録》:五卷。《新》、《舊唐志》同。

案《册府元龜》引范書"弔"下有"疏"字,宜補。

嚴目輯存疏三、書二、牋一、策二、上書二、箴一,凡十一篇。案張澍輯《皇甫司農集》有《與張奂書》,云出《御覽》,嚴失採。

張奂所著銘、頌、書、教戒、述志、對策、章表 范《書》:二十四篇。《七録》:二卷,《録》一卷。《唐志》:二卷。《舊唐志》同。

嚴目輯存書十、賦一、上書二、奏記一、遺命一,凡十五篇。

朱穆所著論、策、奏、教、書、詩、記、嘲 范《書》:二十篇。《七録》:二卷,《録》一卷。《唐志》:二卷。《舊唐志》同。

范《書》:"梁冀辟之,使典兵事。穆因推災異,奏記以勸戒冀。常感時澆薄,慕尚敦篤,乃作《崇厚論》。又著《絶交論》,亦矯時之作。梁冀驕暴不悛,穆以故吏,懼招禍,復奏記諫,冀不納。穆既深疾宦官,及在臺閣,[1]志欲除之,乃上疏云云。"

袁山松《書》曰:"穆著論甚美,蔡邕嘗至其家自寫之。"

《文心雕龍·銘箴篇》:"朱穆之鼎,全成碑文,溺所長也。"《鼎銘》今亡。

案本傳注引《絶交論》及《與劉伯宗絶交書》,並稱《朱穆集》。

嚴目輯存論二、奏一、奏記三、書二、賦一、疏二,凡十一篇。

---

① "及",原誤作"乃",據中華本《後漢書》改。

趙壹所著頌、箴、誄、書、論、雜文 范《書》：十六篇。《七録》：二卷，《録》一卷。《唐志》：二卷。《舊唐志》同。

范《書》："壹恃才倨傲，爲鄉里所擯，乃作《解擯》。後屢抵罪，幾至死，友人救得免。乃貽書謝恩云云。又作《刺世疾邪賦》，以抒其怨憤。光和元年，[1]舉郡上計。道經弘農，過候太守皇甫規，門者不即通，壹遂遁去。規聞壹名大驚，追書謝云云，壹報曰云云。"

《文心雕龍・才畧篇》："趙壹之辭賦，意繁而體疏。"

鍾嶸《詩品》曰："元叔散憤蘭蕙，指斥囊錢，苦言切句，良亦勤矣。斯人也而有斯困，悲夫！"

嚴目輯存書二、賦四、《非草書》一，凡七篇。

黄香所著賦、牋、奏、書、令 范《書》：五篇。《七録》：二卷。《新》、《舊唐志》同。

案范書《樂成王黨傳》注引《樂成王萇罪議》，《通典》五十六引《和帝冠頌》，《御覽》五百引《三輔決録》載《屏風銘》，並稱《黄香集》。

嚴目輯存賦一、疏二、議一、頌一、銘一，凡六篇。

蘇順所著賦、論、誄、哀辭、雜文 范《書》：十六篇。《七録》：二卷，《録》二卷。《唐志》：二卷。《舊唐志》同。

《文心雕龍・哀弔篇》："蘇順、張升，並述哀文，雖發其情華，而未極其心實。"

嚴目輯存賦一、誄三，凡四篇。

曹衆所著誄、書、論 范《書》：四篇。

范書《蘇順傳》："時三輔多士，扶風曹衆伯師亦有才學。"

《典論》："茂陵馬季長、同郡曹伯師等，文冠當世。"

---

① "光"，原誤作"元"，據中華本《後漢書》改。

《三輔決録注》:“衆與鄉里蘇孺文、竇伯向、馬季長并游宦,唯衆不遇,以壽終於家。”

楊厚所著 范《書》:二卷。[1]

范《書》:“厚字仲桓,廣漢新都人。”

嚴目輯存對一篇。

葛龔所著文、賦、碑、誄、書、記 范《書》:十二篇。《七録》:五卷,一本七卷。《隋志》:六卷。《唐志》:五卷。《舊唐志》同。

嚴目輯存賦一、書二、記一、箋一,凡九篇。

竇章所著 《七録》:二卷。《唐志》:二卷。《舊唐志》同。

《東觀記》:“竇章女,順帝初,入掖庭,爲貴人,早卒。帝追思之,詔史官樹碑頌德,章自爲之詞。”

嚴目輯存移書一篇。案《書鈔》三十三引薦馬融文,嚴失採。

張綱所著 卷數佚。

案《文選·謝惠連秋懷詩》注引“書功金石,圖形丹青”,稱《張綱集》。

嚴目輯存上書二篇。

李尤所著詩、賦、銘、誄、頌、七歎、哀典 范《書》:二十八篇。《七録》:五卷。《宋志》:二卷。

范《書》:“少以文章顯。和帝時,侍中賈逵薦尤有揚雄、相如之風,召詣東觀,受詔作賦。”

《華陽國志》:“明帝召尤詣東觀,[2]作《辟雍》、《德陽》諸觀賦銘,[3]《懷戎頌》,百二十銘,帝善之。”

《文章流别論》:“李尤爲銘,自山河都邑,至於刀筆竿契,無不

---

① “書”,原誤作“志。”

② “詣”,原作“作”,據《華陽國志校補圖注》改。

③ 原脱“作”,據《華陽國志校補圖注》補。

有銘,而文穢病。討論潤色,言可採録。"《御覽》五百九十。

《文心雕龍·箴銘篇》:"李尤積篇,義儉辭碎。"《才畧篇》:"李尤賦銘,志慕鴻裁,而才力沉膇,垂翼不飛。"

案《文選·任彦升文宣王行狀》注引"尤好爲銘贊,門階户席,莫不有述",稱《李尤集序》。《書鈔》六十引"尤字伯仁,好學臺屬。時以文章見稱,召請東觀,拜蘭臺令史",稱《李尤集》。亦係《集序》。

嚴目輯存賦五、銘八十六、七一。案《書鈔》百十二引《平硯賦》,《水經·河水》注一引《孟津銘》,《類聚》九亦引。《御覽》七百五十四引《博銘》,《初學記》人事部引《九賢管徵君頌》,嚴失採。詩有《九曲歌》、《類聚》一。《武功歌》。《書鈔》一百二十一。

李勝所著詩、誄、論、頌 卷數佚。

范書《李尤傳》:"尤同郡李勝,亦有文才,爲東觀郎。著詩、誄、論、頌數十篇。"《華陽國志》:"勝字茂通。爲東觀郎,著詩、諫、論、頌數十篇。"

胡廣所著詩、賦、銘、頌、箴、弔 范《書》并諸解詁,二十二篇。《七録》:二卷,《録》一卷。《新》、《舊唐志》:二卷。

《文心雕龍·章表篇》:"胡廣章表,天下第一。觀謁陵之章,可知其典文之美焉。"

案《御覽》二百二十一引《百官箴序》,稱《胡廣集》。

嚴目輯存銘二、官箴三、弔一、議一、疏一、書一、敘二、碑一,凡十二篇。

王逸所著賦、誄、書、論、雜文 范《書》:二十一篇。《七録》:二卷,《録》一卷。《唐志》:二卷。《舊唐志》同。

《文心雕龍·才畧篇》:"王逸博識有功,而絢采無力。延壽繼志,瓌穎獨標,其善圖物寫貌,豈枚乘之遺術歟。"

嚴目輯存賦二、論一、九思一、敘十七,凡二十一篇。案《書鈔》三十三引《臨豫州教》,嚴失採。

王逸　漢詩　范《書》:百二十三篇。

王延壽所著　《七録》:三卷。

范《書》:"延壽曾有異夢,惡之,乃作《夢賦》以自厲。"

謝承《書》:"王延壽有儁才,父逸欲作《魯靈光殿賦》,令延壽往録其狀,延壽因韻之,以簡其父,父曰:'吾無以加焉。'時蔡邕亦有此作,十年不成,見延壽賦,遂匿而不出。"王十朋《蘇詩》注。

嚴目輯存賦三、碑一,凡四篇。

荀爽所著　《七録》:三卷,《録》一卷。《隋志》:一卷。《新》、《舊唐志》同。

嚴目輯存策一、奏記一、書二、誡一,凡五篇。

荀悦所著　卷數佚。

范《書》:"悦著《崇德》、《正論》及諸論數十篇。"

盧植所著碑、誄、表、記　范《書》:六篇。《七録》:二卷。《新》、《舊唐志》同。

嚴目輯存誄一、上書一、封事一、奏事一、書一,凡五篇。案《御覽》八百三十引《遺張然明書》,嚴失採。

鄭康成所著　《七録》:二卷,《録》一卷。《唐志》:二卷。《舊唐志》同。

《别傳》曰:"年十六,號曰神童。民有獻嘉禾者,欲表府 ,文辭鄙畧,玄爲改作,又著頌一篇。侯相高其才,爲修冠禮。"《御覽》。

嚴目輯存議一、書一、敘五、自敘一,凡八篇。案《書鈔》九十四引《舊君名諱論》,嚴失採。

廉品所著　《七録》:二卷。

《隋志》曰:"議郎。"

嚴目輯存賦一篇。

侯瑾所著　《七録》:二卷。《新》、《舊唐志》同。

范《書》曰:"瑾覃思著述,以莫知於世,於是作《應賓難》以自寄。餘所作雜文數十篇,多亡失。”

嚴目輯存賦一、敘一,凡二篇。

桓麟所著碑、誄、讚、説、書 范《書》:二十一篇。《七録》:二卷,《録》一 卷。《唐志》:二卷。《舊唐志》同。《隋志》“麟”作“鱗”,譌。

范書《桓彬傳》:“父麟,字元鳳,早有才惠。桓帝初,爲議郎。以直道牾左右,出爲許令。”

《文章志》:“麟文見在者十八篇,有碑九首,誄七首,《七説》一首,《沛相郭府君書》一首。”

嚴目輯存碑一、《七説》一,凡二篇。

桓彬所著七説、案“説”疑當作“設”。**書** 范《書》:三篇。

嚴目輯存《七設》一篇。

邊韶所著詩、頌、碑、銘、書、策 范《書》:十五篇。《七録》:一卷,《録》一卷。《唐志》:二卷。《舊唐志》同。

嚴目輯存頌一、銘一、賦一、上言一、對嘲一,凡五篇。

延篤所著詩、論、銘、書、應訊、表、教令 范《書》:二十篇。

范《書》:“篤能著文章,有名京師。時人或疑仁孝前後之證,篤乃論之。前越嶲太守李文德素善於篤,時在京師,謂公卿曰:‘延叔堅有王佐之才,奈何屈千里之足乎?’欲令引進之。篤聞,乃爲書止文德曰云云。”

嚴目輯存書六、論一,凡七篇。

蔡邕所著碑、誄、銘、讚、連珠、箴、弔、論議、獨斷、裁出入故事。**勸學**、入小學。**釋誨、敘樂、女訓、篆勢、祝文、章、表、書、記** 范《書》:百四篇。《七録》:二十卷,《録》一卷。《隋志》:十二卷。《唐志》:二十卷。《舊志》同。《宋志》:十卷。今存六卷。

《四庫全書提要》曰:“《隋志》載《後漢左中郎將蔡邕集》十二卷,注曰:‘梁有二十卷,《録》一卷。’則其集至隋已非完本。《舊唐志》乃仍作二十卷,當由官書佚脱,而民間傳本未亡,故復出也。《宋志》著録僅十卷,則又經散亡,非其舊本矣。此本爲雍正中陳留所刊,文與詩共得九十四首。證以張溥《百三家集》刻本,多寡增損,互有出入。卷首歐陽序論姜伯淮《劉鎮南碑》,斷非邕作,以年月攷之,其説良是。張本删去劉碑,不爲無見。然以伯淮爲邕前輩,宜有邕文,遂改建安二年爲熹平二年,則近於武斷矣。張本又載《薦董卓表》,而陳留本無之,其事范書不載,或疑爲後人贋作,然劉克莊《後村詩話》已排詆。此表與揚雄《劇秦美新》同稱,則宋本實有此文,不自張本始載。後漢諸史,自范、袁二家以外,尚有謝承、薛瑩、張璠、華嶠、謝沈、袁崧、司馬彪諸家,今皆散佚,亦難以史所未載,斷其事之必無。或新本刊於陳留,以桑梓之情,欲爲隱諱,故削之以滅其蹟歟。”

案《蔡集》存者,今以聊城楊氏海源閣所刊本爲最多,葢楊氏既以明萬曆間徐成菴復宋十卷本《樸學齋》舊鈔本、明《蘭雪堂》本,與徐本同。爲據,而復以喬本、汪本、張本、劉本所多與徐本者,輯爲《外集》,共得文一百三十三篇,已溢乎范《書》百四之數。然鈎攷羣籍,零篇佚目,尚有出於楊本之外者。兹據嚴可均《文目》、勞季言《蔡集佚目》補列於右,以俟後人攷定焉。攷賦有《零雨賦》、《類聚》二。嚴云:“此賦《類聚》編於魏曹植《愁霖賦》後,題爲《又愁霖賦》,張溥等因收入子建集。今攷《文選·張協雜詩》注、《曹植美女篇》注,並引作蔡邕《霖雨賦》,知在《蔡集》。”元表賦、《文選·謝朓拜中書記室辭隋王箋》注。《柳賦》、《温泉賦》、《羽獵賦》、《觀舞賦》、《終南山賦》;並《古文苑》三。章有《雜章》;《書鈔》一百三十一、《御覽》六百八十二。上書有《日食上書》;《續漢書·五行志》六注。書有《與故郡將子橋伯尉書》、《書鈔》四十。《與梁伯張府君書》;《書鈔》一百四。論有《陳仲舉李元禮論》;《御覽》四百四十七姚信士緯引陳留蔡伯喈云。敘有《敘樂》;《書鈔》九十六。記有《車駕上原陵記》;《禮儀志》上注引謝承《書》,袁《紀》二十三,《通典》五十二。銘有《銅籥銘》;《隋書·律曆志》上。誡有《女誡》;《御覽》八百十四、三百六十五,又四百五十九,又七百十四,又七百十八,又七百二十。《書鈔》未改本一百二十九,《文選·女史箴》注。碑有《太尉陳球碑》、《隸釋》十、《文選·陸機交阯太守顧公真詩》注。《太尉劉寬碑》、《隸釋》十一,《文選·曹植王仲宣誄》注、《王儉褚淵碑》注。《太尉袁湯碑》、《文選·傅長虞贈何劭王濟詩》注。《荊州刺史度尚碑》、《類聚》五十、《文選·袁宏三國名臣贊》注。《趙歷碑》、《文選·馬汧督誄》注。《何休碑》;《文選·王儉褚淵碑》注。凡此皆楊本所不載者。又愚攷《大平寰宇記·河北道》"冀州强棗縣有後漢黄門譙敏碑,相傳蔡邕撰",則《譙敏碑》亦可入《蔡集》矣。其文載《隸釋》。又楊氏《外集》有東、南二《巡頌》,攷《類聚》三十九,則班固作也。又有《琴贊》,攷《書鈔》一百九,則稽康作也。又有《衣箴》,蓋據陳禹謨本《北堂書鈔》衣冠部三,然攷未改本《書鈔》一百二十九,則即《女誡》中語。此皆襲張溥本而譌,特表出之。

蔡邕　典引注　《七録》:一卷。

案今存《文選注》。

酈炎所著　《七録》:二卷,《録》二卷。《唐志》:二卷。《舊志》同。

盧植《酈文勝誄》:"自齒未成童,著書十餘箱。文體思奥,爛有文章,鍼鏤百家。"《書鈔》未改本九十九。①

鍾嶸《詩品》:"文勝託詠靈芝,觀寄懷不淺。"

嚴目輯存對事一、遺令四,凡五篇。案《書鈔》一百二十一引《角賦》,嚴失採。詩存二篇,見本傳。

劉陶所著上書、條教、賦、奏、書、辨疑　范《書》并《七曜論》等,凡百餘篇。《七録》:二卷,《録》一卷。《隋志》:二卷。《舊唐志》:二卷。《唐志》卷數同,譌作"劉白"。

① 原脱"本"字,"蔡邕所著"条案語中引"《書鈔》未改本一百二十九",今據補。

嚴目輯存疏三、上書一、議一,凡五篇。

張升所著賦、誄、頌、碑、書　范《書》:六十篇。《七録》:二卷,《録》一卷。《唐志》:二卷。《舊》同。

嚴目輯存賦一、書一、論一,凡三篇。

劉梁所著　《七録》:二卷,《録》一卷。《隋志》:三卷。《新》、《舊唐志》:二卷。

范《書》:"梁以曲邪相黨,著《破羣論》。時之覽者,以爲'仲尼作《春秋》,亂臣知懼。今此論之作,俗士豈不愧心'。其文不存。又著《辨和同之論》。"

《劉梁碑》云:"君遷桂陽太守,班亭以政以仁爲首。"《書鈔》未改本三十五。

案范《書》、《隋志》皆云野王令,此云桂陽太守。攷《漢官儀》,太守二千石,令、長均六百石,官秩相差過遠,疑所謂桂陽太守者,乃立碑之主,而此碑文,則劉梁作也。《書鈔》譌脱甚多,"劉梁"下脱"某某"二字耳。

嚴目輯存七一、論一,凡二篇。

士孫瑞所著　《七録》:二卷。《舊唐志》、《唐志》同。

《三輔決録》曰:"士孫瑞,字君榮,扶風人。世爲學門,瑞少傳家業,博通無所不達。仕歷顯位。董卓既誅,遷大司農,爲國三老。"

嚴目輯存《理王允事議》一、銘一,凡二篇。

張超所著賦、頌、碑文、薦、檄、牋、書、謁文、嘲　范《書》:十九篇。《七録》:五卷。《宋志》:二卷。

案《魏志・武帝紀》注引"與太尉朱儁書,薦袁遺",稱《張超集》。

嚴目輯存賦一、箋一、書一、頌二、碑一,凡六篇。

服虔所著賦、碑、誄、書、記、連珠、九憤　卷數佚。

應劭所著　《七録》:四卷。《隋志》:二卷。《新》、《舊唐志》同。

嚴目輯存表一、奏一、議二、駁議二、移一、序一，凡八篇。

孔融所著詩、頌、碑文、論、議、六言、策文、表、檄書、教令、書、記 范《書》二十五篇。《七録》：十卷，《録》一卷。《隋志》：九卷。《舊唐志》：十卷。《唐志》同。今存一卷。

《四庫全書提要》曰："《隋書·經籍志》載《漢少府孔融集》九卷，注曰：'梁十卷，《録》一卷。'《新》、《舊唐書》皆作十卷，蓋猶梁時之舊本。《宋史》始不著録，則其集當佚於宋時。此本乃明人所掇拾，凡表一篇，疏一篇，上書三篇，奏事二篇，議一篇，對一篇，教一篇，書十六篇，碑銘一篇，論四篇，詩六篇，共三十七篇。其《聖人優劣論》，蓋一文而偶存兩條，編次者遂析爲兩篇，實三十六篇也。張溥《百三家集》亦載是集，而較此本少《再告高密令教》、《告高密縣僚屬》二篇。大抵捃拾史傳、類書，多斷簡殘章，首尾不具，不但非隋、唐之舊，即蘇軾《孔北海贊序》稱'讀其所作《楊氏四公贊》'，今本亦無之。則宋人所及見者，今已不具矣。然人既國器，文亦鴻寶，雖闕佚之餘，彌可珍也。其六言詩之名，見於本傳，今所傳三章，詞多凡近，又皆盛稱曹操功德，斷以融之生平，可信其義不出此。即使舊本有之，亦必黄初間購求遺文，贋託融作，以頌曹操，未可定爲真本也。流傳既久，姑仍舊本録之，而附糾其僞於此。集中詩文多有箋釋本事者，不知何人所作。奏疏之類，皆附綴篇末；書教之類，則夾注篇題之下。體例自相違異，今悉夾注篇題之下，俾畫一焉。"

案《三國志·荀攸傳》注引《荀氏家傳》曰："祈與孔融論肉刑，愔與孔融論聖人優劣，並在《融集》中。"又《王脩傳》注引《答王脩教》、《重答王脩教》，《書鈔》九十四引"晋有獻武之議，尊卑之序，以諱爲首也"，又引"在家汞有攸諱齊稱五皓曾以卿對"，本傳注引《難曹公表》、《制酒禁書》，俱稱《孔融集》。

又案是書雖存《四庫》,然據《提要》,則亦明人輯本,非原本也,故特變例標諸書所引之稱集者。又攷嚴目載《肉刑論》、《御覽》六百四十二、三百五十六、七百六十二。愚按《類聚》五十四亦引之。《同歲論》、《御覽》七百五十七、七百六十六。愚按《書鈔》七十九亦引。《與曹公論邊讓書》,《御覽》六百九十三,又七百七,並引《邊讓别傳》。皆此集所未載。又《書鈔》三十三引"孔融薦趙臺卿",《廣均》去聲十八隧引"水碓之巧,勝於聖人之斷木堀地",稱孔融論,此集亦失採。

張劭所著　《唐志》:五卷。《舊志》同。

禰衡所著　《七録》:二卷,《録》一卷。《唐志》:二卷。《舊》同。

范《書》:"衡文章多亡。"

《文心雕龍・才畧篇》:"孔融氣盛於爲筆,禰衡思鋭於爲文,有偏美也。"

嚴目輯存賦一、書一、碑二、弔文一,凡四篇。

傅幹所著　卷數佚。

范書《傅燮傳》:"幹小字别成,知名。位至扶風太守。"

《幹集》曰:"幹字彦林。"《傅燮傳》注。

《九州春秋》曰:"字彦材,北地人。終於丞相曹屬。"案《集》作"彦林","林"即"材"字之譌,當從此爲是。

案據章懷注,則幹有專集矣。今嚴目輯存議一、書一、諫一、敘一、箴一,凡五篇。攷《書鈔》九十五引《與蘇文師書》,嚴失採。

周不疑所著文論　《文章志》:四首。

《零陵先賢傳》:"不疑字元直,幼有異才,聰明敏達。太祖欲以女妻之,不疑不敢當。太祖愛子倉舒,夙有才智,謂可與不疑爲儔。及倉舒卒,太祖心忌不疑,欲除之。文帝諫以爲不可，太祖曰：'此人非汝所能駕馭也。'乃遣刺客殺之。"《三國志》注。又曰："時有白雀瑞，儒林並已作頌。不疑見操，受紙筆，立令復作，操奇之。"《御覽》。

《文章志》："不疑死時年十七，著文論四首。"

班昭所著賦、頌、銘、誄、問注、哀辭、書、論、上疏、遺令 范《書》：十六篇。《七録》：二卷。《舊唐志》：二卷。

范《書》："昭所著，子婦丁氏爲譔集之，又作《大家讚》焉。"

案《文選·東征賦》注引《曹大家集》，《御覽》九百二十二引《大雀頌》。《類聚》九十二作"《大雀賦》"。陸龜蒙《小名録》"子穀，爲陳留長，大家隨至官，作《東征賦》"，稱《曹大家集》。

嚴目輯存賦四、疏二、頌一，凡七篇。

蔡文姬所著 《隋志》：一卷。

范《書》："文姬感傷亂離，追懷悲憤，作詩二章。"

案詩載本傳。

徐淑所著 《七録》：一卷。

《隋志》："黄門郎秦嘉妻。"

杜預《女記》："淑喪夫守寡，兄弟將嫁之，誓而不許，爲書云云。"

《詩品》："夫妻事既可傷，文亦悽怨。爲五言者不過數家，而婦人居二。敘别之作，亞於團扇矣。"

嚴目輯存書三篇。

凡文翰八十六部，章篇卷數可攷者三十一章八百一十一篇一百六十五卷。

補後漢書藝文志攷卷八終

補後漢書藝文志攷卷九

常熟　曾樸　簒

數術志内篇第五

紀天文、曆譜、五行、雜占、形法。

張衡　靈憲　《隋志》:一卷。《唐志》、《舊唐志》同。

《隋志·天文志》:"張衡爲太史令,鑄渾天儀,總序星經,謂之《靈憲》。"

案范《書》本傳注引"昔在先王,將步天路,用定靈軌。尋緒本元,先準之於渾體,是爲正儀,故《靈憲》作興",稱《靈憲序》。《續漢志》、《開元占經·乙巳占》皆引,不標序。《續漢書·天文志》注、《開元占經》一李淳風乙巳占一均引《靈憲》。又《初學·州郡部》引"中州含靈,外制八輔",《類聚》六引"崑崙東南有赤縣之州,風雨有時,寒暑有節。苟非此土,南則多暑,北則多寒,東則多陰,故聖王不處也",稱《靈憲圖》。《晉書·天文志》引郡國所入十二次宿度,皆出《續漢志》等三書所引之外。諸所引皆不出三書。又《御覽》一引"太素之前"云云,作《靈憲注》,而其文則即《續漢志》等三書所引之《靈憲》也。攷《開元占經》六十四引韓公賓《靈憲注》三條。公賓,不詳何人,其書亦未著録於《隋》、《唐志》,然曇瞿引之,則其書唐時有傳本也。《御覽》所引一條,葢或據公賓所注之本,而未録其注,轉採者遂失削注字耳。

張衡　渾天儀注　《唐志》:一卷。《舊》同。

《義熙起居注》:“相國表曰:‘間者平長安,獲張衡所作渾儀、土圭,①歷代寶器,謹遣奉送,②歸之天府。’”吳淑《事類賦注》引。

《續漢書》:“張衡性精微,有巧藝。以郎中遷太史令。妙善璣衡之正,紀渾天儀。”《御覽》引。

袁宏《紀》:“衡精微有文思,善於天文陰陽之數,作渾天儀。”

顏延之《請立渾天儀表》:“張衡創物,蔡邕造論,戎夏相襲,世重其術。”

《宋書・天文志》:“張衡所造渾儀,傳至晋、魏,中華覆敗,沈没戎虜。晋安帝義熙十四年,高祖平長安,得衡舊器,儀狀惟不綴經星七曜。”

《晋書・天文志》:“葛洪云:‘諸論天者雖多,然精於陰陽者少。③ 張平子、陸公紀之徒,咸以爲推步七曜之道,以度曆象昏明之證候,校以四八之氣,攷以漏刻之分,占晷景之往來,求形驗於事情,莫密於渾象者也。張平子既作銅渾天儀,於密室中以漏水轉之,令伺之者閉户而唱之。其伺之者以告靈臺之觀天者曰:“璇璣所加,某星始見,某星已中,某星今没。”皆如合符也。崔子玉爲其碑銘曰:“數術窮天地,制作侔造化,高才偉藝,與神合契。‘蓋由於平子渾儀及地動儀之有驗故也。’”又曰:“順帝時,張衡又制渾象,具内外規、南北極、黄赤道,列二十四氣、二十八宿中外星官及日月五緯,以漏水轉之於殿上室内,星中出没,與天相應。因其關戾,又轉瑞輪蓂莢於階下,隨月盈虚,依曆開落。”

侯康曰:“《續漢書・律曆志》下注引張衡《渾儀》。”④

---

① 原脱“儀”字,據中華本《事類賦注》補。

② “奉”,原作“秦”,據中華本《事類賦注》改。

③ 原脱“少”字,據中華本《晋書》補。

④ “律曆”原互倒,據中華本《後漢書》乙正。下同。

案《開元占經》一引較《律曆志》注詳,《晋書·天文志》亦引,具稱《渾天儀注》。蓋平子造器,以説附器,器爲主,録其説,自宜稱注也。《初學記》二十五引稱漏水轉渾儀制。諸書但標渾天儀者不録。

張衡　懸圖 《隋志》:一卷。

章懷太子曰:"《衡集》作《玄圖》,蓋玄與懸通。"

侯康曰:"据李賢傳注,則《玄圖》本在《衡集》中,而《隋志》有《玄圖》一卷,無撰人,必出張衡無疑,蓋後人析出别行也。張溥輯《衡集》,無《玄圖》,當已失傳。《御覽》卷一引之云:'玄者,無形之類,自然之根,作於太始,莫之與先。'"

案《文選·吴都賦》劉淵林注引"梟羊喜獲,先笑後愁",《御覽》一引"玄者,包含道德,搆掩乾坤,橐籥元氣,稟受無原",俱稱張衡《玄圖》。《書鈔》九十六引"圖者,心之謀,書之謀也",稱張衡《玄圖序》。

張衡　算罔論 卷數佚。

章懷太子曰:"衡集無《算罔論》,蓋網絡天地而算之,因名焉。"

案《九章算術》二劉徽注引"立方爲質,立圓爲渾",又引"質,六十四之面。渾,二十五之面",又引"方,八之面。圓,六之面",稱張衡算,當出此書。

劉陶　七曜論 卷數佚。

鄭康成　日月交會圖注 《隋志》:一卷。

案《南齊書·天文志》引《交會術》曰:"《春秋》魯桓公三年,日蝕,貫中下上竟黑。疑者以爲日月正等,月何得小而見日中。[1] 鄭玄曰:'月正掩日,日光從四邊出,故言從中出

① 原脱"月"字,據中華本《南齊書》補。

也。'"此條應出是書。又張彦遠《名畫記》三《秘畫珍圖》目録載之,則唐時尚存也。

鄭康成 天文七政論 卷數佚。

《宋書·曆志》:"祖沖之曰:'七政致齊,寔謂天儀。鄭王唱述,厥訓明允。雖有異説,蓋非實義。'"

案《宋書·天文志》言鄭玄難蓋天二事,當出此書。

劉叡 荆州星占 《唐志》:二十卷,又二卷。《舊志》同。《宋志》:一卷,又三卷。

《晋書·天文志》:"漢末,劉表爲荆州牧,命武陵太守劉叡集天文衆占,名《荆州占》。其雜星之體,有瑞星,有妖星,有客星,有流星,有瑞氣,有妖氣,有日月傍氣,皆畧具名狀,舉其占驗,次之於此。"文繁不録。侯康曰客星一條亦引《荊州占》。

《通志·藝文畧》:"《荆州劉石甘巫占》一卷,漢荆州牧劉表命武陵太守劉意集甘石、巫咸等之占。今存一卷。"

侯康曰:"《唐志》於劉叡書外,别出劉表《荆州星占》二卷,據《晋志》,則劉叡書即劉表書,《唐志》誤分之。《通志》又作'劉意',《崇文總目》亦同,未詳孰是。《續漢書·天文志》及《御覽》卷七屢引《荆州星占》,又卷四引一條,載皇后救月蝕儀。"

案《開元占經》引之最詳,皆稱《荆州占》。攷《隋志》天文類有《荆州占》二十卷,宋通直郎劉嚴撰。嚴,不詳何人,《宋書》無傳。惟《新唐書·宰相世系表》有劉彦英,云"宋給事中通直散騎常侍",疑即劉嚴,彦英蓋其字也。《占經》所引《荆州占》或有嚴書,亦未可知。《初學·天部》引北辰,《中宫部》引少微;《類聚》一引箕星乙巳占,八引篷星,則皆稱《荆州星占》。《周禮·春官·大宗伯》疏引文昌六星,稱武陵太守星傳,此數條確係叡書。

趙嬰 周髀算經注 《隋志》:一卷。《新》、《舊唐志》同。《宋志》:二卷。今存二卷。

《四庫全書提要》曰:“《隋志》天文類首列《周髀》一卷,趙嬰注;又一卷,甄鸞述。《唐志》李淳風《釋周髀》二卷,與趙嬰、甄鸞之注列之天文類,而曆算類中復列李淳風注《周髀算經》二卷,蓋一書重出也。是書内稱‘周髀長八尺,夏至之日,晷一尺六寸’,蓋髀者股也。於周地立八尺之表以爲股,其影爲句,故曰周髀。其首章周公與商高問答,實句股之鼻祖,故《御製數理精蘊》載在卷首而詳釋之,稱爲成周六藝之遺文。榮方問於陳子以下,徐光啟謂爲千古大愚。今詳考其文,惟論南北影差以地爲平遠,復以平遠測天,誠爲臆説。然與本文已絶不相類,疑後人傳説而誤入正文。如《夏小正》之經傳參合,傅崧卿未訂以前,使人不能讀也。其本文之廣大精微者,皆足以存古法之意,[①]開西法之源。如書内以璇璣一晝夜環繞北極一周而過一度。冬至夜半璇璣起北極下子位,春分夜半起北極左卯位,夏至夜半起北極上午位,秋分夜半起北極右酉位。是謂璇璣四游所極,終古不變。以七衡六間測日躔發斂,冬至日在外衡,夏至日在内衡,春、秋分在中衡。當其衡爲中氣,當其間爲節氣,亦終古不變。古蓋天之學,此其遺法。蓋渾天如毬,寫星象於外,人自天外觀天,蓋天如笠;寫星象於内,人自天内觀天,笠形半圓,有如張蓋,故稱蓋天。合地上、地下兩半圓體,即天體之渾圓矣。其法失傳已久,故自漢以迄元、明,皆主渾天。明萬曆中,歐邏巴人入中國,始别立新法,號爲精密。然其言地圓,即《周髀》所謂‘地法覆槃,滂沱四隤而下也’。其言南北里差,即《周髀》所謂‘北極左右,夏有不釋之冰,物有朝生暮穫。中衡左右,冬有不死之草,五穀一歲再熟。是謂寒暑推移,隨南北不同之故’。及所

① “存”,原作“成”,據1965年中華書局影印《四庫全書總目》改。

謂‘春分至秋分，極下常有日光；秋分至春分，極下常無日光。是爲晝夜永短，隨南北不同之故也’。其言東西里差，即《周髀》所謂‘東方日中，西方夜半；西方日中，東方夜半。晝夜易處如四時相反。是爲節氣合朔，加時早晚隨東西不同之故也’。又李之藻以西法製《渾蓋通憲》，展晝短規使大於赤道規，一同《周髀》之展外衡使大於中衡。其新法曆書述第谷以前西法，三百六十五日四分日之一，每四歲之小餘成一日，亦即《周髀》所謂‘三百六十五日者三，三百六十六日者一也’。西法出於《周髀》，此皆顯證。特後來測驗增修，愈推愈密耳。《明史・曆志》謂‘堯時宅西居昧谷，疇人子弟散入遐方，因而傳爲西學’者，固有由矣。此書刻本脱誤，多不可通。今據《永樂大典》内所載，詳加校訂，補脱文一百四十七字，改譌舛者一百一十三字，删其衍複者十八字。舊本相承題云‘漢趙君卿注’，其《自序》稱‘爽以暗蔽’，注内屢稱爽，或疑焉。爽未之前聞，蓋即君卿之名。然則《隋》、《唐志》之趙嬰，殆即趙爽之譌歟。注引《靈憲》、《乾象》，則其人在張衡、劉洪後也。舊有李藉音義，别自爲卷，今仍其舊。書内凡爲圖者五，而失傳者三，譌舛者一，謹據正文及注爲之補訂。古者九數，惟《九章》、《周髀》二書流傳最古，譌誤亦特甚。然溯委窮源，得其端緒，固術數家之鴻寶也。”

凡天文九部，卷數可攷者二十五卷。

李梵　四分曆　《七録》：四卷。《舊唐志》：一卷。

蔡邕議曰：“梵，清河人。”

《續漢書・律曆志》：“章帝知曆錯繆，以問史官，雖知不合，而不能易，故召治曆編訢、李梵等綜校其狀。於是《四分》施行。”

霍融　漏刻經　《七録》：一卷。

《續漢書·律曆志》:"永元十四年,待詔太史霍融上言:'官漏刻率九日增減一刻,不與天相應,或時差至二刻半,不如夏曆密。'"

案《隋志》:《漏刻經》一卷,何承天撰。下引《七録》云:"有後漢待詔太史霍融、何承天、楊偉等撰三卷。"據此,則三卷乃人各一卷也。

劉洪　乾象曆注　《七録》:五卷。《唐志》:三卷。《舊志》同。

袁山松《書》:"洪字元卓,泰山蒙陰人。魯王之宗室也。延熹中,以校尉應太史徵,拜郎中,遷常山長史,以父憂去官。後爲上計掾,拜郎中,遷謁者、穀城門候、會稽東部都尉。領山陽太守,卒官。洪善算,當世無偶,作《七曜曆》。及造《乾象術》,十餘年,驗日月,與象相應,皆傳於世。"

徐幹《中論》:"孝章皇帝時,年曆疎濶,不及天時,更用《四分曆》,舊法元起庚辰,至靈帝《四分曆》猶復後天半日,於是會稽都尉劉洪更造《乾象曆》,以追日月星辰之行,考之天文,於今爲密。會宫車晏駕,事不施行,惜哉!"

徐岳議:"劉洪以曆後天,潛精内思二十餘載,參校漢家《太初》、《三統》、《四分曆》術,課紘望於兩儀郭閒。而月行九歲一終,謂之九道;九章,百七十一歲,九道小終,九九八十一章,五百六十七分而九終,進退牛前四度五分。學者務追合《四分》,但減一道六十三分,分不下通,是以疏濶皆由斗分多故也。課紘望當以昏明度月所在,則知加時先後之意,不宜用兩儀郭閒。洪加《太初》元十二紀,減十斗下分,元起己丑。又爲月行遲疾交會及黄道去極度、五星術。理實粹密,信可長行。"

王蕃《渾天説》:"漢靈帝之末,《四分曆》與天違錯,時會稽東部都尉太山劉洪善於推候,乃考述史官自古至今曆法,原其進退之行，察其出入之驗，視其往來，度其終始。課較其法，不能四分之一，減以爲五百八十九分之一百四十五，更造《乾象曆》，以追日月五星之行，比於諸家，最爲精密。今史官所用，則其曆也。故所作渾象諸分度、節次及昏明中星，皆更以《乾象法》作之。周天一百七萬一千里，以《乾象》法分之，得二千九百三十二里八十步三尺九寸五分弱，斗下分爲七百二十一里二百五十九步四尺五寸二分弱。《乾象》全度張，古曆零度九步一尺二寸一分弱；斗下分減，古曆斗下分十一里五十八步六寸六分弱。其大數俱一百七萬一千里，斗下分減則全度，純數使其然也。"

《宋書·曆志》："光和中，穀城門候劉洪始悟《四分》於天疏濶，更以五百八十九爲紀法，百四十五爲斗分，造《乾象法》。又制《遲疾曆》，以步月行方，於《太初》、《四分》轉精微矣。"

《晋書·律曆志》："漢靈帝時，會稽東部都尉劉洪考史官自古迄今曆注，原其進退之行，察其出入之驗，規其往來，度其終始，始悟《四分》於天疎濶，皆斗分太多故也。更以五百八十九爲紀法，百四十五爲斗分，作《乾象法》，冬至日日在斗二十二度，以術追日、月、五星之行，推而上則合於古，引而下則應於今。其爲之也，依《易》立數，遯行相號，潛處相求，名爲《乾象曆》。又創制日行遲速，兼考月行，陰陽交錯於黄道表裏，日行黄道，於赤道宿度復有進退。方於前法，轉爲精密矣。"

案趙君卿《周髀算經注》引之。

劉洪　七曜曆　卷數佚。

鄭康成　乾象曆注　卷數佚。

祖沖之曰："《乾象》之弦望定數，《景初》之交度周日，匪謂測候不精，遂乃乘除翻謬，又曆家之甚失也。及鄭玄、闞澤等，並綜數藝，而每多疏舛。"

《晋書·律曆志》:“獻帝建安元年,鄭玄受劉洪《乾象曆》法,以爲窮幽極微,又加注釋焉。”

蔡邕　中台要解　卷數佚。

王隱《晋書》曰:“張載弟前烏程令亢,依蔡邕《明堂月令》、《中台要解》,又綴諸説曆數而爲《曆讚》。”

劉智論天曰:“自司馬遷、劉向、劉歆、揚雄、賈逵、張衡、蔡氏、劉洪、鄭玄,此九君者,不但於算步皆博索沈綜,才思宏遠,而不合論渾、葢之用,明定日行四時之道。雖或精攷,雅有所得,亦或出心,失其本恉。”

顔延之《請立渾天儀表》云:“張衡創物,蔡邕造論。戎夏相襲,世重其術。”

案邕十意中有《曆律意》,《續漢志》又載邕曆議一篇。《續漢志》補注引“《邕集》三月九日,百官會府公殿下,與光晃議曆”,據此,則此書當是作志議曆之餘會而成也。稱中台者,攷邕傳,中平中,邕補侍御史,又轉持書御史,遷尚書,三月之間,周歷三台,漢官尚書稱中台,葢書成於遷尚書時,故以名焉。

凡曆譜六部,卷數可攷者十卷。

明帝　五家要説章句　卷數佚。

范《書》:“帝自制《五家要説章句》,令桓郁校定於宣明殿。”

案《樊準傳》注、《桓郁傳》注引《東觀漢記》,《御覽》五百九十一引華嶠《書》,俱作“《五行章句》”。《册府元龜》郁傳言“五家即謂五行之家也”,其言必有所據。據此,則范《書》所載之名不誤。諸書直稱《五行章句》,史家便文也。《書鈔》引華嶠《書》稱帝注《五經要説章句》,此傳寫之譌。

王景　大衍玄基　卷數佚。

范《書》:“景以爲六經所載,皆有卜筮,作事舉止,質於蓍龜,而衆書錯糅,吉凶相反,乃參紀衆家數術文書,冢宅禁忌,堪輿日相之屬,適於事用者,集爲《大衍玄基》云。"

楊由　其平 卷數佚。

范《書》:"由少習《易》、天文、七政、元氣、風雲占候。著書十餘篇,名曰《其平》。"

張衡　黄帝飛鳥曆 《隋志》:一卷。《唐志》、《舊唐志》同。

何休　風角七分注 卷數佚。

鄭康成　九宫經注 《隋志》:一卷。

鄭康成　九宫行棊經注 《隋志》:三卷。《唐志》、《舊志》皆同。

案《唐志》但有《九宫經注》,疑《隋志》複,然不敢臆斷,姑仍之。

鄭康成　九旗飛變 《唐志》:一卷。《舊志》同。

案《舊唐志》有李淳風注一卷。

郗萌　春秋災異 《隋志》:十五卷。

郗萌　秦災異 《七録》:一卷。

《隋志》:"漢代有郗氏、袁氏説。漢末,郎中郗萌集圖緯讖雜占爲五十篇,謂之《春秋災異》。"

《晉書·天文志》:"宣夜之書亡,[①]惟漢秘書郎郗萌記先師相傳云:'天了無質,仰而瞻之,高遠無極,眼瞀精絶,故蒼蒼然也。譬之旁望遠道之黄山而皆青,俯察千仞之深谷而窈黑,夫青非真色,而黑非有體也。日月衆星,自然浮生虚空之中,其行其止皆須氣焉。是以七曜或逝或住,或順或逆,伏見無常,進退不同,由乎無所根繫,故各異焉。故辰極常居其所,而北斗不與衆星西没也,攝提、填星皆東行,日行一度,月行十三度,遲疾任情,其無所倚著可知矣。若綴附天體,不得

① 原脱"亡"字,據中華本《晉書》補。

爾也。'"

案《續漢書·天文志》注、《開元占經》、《初學》三十二、《御覽》三百四十、《乙巳占》八,皆引郗萌占,即此。而《開元占經》引之尤多,然亦但標郗萌占,而孰爲《春秋》,孰爲《秦》,皆未明著之,今據其可知者分繫焉,《日占》二引"日夜出四國,侵犯十二諸侯,攻伐敗亡",又"日蝕 ,方,皆爲責在臣,青則佐公作德,赤則佐公作福,黄則放其君,白則佐公作刑",《日占》五引"日月蝕,五色,其赤稱右夫人,乘君損主"。《月占》一引"東方小月乘大月,小國毁;大月承小月,大國伐之",《月占》三引"月守房,稱皆爲天下,諸侯謀相慮,道不同",又引"月犯畢,天下有拘主",又引"月蝕畢,諸侯相掠";《月占》四引"月犯蝕大角,强國亡",又引"月暈,胃、熒惑在其中,稱魏國不出一年大赦",又引"月暈,稱暈天門,十月、十二月,諸侯有不通者";《月占》六引"月以正月暈軫,公子死";《月占》七引"月暈,攝提、大角在其中,稱諸侯分政"。《五星》占二引"五星聚於虚,必有盟者,二星則二國君,五星則五國君,皆相見",《五星占》五引"辰星與填星合虚中,齊國地動"。《歲星占》一"歲星當移不移,稱諸侯四流",又引"歲星入房,稱后、夫人喪";《歲星占》三引"歲星守營室,后、夫人憂";《歲星》四引"歲星守胃,燕兵伐中國",又引"歲星犯守胃,鄰國有暴兵伐中國";《歲星占》五引"歲去五諸侯入輿鬼,稱諸侯世子有疾死者"。以上或稱諸侯,或稱公,或稱夫人,或稱世子,或稱國名,或稱盟,此皆《春秋災異》中語也。《月占》三引"月乘南斗,色惡蒼,丞相死",又引"月犯營室,宰相死";《月占》四引"月變於建星,易將相"。《歲星占》二引"歲星留逆犯守乘陵尾,皇后有以王簪珥惑天子者";《歲星》五引"歲星守輿鬼,爲秦漢有反臣”;《歲星占》引“歲星入太微,入西華門,出端門,爲臣詐稱詔”,又引“歲星犯守上台,太尉死”。以上或稱丞相,或宰相,或稱將相,或稱皇后,或稱詔,或稱太尉,或稱秦漢,皆《秦災異》中語也。其《春秋災異》中有魏國者,蓋其書名雖春秋,而實則兼戰國而言,故其《秦災異》亦有漢,始秦而兼及漢初也。

劉根　墨子枕内記　卷數佚。

案《書鈔》一百四十七引“百花醴者蜜”,稱劉根《墨子枕内記》。攷《隋志》有《墨子枕中五行要記》一卷、《五行變化墨子》五卷,《抱樸子·遐覽篇》有《墨子枕中記》,蓋《墨子》上、下《經》往往涉變化之道,後之五行家多依託之,此亦其類。

景鸞　興道　范《書》:一篇。

范《書》:“又抄風角雜書,列其占驗,作《興道》一篇。”

凡五行十二部,篇卷數可攷者一篇二十二卷。

王喬　解鳥語經　《七録》:一卷。

案《隋志》尚有《嚏書》、《耳鳴書》、《目瞤書》,皆承此書之下,不標名,云各一卷。以小學類蔡邕《皇聖篇》下承《黄初篇》、《吴章篇》皆非邕作之例求之,則此三書亦非喬作也,兹不録。

王喬　鳥情占　《隋志》:一卷。

許峻　易新林　《隋志》:一卷。

《後漢書》:“許峻字季山,汝南平輿人。善卜占之術,時人方之京房。所著《易林》,至今傳於世。”案非今范《書》。

許峻　易訣　《隋志》:一卷。

許峻　易雜占　《七録》:七卷。

許峻　易災條　《隋志》:一卷。

案《初學記》七引"井中有魚，似蟲出流，若當井沸五色玄珠"，稱《易災條》。又《北堂書鈔·地部》引"母病腹脹，蛇在井旁，當破瓶甕，井沸泥浮，五色玄黄"，稱許氏《易災條》。

凡雜占六部，卷數可攷者十二卷。

馬援　銅馬相法　卷數佚。

范《書》："援於交趾得駱越銅鼓，鑄爲馬式，還上之。表曰：'行天莫如龍，行地莫如馬。昔有騏驥，一日千里，伯樂見之，昭然不惑。近世有西河子輿，亦明相法。子輿傳西河儀長孺，長孺傳茂陵丁君都，君都傳成紀楊子阿，臣援師事子阿，受相馬骨法。孝武帝時，善相馬者東門京，鑄作銅馬法獻之，有詔立馬於魯班門，則更名魯班門曰金馬門。今臣依儀氏䩭，中帛氏口齒，謝氏脣鬐，丁氏身中，備此數家骨相以爲法。'馬高三尺五寸，圍四尺四寸。有詔置於宣德殿下。"

案本傳注、《御覽》均引馬援《銅馬相法》。

凡形法一部，無卷數。

凡數術三十四部，篇卷數可攷者一篇六十九卷。

方伎志内篇第六

紀醫經、經方、神仙、房中。

涪翁　鍼經診脉法　卷數佚。

范《書》："初，有老父，不知何出，常漁釣於涪水，因號涪翁。乞食人間，見有疾者，時下鍼石，輒應時而效，乃著《鍼經診脉法》傳於世。"

《益部耆舊傳》曰："廣漢有老翁釣於涪水，自號涪翁。"

蔡邕　本草　《七録》：七卷。

衛汎　四逆三部厥經　《御覽》引《仲景方序》：一卷。

衛汎　婦人胎藏經 《御覽》引《仲景方序》：一卷。

張仲景方序曰："衛汎好醫術，少師仲景，有才識，撰《四逆三部厥經》及《婦人胎藏經》、《小兒顱顖方》三卷，皆行於世。"《御覽》引。

案孫思邈《千金方》二十六食治引扁鵲云："人之所依者，形也。亂於和氣者，病也。理於煩毒者，藥也。濟命扶危者，醫也。"稱河東衛汎記。

華佗　枕中灸刺經 《隋志》：一卷。

華佗　内事 《七録》：五卷。

華佗　觀形察色并三部脉經 《隋志》：一卷。

范《書》："佗曉養性之術，精於方藥。曹操聞而召佗，常在左右。佗就操求還取方，因託妻疾，數期不反。操累書呼之，猶不肯至。操大怒，乃收付獄訊，考驗首服，竟殺之。臨死，出一卷書與獄吏，吏畏法不敢受，佗亦不强與，索火燒之。"《三國志》同。

阮元《未收書目》華氏《中藏經》提要曰："《中藏經》，漢華佗撰，分上、中、下三卷。《隋志》載《華佗方》十卷，《唐》、《宋・藝文志》並載《華佗藥方》一卷，《通志・藝文畧》同。《宋志》又載《黄氏中藏經》一卷，云靈寶洞探微撰，與此别爲一書無疑矣。又吴中有趙孟頫手寫本，分上、中、下三卷，《隋志》列有華佗《觀形察色并三部脉經》，葢即此書中卷也。"

孫星衍《中藏經序》曰："攷《隋志》有華佗《觀形察色并三部脉經》一卷，疑即是中卷《論診雜病必死候》已下二篇，故不在趙寫本中，未敢定之。"

案《千金方》九《傷寒方》上引華佗《論傷寒鍼灸法》，王燾《外臺秘要》一亦引。王燾《外臺秘要》二十八《中惡方》引華佗《中惡鍼灸法》，皆出《灸刺經》。

又案《隋志》所載華佗諸書,今俱亡佚。外間所傳,惟有趙孟頫手寫本《中藏經》上、中、下三卷。然此書《隋》、《唐》、《宋·藝文志》均不著録,至鄭樵《通志·藝文畧》及陳振孫《書録解題》始載之。其卷端有應靈洞主探微真人少室山鄧處中序一篇,處中自述爲佗外孫,謂此書因夢得于石函,其言皆怪誕不可究詰。序末題'甲寅秋九月',古人無以干支紀歲,僞迹顯然。今繹其書,上篇《生成論》及《寒熱論》兩引《金匱要論》,葢卽仲景《金匱要畧》中語。仲景之書,皆係晋王叔和所題,至《金匱要畧》之名,《隋》、《唐志》皆無之,始見於《直齋書録解題》,云是書得於館閣蠧簡中,本名《金匱玉函要畧》,自後《文獻通攷》、《宋史·藝文志》始皆載之,則是書當是唐以後人題,并非叔和原本也。佗在漢時,安能知唐以後書名乎?又下卷《療諸藥方》中引葛元真人百補構精丸,案《御覽》六百六十三引《列仙傳》云'葛元師於左慈',《神仙傳》云'葛元字孝先,從左慈受《九丹金液經》',則元葢左慈弟子。左慈、華佗,同事曹操,行輩相等,元爲慈弟子,其輩行明後于佗,而此書稱之爲真人,其乖甚矣。又巢元方《疾源候論》二十引范汪所録華佗太一決疑雙丸方,治八痞、五疝、積聚、伏熱、留飲、往來寒熱,而不的顯。如此大方,而此書闕如,亦一破綻也。故阮雲臺、孫星衍皆疑爲六朝人手筆,良是。惟方伎之書,每多真僞雜糅,去古未遥,墜簡斯在。其中如中卷《諸病治療交錯致於死候論》、《診雜病必死候》、《察聲色形證決死法》三篇,王叔和《脈經》五十、《千金方》三十八脈法皆引。上卷《論肝藏虚實寒熱生死逆順脉證之法》以下十一篇,不但文義古奥,即論脉論證,皆洞見陰陽升降,虚實之微,顯於餘卷不同,非後人所能僞託。疑三篇即《隋志》《觀形察色經》,十一篇即三部《脉經》也。又陶氏

《説郛》及錢塘胡氏《百名家書》、《格致叢書》中載有華佗《内照圖》、《内照經》各一卷，其書《隋》、《唐》、《宋志》皆不著録，惟王叔和《脉經》曾引之。叔和，晋人，去佗未遠，即經引據，其非後人僞造可知。愚疑《隋志》所載《内事》五卷即此，葢《内照》與《内視》意同，"視"、"事"又因音近而譌也。至卷數多寡不符，則亦不完之本耳。

凡醫經七部，卷數可攷者十六卷。

郭玉　經方頌説　卷數佚。

《華陽國志》："玉明方術伎，妙用針，作《經方頌説》。官至太醫丞、校尉。"

李助　經方頌説　卷數佚。

《華陽國志》："助字翁君，涪人。通名方，校醫術，作《經方頌説》，名齊郭玉。"

張機方　《隋志》：十五卷。《唐志》同。

張機　辨傷寒論　《七録》：十卷。《唐志》作《傷寒雜病論》，卷同。《宋志》卷亦同。

張機　評病要方　《隋志》：一卷。

張機　療婦人方　《隋志》：二卷。

《自序》曰："余每覽越人入虢之診，望齊侯之色，未嘗不慨然歎其才秀也。怪當今居世之士，曾不留神醫藥，精究方術，上以療君親之疾，下以救貧賤之厄，中以保身長全，以養其生。但競逐榮勢，企踵權豪，[①]孜孜汲汲，惟名利是務，崇飾其末，忽棄其本，[②]華其外而悴其内，皮之不存，毛將安附焉。卒然遭邪風之氣，嬰非常之疾，患及禍至，而方震慄，降志屈節，欽

① "踵"，原誤作"證"，據《四部叢刊》本《傷寒論》改。

② 原脱"忽棄其本"，據《四部叢刑》本《傷寒論》補。

望巫祝,告窮歸天,束手受敗。賫百年之壽命,持至貴之重器,委付凡醫,恣其所措。咄嗟嗚呼!厥身已斃,神明消滅,變爲異物,幽潛重泉,徒爲啼泣。[①] 痛夫!舉世昏迷,莫能覺悟,不惜其命,若是輕生,彼何榮勢之云哉!而進不能愛人知人,退不能愛身知己,遇灾值禍,身居厄地,[②]蒙蒙昧昧,蠢若游魂。哀乎!趨世之士,馳競浮華,不固根本,忘軀狥物,危若冰谷,至於是也。余宗族素多,尚餘二百,建安紀年以來,猶未十稔,其死亡者三分有二,傷寒十居其七。感往昔之淪喪,傷夭横之莫救,乃勤求古訓,博採衆方,撰《用素問》九卷、《八十一難》、《陰陽大論》、《胎臚藥録》并《平脉辨症》,爲《傷寒雜病論》合十六卷。此係仲景原本,《隋》、《唐志》作十卷,叔和所編。雖未能盡愈諸病,庶可以見病知原。若能盡予所集,思過半矣。夫天布五行,以運萬類;人稟五常,以有五臟;經絡府俞,陰陽會通,[③]玄冥幽微,變化難極,[④]自非才高識妙,豈能探其理致哉!上古有神農、黄帝、岐伯、伯高、雷公、少俞、少師、仲文,中世有長桑、扁鵲,漢有公乘陽慶及倉公,下此以往,未之聞也。觀今之醫,不念思求經旨以演其所知,各承家技,終始順舊,省疾問病,[⑤]務在口給,相對斯須,便處湯藥,按寸不及尺,握手不及足;人迎趺陽,三部不參,動數發息,不滿五十。短期未知決診,九候曾無仿佛,明堂闕廷,盡不見察,所謂管窺而已。夫欲視死别生,實爲難矣。孔子云生而知之者上,學則亞之。多聞博識,知之次也。余宿尚方術,請事斯語。漢

---

① “泣”,原誤作“沙”,據《四部叢刊》本《傷寒論》改。

② “厄”,原作“死”,據《四部叢刊》本《傷寒論》改。

③ 原脱“府俞”、“陰陽”,據《四部叢刊》本《傷寒論》補。

④ 原脱“化”,據《四部叢刊》本《傷寒論》補。

⑤ 原脱“病”,據《四部叢刊》本《傷寒論》補。

長沙守南陽張機序。"

《何永别傳》:"同郡張仲景,總角造永,謂曰:'君用思精而韻不高,後將爲良醫。'卒如其言。永先識獨覺,言無虚發。王仲宣年十七嘗遇仲景,[①]仲景曰:'君有病,宜服五石湯。不治且成。後年三十,當眉落。'仲宣以其貰長也,遠不治也。後至三十,病果成,竟眉落。其精如此。仲景之方術,今傳於世。"《御覽》七百二十二引。

鼂氏《讀書志》:"《金匱玉函經》,漢張仲景撰,晉王叔和集。設答問雜病形證脉理,參以療治之方。仁宗朝,王洙得於館中,用之甚效,合二百六十二方。"

又曰:"《傷寒論》,仲景述,晉王叔和撰次。按《名醫録》云:'仲景,南陽人,名機。仲景,其字也。舉孝廉,官至長沙太守。以宗族二百餘口,建安紀年以來,未及十稔,死者三之二,而傷寒居其七,乃著論二十二篇,證外合三百九十七法,一百一十二方。'"

《書録解題》:"林億等校正。此書王洙於館閣蠹簡中得之,曰《金匱玉函要畧方》。上卷論傷寒,中論雜病,下載其方,并療婦人,乃録而傳之。今書以逐方次於證候之下,以便檢用。其所論傷寒,文多節畧,故但取《雜病》以下,止《服食禁忌》,二十五篇二百六十二方,而仍其舊名。"樸案今存仲景書非叔和所編原本,而兹《志》則以原本標目,故變例録諸家説,又加案語。

《四庫提要》:"《金匱要畧論注》二十四卷,漢張機撰。國朝徐彬注。機字仲景,南陽人。嘗舉孝廉,建安中,官至長沙太守。是書亦名《金匱玉函經》,乃晉高平王叔和所編次。陳振孫《書録解題》曰'此書乃王洙於館閣蠹簡中得之,曰《金匱玉

① "王",原誤作"玉",據《補編》本改。

函要畧》。上卷論傷寒,中論雜病,下載其方,并療婦人,乃録而傳之。今書以逐方次於證候之下,以便檢用。其所論傷寒,文多簡畧,故但取《雜病》以下,止《服食禁忌》,二十五篇二百六十二方,而仍其舊名'云云,則此書叔和所編本爲三卷,洙鈔存其後二卷,後又以方一卷散附於二十五篇内,蓋已非叔和之舊。然自宋以來,醫家奉爲典型,與《素問》、《難經》並重,得其一知半解,皆可以起死回生,則亦岐、黄之正傳,和、扁之嫡嗣矣。機所作《傷寒雜病論》自金成無己之後,注家各自争名,互相竄改。如宋儒之談錯簡,原書端緒,久已瞀亂難尋,獨此編僅僅散附諸方,尚未失其初旨,尤可寶也。漢代遺書,文句簡奥,而古來無注,醫家猝不易讀。彬注成於康熙辛亥,注釋尚爲顯明,今録存之,以便講肄。彬字忠可,嘉興人。江西喻昌之弟子,故所學頗有師承云。又《傷寒論》十卷,漢張機撰,晋王叔和編,金成無已注。《明理論》三卷、《論方》一卷,則無已所自撰以發明機説者也。叔和,高平人。官太醫令。無已,聊攝人,生於宋嘉祐治平間,後聊攝地入於金,遂爲金人,至海陵王正隆丙子,年九十餘尚存,見開禧元年歷陽張孝忠跋中。明吴勉學刻此書,題曰宋人,誤也。《傷寒論》前有宋高保衡、孫奇、林億等校上序,稱'開寶中節度使高繼沖曾編録進上,其文理舛錯,未能考正。國家詔儒臣校正醫書,今先校定仲景《傷寒論》十卷,總二十二篇,合三百九十七法,除重復,定有一百一十三方。案"一十三",原本誤作"一十二",今改正。今請頒行',又稱'自仲景於今八百餘年,惟王叔和能學之'云云,而明方有執作《傷寒論條辨》,則詆叔和所編與無已所注,多所改易竄亂,併以序例一篇爲叔和僞託而删之。國朝喻昌作《尚論篇》,於叔和編次之舛、序例之謬及無已所注、林億等所校之失,攻擊尤詳,皆重爲考定,自謂復長沙之舊本。其書盛行於世，而王氏、成氏之書遂微。然叔和爲一代名醫，又去古未遠，其學當有所受。無已於斯一帙，研究終身，亦必深有所得，似未可概從屏斥，盡以爲非。夫朱子改《大學》爲一經十傳，分《中庸》爲三十三章，於學者不爲無裨，必以謂孔門之舊本如是，則終無確證可憑也。今《大學》、《中庸》，列朱子之本於學官，亦列鄭玄之本於學官，原不偏廢，又烏可以後人重定此書，遂廢王氏、成氏之本乎。無已所作《明理論》凡五十篇，又《論方》二十篇，於君臣佐使之義，闡發尤明。嚴器之序，稱'無已撰述《傷寒》義，皆前人未經道者。指在定體分形析證，若同而異者明之，似是而非者辨之，釋戰慄有内外之診，論煩躁有陰陽之別；讝語鄭聲，令虛實之灼知，四逆與厥，使淺深之類明'云云，其推挹甚至。張孝忠跋亦稱'無已此二集，自北而南，先以紹興庚戌得《傷寒論注》十卷於醫士王光廷家。後守荊門，又於襄陽訪得《明理論》四卷。因爲刊版於郴山'，則在當時固已深重其書矣。"

案仲景諸書，晋王叔和爲之論集，亂其原本。自後分并次序，一任醫家之顛倒，名目衆多，至不可詰難。然循流溯源，叔和去漢猶近，欲尋仲景之迹，舍叔和其何能明？欲知叔和所論集，則自以《隋志》爲最得實。攷《隋志》載仲景書，曰《張仲景方》十五卷，《唐志》同，云王叔和集。曰《辨傷寒論》十卷，曰《評病要方》一卷，此書承叔和《論病》六卷之下，疑叔和撮仲景要方爲之。曰《療婦人方》二卷。據此，仲景書共四種二十八卷耳。而《宋史·志》所載其目，倍於《隋志》，曰《脉經》，曰《五臟榮衛論》，曰《傷寒論》，曰《金匱要畧方》，曰《療黄經》，曰《口齒論》，曰《金匱玉函》，計之得七種，而《隋志》《療婦人方》、《評病要方》尚不及也，則仲景書已有九種矣。初不解其故，因取今所存《金匱要畧》反覆觀之，恍然曰：

《宋志》所載之六書,即《隋志》所載之《仲景方》,實一書。觀其載《脉經》一卷、《五臟榮衛論》一卷、《金匱要畧方》三卷、《療黄經》一卷、《口齒論》一卷、《金匱玉函》八卷,合之適符十五卷之數可證也。今其書則雜糅於《金匱要畧》中,據徐彬二十四卷本。其云《脉經》,即《要畧·藏腑經絡先後病脉》一篇;云《療黄經》,即《要畧·黄癉病證》一篇;云《五臟榮衛論》,即《要畧·五臟風寒積聚病脉證治》一篇;《要畧》末載療婦人三篇,即并《隋志》《療婦人方》入之。此可證《要畧》諸書雜糅。試以《宋志》十五卷,合以《傷寒》十卷、《評病要方》一卷,而析出《要畧》中《療婦人方》二卷,①非仍二十八之舊乎。

衛汎　小兒顱顖方　《御覽》引《仲景方序》:一卷。

凡經方七部,卷數可攷者二十九卷。

王喬　養性治身經　《抱樸子·遐覽篇》:三卷。

案《御覽》九引"治身之道,春避青風,夏避赤風,秋避白風,冬避黑風",稱《養性經》,疑出此書。

陰長生　金丹訣注　《通志·藝文畧》:一卷。

陰長生　修真君五精論　《通志·藝文畧》:一卷。

《抱樸子》:"漢末新野陰君,合此太清丹得仙。其人本儒生,有才思,著詩及丹經讚并序,述初學道陵師本末,引以所知識之得仙者四十餘人,甚分明也。"

案《宋史·志》載《還丹歌》一卷、《金液還丹》一卷,疑即《金丹訣》,後人析爲兩書。《靈霄宫道藏目録》載《金碧五相類參同契》三卷,注言外丹法;又《金石五相》一卷,注言藥物所産之源;又《周易參同契注》三卷;三書疑即《五精論》。又《紫元君授

---

① "析",原誤作"折",據《補編》本改。

道傳心法》，白雲霽注皆稱長生著。道書名目，人人互異，分并竄改，盡失本原，茲著其可信者。

魏伯陽　周易參同契　《舊唐志》：二卷。今存彭曉《通真義》本三卷。

魏伯陽　五行相類　《舊唐志》：一卷。

《四庫全書》彭曉《周易參同契通真義》提要曰："葛洪《神仙傳》稱'魏伯陽作《參同契》、《五行相類》，凡三卷。其説是《周易》，其實假借爻象以論作丹之意。世之儒者，不知神丹之事，多作陰陽注之，殊失其旨'云云。今案其書多借納甲之法，言《坎》、《離》水火龍虎鉛汞之要，以陰陽五行昏旦時刻爲進退持行之候。後來言鑪火者，皆以是書爲鼻祖。《隋書·經籍志》不著録，《舊唐書·經籍志》始有《周易參同契》二卷、《周易五相類》一卷，而入之五行家，殊非其本旨。彭曉序謂'伯陽先示青州徐從事，徐乃隱名而注之。至桓帝時，復以授同郡淳于叔通，遂行於世，而傳其訣者頗尠'，其或然歟？至鄭樵《通志·藝文畧》始別立參同契一門，載注本一十九部三十一卷，今亦多佚亡。獨彭曉本尚傳，共分九十章，以應陽九之數。又以《鼎器歌》一篇字句零碎，難以分章，獨存於後，以應水一之數。又撰《明鏡圖訣》一篇，附下卷之末。彭曉自作前後序，闡發其義甚詳，諸家注《參同契》者，以此本爲最古。至明嘉靖中，楊慎稱南方有發地中石函者，得《古文參同契》，以爲伯陽真本，反謂彭曉本淆亂經注，好異者往往信之。然朱子作《參同契考異》，其章次並從此本。《永樂大典》所載《參同契》本，亦全用曉書，而以俞琰諸家之注分隸其下，則此本爲唐末之書，授受遠有端緒。慎所傳本，殆豐坊古《大學》之流，殊荒誕不足爲信。故今録《參同契》之注，仍以此本爲冠焉。"

魏伯陽　内經　《抱樸子·遐覽》:一卷。

魏伯陽　大丹記　《通志·藝文畧》:一卷。

案《靈霄宫道藏目録》載此書子目,曰《太素真人口訣》、《用藥斤兩訣》、《真鉛真汞訣》、《用藥訣時後訣》。

魏伯陽　大丹九轉歌訣　《通志·藝文畧》:一卷。《宋志》同。

魏伯陽　七返靈砂歌　《通志·藝文畧》:一卷。

案《宋志》有魏伯陽《還丹訣》一卷,疑即此《靈霄宫目録》載《七返靈砂訣》,云"内歌十首,言丹砂藥物"。

魏伯陽　火鑑周天圖　《通志》:一卷。

魏伯陽　龍虎丹訣　《通志》:一卷。

魏伯陽　感應訣　《通志》:一卷。

魏伯陽　蓬萊山東西竈還丹歌　《通志》:一卷。

案《靈霄宫目録》有《蓬萊山西竈還丹訣》二卷,注"黄元鍾撰"。

魏伯陽　百章集　《書録解題》:一卷。

徐氏　周易參同契注　《宋志》:三卷。

彭曉《參同契序》:"伯陽先示青州徐從事,徐乃隱名而注之。至桓帝時,復以授同郡淳于叔通,遂行於世。"

張道陵　中山玉櫃神氣歌　《通志》:一卷。

張道陵　剛子丹訣　《通志》:一卷。

張道陵　神仙得道靈藥經　《通志》:一卷。

《神仙傳》:"張道陵,沛人也。本太學書生,博通五經,晚乃歎曰:'此無益年命。'遂學長生之道。乃與弟子入蜀鵠鳴山,著作道書二十四篇。"

陶弘景《真誥》:"陵字輔漢,沛國豐人也。本大儒,晚學長生之道,得《九鼎丹經》,聞蜀中多名山,乃入鳴鵠山,著道書二十餘篇。仙去。"

張道陵　二十四治圖　卷數佚。

案《路史·九頭紀》羅苹注引"伏羲造天地、五龍、山岳也"，稱張道陵《二十四治圖》。

華佗　老子五禽六氣訣　《宋志》：一卷。

案《靈霄宮目録》載《太上老君養生訣》，注"華佗授廣陵吴普"，即此。又云《五禽》弟一，《吐納六氣》弟二，《養生真訣》弟三，《服氣》等訣。

凡神仙二十部，卷數可攷者二十四卷。

甘始　容成玄素法　《神仙傳》：一卷。

范《書》："甘始、東郭延年、封君達三人，皆方士也，率能行容成御婦人術，爲操所録問而行。"

《神仙傳》："始，太原人。善行氣，不飲食。行房中之事，依《容成玄素》之法，更演益之爲一卷，用之甚有近效。"

凡房中一部一卷。

凡方伎三十五部，卷數可攷者七十卷。

補後漢書藝文志攷卷九終

補後漢書藝文志攷卷十

常熟　曾樸　纂

道佛志外篇第一

紀道、佛經。

太平清領書　范《書》：百七十卷。

范書《襄楷傳》："初，順帝時，瑯琊宫崇詣闕，上其師于吉於曲陽泉水上所得神書百七十卷，皆縹白素朱介青首朱目，號《太平清領書》。其言以陰陽五行爲家，而多巫覡雜語。有司奏崇妖妄不經，廼收藏之。後張角頗有其書焉。"

《志林》："順帝初，宫崇詣闕，上師于吉所得神書，號《太平青履道》，凡百餘卷。"

《像天地品》曰："後漢順帝時，曲陽泉上得《神仙經》百卷，内七十卷白素朱界青標朱書，號曰《太平青道》。"《御覽》引。

馬樞《學道傳》："宫嵩，瑯琊人。能文，著《道書》二百卷。"

案宫嵩即宫崇，音近而譌。范《書》稱其師于吉所得，據《學道傳》，則崇所自著即此。可見道書所謂傳授，往往即受是書者所造作。故茲志道書據傳授，佛書據繙繹，均入録焉。

上清金液神丹經　《靈霄目録》：一卷。

白雲霽曰："《上清金液神丹經》三卷，上卷言金液神丹，經文本上古書，義不可解，陰君作漢字顯出之，合有五百四字；中卷長生陰真人撰煉各丹法。"即《通志》所著《金丹訣注》，已録入神仙類。

案《神仙傳》稱"馬明生授長生《太清神丹經》三卷"，《抱樸子》言"左元放於天柱山石室中得《太清丹經》三卷",《道學傳》《御覽》六百六十三。言"帛和視壁三年,見文字,乃《太清中經神丹方》",皆此書也。

玉珮金瑺經 卷數佚。

太微黄書經 卷數佚。

《神仙傳》:"戴孟本姓燕,名濟,字仲微,漢明帝時人。入武當山,受裴君《玉珮金瑺經》,復有《太微黄書》,能周遊名山。"

《三洞珠囊》曰:"戴公柏戴孟子。有《太微黄書》十餘卷。"

《真誥》:"武當山道士戴孟,裴真人授以《玉珮金瑺經》。"

案《御覽》八百六十七引"衆真登大瓊臺,齋戒三月",六百七十五引"仙人鄭叚者,坐玉華之席",稱《玉珮金瑺經》。又六百七十三引《太微黄書經》,羅苹《路史·中三皇紀》注引"天皇象符,以合元氣,長生之要",稱《太微黄書》。

陰長生 修三皇經 《通志》:一卷。

案《御覽》六百六十八引《三皇經》,六百七十二引《三皇經内音》。

樊英 石壁文 《抱樸子·遐覽篇》:三卷。

案《靈霄宫目録》有《太清石壁記》三卷,注:"楚澤先生編。"楚澤先生,未詳何人。

魏伯陽 太上金碧經注 《書録解題》:二卷。

凡道經七部,卷數可攷者一百七十七卷。

攝摩騰譯 四十二章經 《藏經·小乘含阿部》壁字號:一卷。

《魏書·釋老志》:"孝明帝令郎中蔡愔、博士弟子秦景等使於天竺,寫浮屠遺範,愔得佛經四十二章。"

梁慧皎《高僧傳》:"攝摩騰,本中天竺人,善風儀,解大、小乘經。漢永平中,明皇帝夜夢金人飛空而至,乃大集羣臣,以占所夢。通人傅毅奉答:'臣聞西域有神,其名曰佛,陛下所夢,將必是乎。'帝即遣郎中蔡愔、博士弟子秦景等於彼,遇見摩騰,乃要還漢地。至乎洛邑,明帝甚加賞接,於城西門立精舍以處之,後少時卒。騰譯《四十二章經》一卷,初緘蘭臺石室弟十四間中。騰所住處,今洛陽城西雍門外白馬寺是也。"

竺法蘭譯　十地斷結經　卷數佚。

竺法蘭　佛本生經　卷數佚。

竺法蘭　法海藏經　卷數佚。

竺法蘭　佛本行經　卷數佚。

《高僧傳》:"竺法蘭,亦中天竺人,自言誦經論數萬章,爲天竺學者之師。蔡愔既至彼國,蘭與摩騰遂相隨而來,少時便善漢文,愔於西域獲經,即爲繙譯,所謂《十地斷結經》、《佛本生》、《法海藏》、《佛本行》、《四十二章》等五部。移都寇亂,四部失本,不傳江左。唯《四十二章》今見在,可二千餘言,漢地見存諸經,惟此爲始也。"

安世高譯　道地經　《藏經·小乘論》明字號:一卷。

安世高　安般守意經　《藏經·小乘含阿部》敬字號:二卷。

安世高　大小十二門論　《藏經·大乘論》惻字號:一卷。

安世高　百六十品經

安世高　陰持入經　《藏經·小乘含阿部》竭字號:二卷。

安世高　明度校計經　《隋衆經目録》:二卷,《藏經·涅槃部》緣字號:一卷。

安世高　漏分布經　《隋經目》:一卷,《藏經·小乘阿含部》緣字號:一卷。

安世高　是法非法經　《隋經目》:一卷,《藏經·小乘阿含部》緣字號:一卷。

安世高　一切流攝守因緣經　《隋經目》:一卷。

安世高　七處三觀經　《隋經目》:二卷,《藏經·阿含部》慶字號:二卷。

安世高　九橫經　《隋經目》:一卷,《藏經·阿含部》當字號:一卷。

安世高　分正道經　《隋經目》:一卷。

安世高　五陰譬喻經　《隋經目》:一卷,《藏經·阿含部》慶字號:一卷。

安世高　轉法輪經　《隋經目》:一卷,《藏經・阿含部》慶字號:一卷。

安世高　普法義經　《隋經目》:一卷,一名《是法行經》。《藏經・小乘阿含部》緣字號:一卷。

安世高　梵網六十二見經　《隋經目》:一卷,《藏經・小乘阿含部》福字號:一卷。

安世高　惟思經　《隋經目》:一卷,一名《惟思要畧》。《藏經・小乘論》英字號:一卷。

安世高　請賓頭盧法　《隋經目》:一卷,《藏經・小乘論》墳字號:一卷。

安世高　阿含口解十二因緣經　《隋經目》:一卷,《藏經・小乘論》既字號:一卷。

安世高　阿毗曇五法行經　《隋經目》:一卷,《藏經・小乘論》墳字號:一卷。

《高僧傳》:"安清字世高,安息國王正后之太子也。志業聰敏,剋意好學,外國典籍及七曜五行、醫方異術,乃至鳥獸之聲,無不綜達。徧歷諸國,以漢桓帝之初始到中夏,通習華言,於是宣譯衆經,改梵爲漢,出《安般守意》、《陰持入經》、《大小十二門》及《百六十品》。初,外國三藏衆護撰述經要爲二十七章,高乃剖析護所集七章,譯爲漢文,即《道地經》也。其先後所出經論,凡三十九部。"

釋道安《經録》:"安世高以漢桓帝建和二年至靈帝建寧中二十餘年,譯出三十餘部經。"《開元釋教録》引。

支讖譯　泥洹經　《隋志》:二卷,《藏經・涅槃部》:二卷。

支讖　字本經　《隋經目》:二卷。

支讖　遺日説般若經　《隋經目》:一卷。

支讖　佛説兜沙經　《隋經目》:一卷,《藏經・大乘部》壹字號:一卷。

支讖　般若道行經　《藏經・大乘部》淡字號:十卷。

支讖　般舟經

支讖　首楞嚴經

支讖　阿闍王　寶積經　《藏經・寶積部》龍字、至字:一百二十卷。

《隋志》:"靈帝時,有月支沙門支讖、天竺沙門竺佛朔等,並翻佛經。而支讖所譯《泥洹經》二卷,學者以爲大得本旨。"

《高僧傳》云:"支婁迦讖,亦直云支讖,本月支人。漢靈帝時遊於洛陽,以光和、中平之間傳譯梵文,出《般若道行》、《般舟》、《首楞嚴》等三經。"又有《阿闍世王》、《寶積》等十餘部經,[①]歲久無餘。安公校定古今,精尋文體。云:'似讖所出。凡此諸經,皆審得本旨,了不加飾,可謂善宣法要宏道之士也。'"

案《藏經·寶積部》衣字號有《阿闍世王阿術達經》一卷,又良字號有《阿闍世王受決法》一卷,《小乘阿含部》有《阿闍世王問五逆經》一卷,據《高僧傳》,則皆係支讖所譯。然未有確據,姑附於此。

安元譯　法鏡經　《藏經·寶積部》服字號:二卷。

《高僧傳》:"安元,安息國人,以漢靈之末遊賞洛陽,以功號曰騎都尉。漸解漢言,志宣經典。元與沙門嚴佛調共成《法鏡經》,元口譯梵文,佛調筆受,理得音正,盡經微旨。"

嚴佛調　十慧

《高僧傳》:"調又撰《十慧》,亦傳於世。安公稱佛調出經,省而不繁,全本巧妙。"

支曜譯　成具定意經　《藏經·涅槃部》彼字號:一卷。

支曜　小本起

康巨譯　問地獄事經

康孟詳譯　中本起　《藏經·小乘阿含部》緣字號:二卷。

康孟詳　修行本起　《藏經·阿含部》尺字號:二卷。

《高僧傳》:"沙門支曜、康巨、康孟詳等,並以漢靈、獻之間有

---

① "有",原作"云",據中華本《高僧傳》改。

慧學之譽，馳於京洛。曜譯成《具定意經》及《小本起》等，巨譯《問地獄事經》，並言直理正，不加潤飾。孟詳譯《中本起》及《修行本起》，安公云孟詳所出，奕奕流便，足騰元趣也。”

凡佛經四十部，卷數可攷者一百六十七卷。

凡道佛四十七部，卷數可攷者三百四十四卷。

大凡書内外篇七志三十七種五百九十部，章篇卷數可攷者八十一章一千七百九十篇二千三百二十一卷。

附前録外篇第二之一

紀新莽時。

崔篆　周易林　范《書》：六十四篇。《唐志》：十六卷。《舊唐志》同。

范書《崔駰傳》：“祖父篆，王莽時爲郡文學，以明經徵。太保豐甄舉爲步兵校尉，後以爲建新大尹。建武初，客居滎陽，閉門潛思，著《周易林》六十四篇，用決吉凶，多所占驗。”

又《孔僖傳》：“僖拜臨晋令，崔駰以《家林》筮之，謂爲不吉。”章懷太子曰：“崔篆所作《易林》也。”

《續博物志》：“崔篆著《易林》六十四篇。篆，駰之祖父。或曰《卦林》，或曰《象林》。”

案此書雖作于建武初，然篆未嘗仕漢，不得攙入漢志，故附於此。

侯苞　韓詩翼要　《隋志》：一卷。《唐志》、《通志》同。

案侯苞，不詳何人。攷《前書・揚雄傳》有侯芭，從雄授《太玄》、《法言》，《論衡・案書篇》稱“楊子雲作《太玄》，侯鋪子隨而宣之”，則知侯芭字鋪子。《類聚》四十引《揚雄家牒》：“子雲以天鳳五年卒，葬安陵坂上，所厚沛郡桓君山、弟子鉅鹿侯苞，共爲治喪。”則知侯芭爲鉅鹿人。而《書鈔》九十

二、九十四兩引《揚雄家牒》,事與《類聚》所引同,而侯芭則作侯苞。[①] 據此,則《隋志》之芭即苞也。且《前書》稱其受《法言》,而《隋志》儒家"梁有侯芭《法言注》六卷",亦其顯證。苞從雄受《太玄》、《法言》已在莽時,而《後漢書》不及其人,則未入建武時也。玆與《法言注》並附于此。其説《詩正義》時引之,往往與毛義合。《隋書·音樂志》下牛宏修皇后之儀下引故事皆有鍾聲,亦侯芭、毛萇同引,則其書雖習《韓氏》,而意欲以《韓》通《毛》也。"

劉歆　春秋左氏傳章句 卷數佚。

《漢書》:"歆校秘書,見古文《春秋左氏傳》,歆大好之。時丞相史尹咸以能治《左氏》,與歆共校經傳。歆畧從咸及丞相翟方進受,質問大義。初《左氏傳》多古文古言,學者傳訓故而已,及歆治《左氏》,引傳文以解經,轉相發明,由是章句義理備也。"

杜預曰:"劉子駿創通大義。"

案孔穎達正義每于賈、許同引。

陳欽　陳氏左氏春秋 卷數佚。

《後漢書·陳元傳》:"父欽,習《左氏春秋》,事黎陽賈護,[②]與劉歆同時而别自名家。"

章懷太子曰:"元父欽,字子佚。以《左氏》授王莽,自名《陳氏春秋》。"

劉歆　爾雅注 《七録》:三卷。《敘録》同。

案《説文》引劉歆説,即此書中語。《釋文》及唐徐景安《樂書》、《詩正義》俱引之。《玉燭寶典》二引榮螈下注云"龍漦化爲元螈",并引《詩》"胡爲虺蜴"傳解"既云蜴螈明有單呼

① "苞",原誤作"芭",據補編本改。下句同。

② "陽",原誤作"昜",據中華本《後漢書》改。

蚖者，便以上字爲虵"；卷三引"牟，駕鴾也"；卷五引"鴷斲木，斲音中木，反啄樹蠹而食之"；卷六引"蚉蟋蟀，謂蜻蛩也"。並搜輯家所未見。

劉歆 新定婚禮 卷數佚。

案《白帖》十七引"親迎，立騶，軿馬。立騶，乘小車也。軿馬，驪駕也"，稱劉歆等《新定婚禮》。

劉歆 鍾律書 卷數佚。

案《風俗通・聲音篇》引五音劉歆義，《北史・牛弘傳》引"春宫秋律，[1]百卉必彫；秋宫春律，萬物必榮；夏宫冬律，雨雹必降；冬宫夏律，雷必發聲"，《隋書・牛弘傳》、《御覽》二十五同。稱劉歆《鍾律書》。

劉歆 史記 卷數佚。

《史通・正史篇》："《史記》所書，年止漢武，太初以後，闕而不録。其後劉向、向子歆及諸好事者，相次撰續，迄于哀、平間，猶名《史記》。"

劉歆 列女傳頌 《隋志》：一卷。

《隋志》："《列女傳頌》一卷，劉歆撰。"

揚雄家牒 卷數佚。

《史通・雜述篇》："若《揚雄家牒》、《殷敬世傳》，此之謂家史者也。"

案《書鈔》九十四引"子雲以甘露元年二月戊寅鷄鳴生，天鳳五年四月癸丑晡卒，葬安陵坂上，弟子侯芭負土作墳，號元塚"，九十二引同。《藝文類聚》、《御覽》五百五十、《長安志》引"侯芭"作"侯苞"。[2] 稱《揚雄家牒》。紀雄生卒，則當在莽時也。

---

① "弘"，原誤作"私"，據《補編》本改。

② 案《藝文類聚》、《太平御覽》、《長安志》所引均作"侯芭"。又《太平御覽》引見卷五百五十八。

劉歆　三統曆　《七録》:三卷。《舊唐志》。

范書《鄭興傳》:"天鳳中,從劉歆講正大義,歆美興才,使校正《三統曆》。"

袁宏《後漢紀》:"河南鄭興、東海衛宏等,皆長於古學,從劉歆受《左氏春秋》,定《三統曆》。"

《中論》:"成、哀之間,劉歆用孝武時鄧平術而廣之,以爲《三統曆》,比之衆家,最爲備悉。"

《晋書・律曆志》:"王莽之際,考論音律,劉歆條奏,大率有五:一曰備數,一、十、百、千、萬也;二曰和聲,宫、商、角、徵、羽也;三曰審度,分、寸、尺、丈、引也;四曰嘉量,籥、合、升、斗、斛也;五曰權衡,銖、兩、斤、鈞、石也。班固因而志之。"

又云:"劉歆更造《三統》,以説《左傳》,辨而非實,班固惑之,采以爲志。"

杜預《長曆説》曰:"劉子駿造《三統曆》,[①]以修《春秋》。日食有甲乙者三十四,而《三統曆》惟得一蝕。比諸家既最疏,又六千餘歲輒益一日。凡歲當累日爲次,而故益之,此不可行之甚者。自古以來,諸論《春秋》者,多違謬,或造家術,或用黄帝已來諸曆,以推經傳朔日,皆不諧合。日蝕於朔,此乃天驗,經傳又書其朔蝕,可謂得天,而劉、賈諸儒説,皆以爲月二日或三日,公違聖人明文。其弊在于守一元,不與天消息也。"

《宋書・律曆志》:"向子歆作《三統曆》,以説《春秋》,屬辭比事,雖盡精巧,非其實也。"

　案今存《漢書・律曆志》中。

劉歆　七畧　《隋志》:七卷。《新》、《舊唐志》同。

---

① "統",原作"正",《補編》本同,據中華本《後漢書》改。下句同。

《漢志》曰:"劉向卒,哀帝使向子歆卒父業。歆於是總羣書而奏其《七畧》,故有《緝畧》,師古曰:'緝與集同,謂諸書之總要。'有《六藝畧》,有《諸子畧》,有《詩賦畧》,有《兵書畧》,有《術數畧》,有《方技畧》。"

《劉歆傳》:[①]"河平中,歆受詔與父向領校秘書,講六藝傳記、諸子、術數、方技,無所不究。向死,哀帝即位,復領五經,卒父前業。歆乃集六藝羣書,種别爲《七畧》。"

《隋志》:"漢時劉歆《七畧》,剖析條流,各有其部,推尋事迹,疑則古之制也。"

章宗源《隋書經籍志攷證》曰:"班固因《七畧》而志《藝文》,其與歆異者,時注其出入,書入劉向《稽疑》。禮入《司馬法》。樂出淮南、劉向等《琴頌》。春秋省《太史公》。小學入揚雄、杜林。儒入揚雄。雜入兵法。[②] 諸子出《蹵鞠》。兵權謀省伊尹、太公、《管子》、《孫卿子》、《鶡冠子》、《蘇子》、蒯通、陸賈、淮南王,出《司馬法》入禮。兵技巧省《墨子》重,入《蹵鞠》。使後人可考劉氏原本。今以諸書所引《七畧》,如'《詩》以言情,情者信之符也。《書》以決斷,斷者心之證也',《初學記·文部》、《御覽·學部》。《漢志》作'《詩》以正言,義之用也。《春秋》以斷事,信之符也'。《史記集解》:《魏公子兵法》二十一篇、圖一卷,[③]《信陵侯傳》。《逢門射法》,《龜策傳》。《風后孤虚》二十卷。同上。與《漢志》合。《史記正義》'《管子》十八篇在法家','《晏子春秋》七篇在儒家',《管晏傳》。'《新語》二卷,陸賈撰'。《陸賈傳》。考《漢志》法家無《管子》,惟兵家注云'省《管子》',儒家《晏子》八篇,又削'春秋'二字;《史記》論曰'余讀《晏子春秋》',是知'春秋'二字非漢以後所加。《陸賈》二十三篇,不言《新語》。俱異《七畧》之舊。

---

① "歆",原作"向",據中華本《漢書》改。

② "雜入",原作"雜出",據《漢書·藝文志》改。

③ "圖一卷",中華本《史記》作"圖七卷",中華本《漢書·藝文志》作"圖十卷"。

《文選注》:'鄒子有《終始》,五德從所不勝,木德繼之,金德次之,[①]火德次之,土德次之。'《魏都賦》、《應吉甫集華林園詩》注。乃鄒子《終始》解題。又'《雅琴》,琴之言禁也,雅之言正也,君子守正以自禁也',《長門賦》注。乃《雅琴》趙氏等解題。《太平御覽·職官部》'孝宣帝重申不害《君臣篇》,使黄門郎張子喬正其字',乃《申子》解題。此類《漢志》皆未取。馮商、莊忽奇、杜參、史朱宇,師古注皆依《七畧》補《漢志》。至如《曲臺記》、《易九師道訓》、《文選·竟陵王行狀》注。《娟子》,《曹子建七啟》注。'談天衍,雕龍赫',《宣德皇后令》注。《鶡冠子》,《辯命論》注。《盤盂書》,《新刻漏銘》注。班固本注雖依《七畧》,而語多從簡。《唐志》卷同。"

侯苞　法言注　《隋志》:六卷。

案《御覽》九百二十二引楊子《法言》曰:"朱鳥翾翾,肆其歸矣。"

侯苞注曰:"朱鳥,燕别名。肆,恣肆也。"

劉歆所著　《隋志》:五卷。《新》、《舊唐志》同。

嚴目輯存賦三,表一,議三,移一,答一,書一,論、銘一。

薛方所著　卷數佚。

《册府元龜》八百三十七。:"薛方字子容,齊人。嘗爲郡掾祭酒。王莽時,居家,以經教授。喜屬文,著詩賦數十篇。"

崔篆所著　《隋志》:一卷。《新》、《舊唐志》同。

嚴目輯存賦一篇。

王莽　符命　章懷曰:"四十二篇。"

章懷太子曰:"莽遣五威將軍王奇班《符命》四十二篇於天下,言當代漢之意。"

《隗囂傳》:"王莽矯託天命,僞作符書。"

---

① "金",原誤作"全",據《補編》本改。

凡前録十七部,篇卷數可攷者一百六篇二十七卷。

後録外篇第二之二

紀三國人而卒於延康前者。

陸績　周易注　《隋志》:十五卷。《新》、《舊唐志》同。《敘録》:十三卷。《七志》:《録》一卷。

《吴志》:"陸績字公紀,吴郡吴人。爲鬱林太守,加偏將軍。雖有軍事,著述不廢。作《渾天圖》,注《易》釋玄,皆傳於世。"

袁宏《紀》:"績雖在軍旅,不廢述,作《渾天圖》,注《易》釋玄,皆傳於世。"

朱震曰:"陸績之學,始論動爻。"

《經義攷》:"陸氏《易注》已亡,今《鹽邑誌林》載有一卷,乃係抄撮陸氏《釋文》、李氏《集解》二書爲之,所存者幾希矣。其經文異諸家者,'履帝位而不疚'作'疾';'明辨晳也','晳'作'逝';'納約自牖'作'誘';'喪羊于易'作'埸';'婦子嘻嘻'作'喜喜';'君子以懲忿窒欲'作'瘠欲';'吾與爾靡之'作'縻之';'三年克之憊也'作'備也'。曹侍郎秋嶽曾見藏書家有存三卷者,惜侍郎没,無從訪求矣。"

《易義别録》云:"《釋文敘録》陸績《周易述》十三卷,又引《七志》云録一卷,《隋·經籍志》云:'注十五卷。又與虞翻同撰《日月變例》六卷,亡。'明姚士粦採《釋文》、《集解》,合以京氏《易傳》之注,爲《陸氏易解》一卷,今《四庫》本是也。《易傳注》,世有其書,又不宜入《易注》,其所採闕謬甚多。今正而補之,因論其義例爲一卷。公紀注京氏《易傳》,則其《易》,京氏也。余嘗以爲京氏既爲《易章句》,又别爲《易傳飛候》之書,以謂《易》含萬象,不可執一隅。然則積算之法,殆不用之

《章句》,以《易傳飛候》求《易》者,爲京氏者之末失也。今觀公紀所述,凡納甲、六親、九族、四氣、刑德、生尅,未嘗一言及之。至言六爻,發揮旁通卦爻之變,有與孟氏相出入者。京氏自言其《易》即孟氏學,公紀倘得之邪?京氏《章句》既亡,存于唐人所引者,僅文字之末,不足以見義。由公紀之説,京氏之大指,庶幾見之。公紀以少年與仲翔爲友,觀其書亦幾欲與荀、虞頡頏矣。"

案其異文不止如朱氏所引,見於《釋文》者,"利物足以和義","利物"作"利之";"嫌于無陽也","嫌"作"兼";"賁如皤","皤"作"燔";"夷於左股","夷"作"睇";"以正邦也"作"正國";"草木皆甲坼","坼"作"宅";"劓刖"作"劓刖";"歸妹以須","須"作"嬬";"有功而不德","德"作"置";"天地之文","文"作"爻";"六爻之義易以貢","貢"作"工";"水火不相逮",無"不"字。見于晁氏録《古易》者,"否臧凶","否"作"不";"盱豫悔","盱"作"汙";"而天下隨時","時"作"之";"尚賓","尚"作"上";"不拯其隨","拯"作"承"。

又案績《自序》題有漢志士,本傳載其卒年三十二,不著何年。《陸遜傳》云"遜年長于績數歲",攷遜卒年六十三,卒吴赤烏八年,見《吴主傳》。自赤烏八年上推之,至漢光和六年,適得六十三年。若績、遜同歲,則自光和六年下推至建安十九年,得三十二年。今既遜長數歲,則績當生于中平中。又績本傳"六歲見袁術于九江",攷《後漢書·獻紀》"初平四年三月,袁術殺揚州刺史陳温",據《淮南術傳》亦云"太祖與紹合擊,大破術軍,以餘衆奔九江,殺刺史陳溫,領其州,越七年死",則績之見術當在此七年中。然《陸遜傳》稱"績父康與袁術有隙,將攻康,康遣遜及親戚還吴",則見術當在還吴前。《後漢書·陸康傳》"袁術遣其將孫策攻康"，孜《孫討逆傳》，策之見術在興平元年，以不得盧江太守策失望，其年十二月即自領會稽太守，與術絶。據此，則策之攻康，當即在興平元年。術于初平四年奔九江，次年興平元年即攻陸康，其時績即與遜歸吴，則績之見術當即在初平四年無疑。以初平四年上推至中平五年，適得六歲；自中平五年下推至建安二十四年，得三十二歲。故自序仍題有漢，《釋文》亦題後漢也。至虞翻，則《江表傳》明著其卒于吴嘉禾二年，兹故不録。

陸績　周易日月變例 《七録》：六卷。

王粲　尚書釋問 《七録》：四卷。《唐志》同。

《唐志》注："王粲問，田瓊、韓益正。"

案粲卒建安二十二年。

劉楨　毛詩義問 《隋志》：十卷。《唐志》同。

《册府元龜》曰："劉楨爲太子文學，撰《毛詩義問》九卷。"

馬國翰曰："訓釋名物，與陸璣疏相似。葢當時儒者究心考據，猶不失漢人家法云。"

案《詩・豳風・七月》正義引鬱"其樹高五六尺，其實大如李，正赤，食之甜"，《初學記》二十六引"鍘羹，有菜鹽豉其中，菜爲其形象可食，因以鍘爲名"，《御覽》八百六十一亦引。稱劉楨《毛詩義問》。

王粲　漢末英雄記 《隋志》：八卷，殘缺，梁有十卷。《新》、《舊唐志》：十卷。

案今《漢魏叢書》中有，係後人採輯，多疏漏，不足據。

陸績　太玄經 《隋志》：十卷。《新》、《舊唐志》：十二卷。

績自述曰："昔嘗見同郡鄒邠字伯岐與邑人書，歎楊子雲所述《太玄》，連推求元本，不能得也。鎮南將軍劉景升遣梁國成奇修好鄙州，奇將《玄經》自隨，時維幅寫一通，年尚暗稚，甫學《書》、《毛詩》王誼人事，未能深索玄道真，故不爲也。後數年專精,讀之半歲,間粗覺其意,于是草創注解,未能也。章陵宋仲子爲作解詁,後奇復銜命尋盟,仲子以所解付奇與安遠將軍彭城張子布,績得覽焉。仲子之思慮,誠爲信篤。然玄道廣遠,淹廢歷載,師讀斷絶,難可一備,故往往有違本錯誤,績智意豈能弘裕？顧聖人有所不知,匹夫誤有所達。竊緣先王詢于芻蕘之義,故遂卒有所述。就以仲解爲本,其合于道者因仍其説,其失者因釋而正之,所以不復爲一解,欲令學者瞻覽彼此,論其曲直,故合聯之耳。夫玄之大義,揲蓍之謂,而仲子失其指歸,休咎之占,靡所取定,雖得文間異説,大體乖矣。《書》曰:'若綱在綱,有條而弗紊。'今綱不正,欲弗紊,不可得也。績不敢苟好著作以虚譽也,庶合道真,使玄不爲後世所尤而已。"

徐幹　中論　《七録》:一卷。《隋志》:六卷。《唐志》:六卷。《舊志》同。今存二卷。

《四庫全書提要》:"漢徐幹撰。幹字偉長,北海劇人。建安中爲司空軍謀祭酒掾屬、五官將文學。事蹟附見《魏志·王粲傳》,故相沿稱爲魏人。然幹殁後三四年,魏乃受禪,不得遽以帝統予魏。陳壽作史,託始曹操,稱爲太祖,遂併其僚屬均入《魏志》,非其實也。是書《隋》、《唐志》皆作六卷,《隋志》又注云'梁目一卷'。《崇文總目》亦作六卷。而晁公武《讀書志》、陳振孫《書録解題》並作二卷,與今本合,則宋人所併矣。書凡二十篇,大都闡發義理,原本經訓,而歸之於聖賢之道,故前史皆列之儒家。曾鞏校書序云:'始見館閣《中論》二十篇,及觀《貞觀政要》,太宗稱嘗見幹《中論·復三年喪篇》,今書獨闕。又考之《魏志》,文帝稱幹著《中論》二十餘篇,乃知館閣本非全書。而晁公武又稱李獻民所見别本,實有《復三年》、《制役》二篇。'李獻民者,李淑之字,嘗撰《邯鄲書目》者也。是其書在宋仁宗時尚未盡殘闕，鞏特據館閣不全本著之於録。相沿既久，所謂别本者，不可復見，於是二篇遂佚不存。又書前有原序一篇，不題名字，陳振孫以爲幹同時人所作。今驗其文，頗類漢人體格，知振孫所言爲不誣。惟《魏志》稱幹卒于建安二十二年，而序乃作於二十三年二月，與史頗異，傳寫必有一譌，今亦莫考其孰是矣。"

陸績　渾天圖　卷數佚。

袁宏《紀》："績作《渾天圖》。"

《晋書·天文志》："陸績又造渾象，其形如鳥卵。"

案《開元占經》一載之甚詳，二卷又載之。六十七引"文昌中有一星在司禄内，名曰主禄星，共有七星，西星入井十五度，太去極二十五度，太在黄道内四十三度半也"，稱陸績《渾天圖》。又引魁星，稱陸績《渾圖》。

荀攸　魏官儀　《七録》：一卷。《唐志》同。

案《初學記·文部》"尚書郎缺，試諸郎故孝廉能文案者"，《御覽·服章部》引"皂緣領袖中單"，稱《魏官儀》。

又案裴松之注引王沉《魏書》，攸卒於建安十九年。

王粲　新撰雜陰陽書　《舊唐志》：三十卷。

王粲　去伐論集　《新》、《舊唐志》：三卷。

潘勗所著　《七録》：一卷。《隋志》：二卷。《新》、《舊唐志》：二卷。

嚴目輯存賦一、册文一、連珠一、碑一，凡四篇。

案裴松之引《文章志》，勗卒於建安二十年。

楊修所著　《隋志》：二卷。《新》、《舊唐志》同。

嚴目輯存賦五、箋一、贊一，凡七篇。

案據《典畧》，則修卒於建安二十四年。

徐幹所著　《隋志》：五卷，梁有《録》一卷，亡。《新》、《舊唐志》：五卷。

嚴目輯存賦八、七一，凡二篇。案詩有《答劉楨詩》、《類聚》二十九。《爲挽船士與新婚娶妻别詩》。《類聚》二十九。

案幹卒於建安二十二年。

應瑒所著　《七録》:五卷,《録》一卷。《隋志》:二卷,亡。《新》、《舊唐志》:二卷。

案《書鈔》七十七引"汝南召陵王申爲郡五官掾,太守有私財百,事以委付之,夫人郎君莫之知。太守卒,王申以金銀悉還",稱《應瑒集》。

嚴目輯存賦十四、書一、釋賓一、論一、奕勢一,凡十八篇。案《書鈔》九十七引《讚德賦》,嚴失採。

又案魏文帝《與吴質書》云:"昔年疾疫,徐、陳、應、劉,一時俱逝。"則瑒卒時當亦在建安末也。

劉楨所著　《隋志》:四卷,《録》一卷。《新》、《舊唐志》:二卷。

嚴目輯存賦六、書三、碑一,凡十篇。

陳琳所著　《七録》:十卷,《録》一卷。《隋志》:二卷。《唐志》:十卷。《舊唐志》、《宋志》同。

嚴目輯存賦十、諫一、箋一、書三、檄二、應譏一、碑一,凡十九篇。

案卒於建安二十二年。

王粲所著　《隋志》:十一卷。《唐志》:十卷。《舊》同。《宋志》:八卷。

《顔氏家訓》:"吾初入鄴,與博陵崔文彦交遊,嘗説《王粲集》中難鄭玄《尚書》事。崔轉爲諸儒道之,始將發口,懸見排蹙,云:'文集止有詩賦銘誄,豈當論經書事乎?且先儒之中,未聞有王粲也。'崔笑而退,竟不以《粲集》示之。"

《三國志·王粲傳》:"著詩賦論議垂六十篇,徐幹、陳琳、阮瑀、應瑒咸著文賦數十篇。"

嚴目輯存賦二十五、書二、檄一、七一、頌二、贊二、論五、志一、連珠一、銘四、弔一,凡四十六篇。案《水經注·漳水》注引《漳水賦》,嚴失採。

案范書《袁紹傳》注引爲劉荊州諫袁譚書,《三國志·董卓傳》注“《三輔決録》:粲作詩以贈士孫萌”,並云見《王粲集》。

阮瑀所著 《隋志》:“五卷,梁有《録》一卷,亡。”《新》、《舊唐志》同。

嚴目輯存賦四、箋一、書二、論一、弔一,凡九篇。

案瑀卒于建安十七年。

路粹所著 《七録》:“二卷,《録》一卷。”《唐志》:二卷。《舊唐志》同。

嚴目輯存狀一、書一,凡二篇。

案《典畧》稱粹卒于建安十九年。

繁欽所著 《隋志》:“十卷,梁《録》一卷,亡。”《新》、《舊唐志》:十卷。

嚴目輯存賦十三、箋一、檄一、訓一、頌一、讚一、箴二、嘲一、碑一,凡二十二篇。案詩有《情詩》、《玉臺新詠》、《類聚》七十。《詠蕙詩》、《類聚》八十一。《贈梅公明詩》,《類聚》三十一。又《類聚》四十八引繁欽詩,失題。

案《典畧》稱欽卒建安二十三年。

凡後録二十一部,卷數可攷者一百五十八卷。

存疑外篇第三

唐史澂《周易口訣義》《觀》大象引鄭衆曰“從俗所爲,順民之教,故君子治人不求變俗”,《震》九四引鄭衆曰“身既不安,豈能安衆”,《兑》大象引鄭衆曰“樂耽於酒,則有沉湎之凶;志累於樂,則有傷性之害”云云,據此,則衆似有《易》注。案本傳稱衆兼通《詩》、《易》,《儒林傳》稱衆傳費氏《易》。又《左傳》疏序解明夷東隣殺牛之義,與虞翻、陸績同稱,皆仲師注《易》之偏證也。

《宋史·藝文志》易類:“《元測》一卷,宋衷解,陸績釋之。”案此書未見《隋》、《唐志》,疑後人僞作。

陳振孫《書録解題》有《周易版詞》一卷,“不知名字,當是漢、魏以前人所爲。其間官名,皆東京制也”,則陳氏以爲後漢人作。然《隋》、《唐志》未載,宋以前人亦無引及,恐未可信。

《宋書·禮樂志》引“務成黄爵,玄雲遠期,皆騎吹曲”,稱建初録。建初爲漢章帝年號,然西涼亦有之。攷《古今樂録》載章帝宗廟食舉及太樂食舉十三曲中有《遠期》一曲,據此,則此建初確是章帝。惟不標撰人,未能定其爲東京人撰耳。

《世説·文學篇》稱鄭君欲注《春秋》,未成,盡以與服虔,爲服氏注,則似鄭君就此輟業。而《通典》十七裴子餘議引“定公元年,立煬宫”,鄭玄注“煬宫,伯禽之子,季氏禱而立其宫”云云,不知裴氏何所見而云然。豈鄭君雖與服氏,仍自卒業耶?刑昺《孝經》疏引《六藝論》敘《春秋》曰:“玄又爲之注。”亦似自成注本。

《晋書·律曆志》云:“漢末宋仲子集七曆,以攷《春秋》。”則仲子似有《春秋章句》。

《隸釋》六載《孔謙碣》:“字德讓,都尉君之子也。述家業,修《春秋》。”案都尉君即孔宙,宙碑曰:“少習家訓,治嚴氏《春秋》。”則謙所習當亦嚴氏。云修,似非泛習,想亦如樊儵、鍾興、張霸等之删減也。三人皆修嚴氏《春秋》,見上。

《隸續》三《嚴訢碑》云:“字少通,治嚴氏《春秋》、馮君《章句》。”《通典》引“魏代或問高堂隆曰:‘昔受訓,云馮君八萬言章句,説正廟之主。’”云云。案馮君名字,不見史傳。畢氏著《通經表》,據謝承《書》范《書》本傳注引。“馮緄學《公羊春秋》”之言,案《隸續·馮緄碑》亦云習父業,治《春秋》嚴氏。定馮君爲馮緄。樸攷《嚴訢碑》云“訢,和平元年卒,年六十九”,自和平元年上推至建初七年,得六十九年,則訢章帝時人也。馮緄卒年,范《書》本傳不著,碑謂其卒於永康元年,則緄卒在訢後。且緄父焕安帝時爲幽州刺史,范《書》著有明文。緄之事迹,亦皆在桓、靈朝,是緄明後於訢,訢安得習其《章句》?畢説未可信也。特辨明而附於此。

《周禮·春官·鍾師》鄭注杜子春引"《國語》'金奏《肆夏》、《繁遏渠》',吕叔玉云'《肆夏》、《繁遏渠》,皆《周頌》也'"。叔玉既爲子春所引,似是同時人,此葢其《國語注》。

《廣均》:"麻,姓。《風俗通》曰:'齊大夫麻嬰之後,漢有麻達注《論語》。'"侯康據此入録。然究無實證定爲東漢人,爰削去之,附識於此。

蔡邕《石經論語》篇末云:"而在於蕭牆之内,盍、毛、包、周無。"則盍氏、毛氏亦注《論語》之人。然列名於包、周之前,恐是西漢人,未敢著録。

《文選·甘泉賦》注引"礚,大聲也",稱鄭玄《字指》,此書未見諸家著目,不敢入録。

《周禮·大宗伯》疏引"緯書,文曜鉤,天皇大帝之號",又引"《爾雅》:北極謂之北辰",其下引鄭康成注天皇、北辰、曜魄寶。余蕭客《古經解鉤沉》據此謂康成有《爾雅注》,愚謂此文上引文曜鉤,疑此即其注,非《爾雅》注。阮氏《校勘記》之言近是。

《漢書音義》有鄭氏,薛瓚曰是鄭德,晋灼曰北海人,不知其名。又《漢書·高帝紀》盱眙注,鄭氏曰煦怡;《武帝紀》蛇注,鄭氏:蛇音移;《郊祀志》推終始傳注,鄭氏音亭傳。而《史記集解》皆作鄭玄。《漢書·揚雄傳》抾靈蠵注,鄭氏抾音怯;而《文選注》亦作鄭玄。洪亮吉作《漢魏音》,遂據此謂康成有《漢書注》。然攷康成作諸經注,每遇音讀,或稱讀如,或稱讀爲,無直音者,此殆《集解》、《文選》誤引。

《漢書》顔師古注往往引許慎説,《史記·龜筴列傳》"教以象廊",集解引許君曰"象牙廊";《韓長孺列傳》"强弩之極矢不能穿魯縞",集解引許君曰"魯之縞至薄";《范睢列傳》"成荆孟賁",集解引許君曰"成荆,古勇士;孟賁,衛人";《禮書》"兵始於垂沙",集解引許君曰"垂沙,地名";《屈賈列傳》"莫邪爲頓兮",

集解引許君曰“莫邪,大戟也”;《司馬相如傳》“射鵁鶄”,正義引許君“鵁鶄,鶩鳥也”;又“右以湯谷爲界”,正義引許君曰“熱如湯”。諸如此類甚多。王氏鳴盛據《漢書》所引,謂許君有《漢書注》。陶氏方琦謂許君無注《漢書》之文,即或有注,何臣瓚、晋灼諸人每列許説,必出援引,以是推之,許君之有《史記注》乃其實也。于是遂據《文選·潘安仁賦》注引《史記》“蘇秦説韓王曰:谿子、臣黍者,皆射六百步之外”,即引許君曰:“南方谿子蠻夷柘弩,皆善射也。”又《後漢書·地理志》劉昭注引《史記》“紂盈鉅橋之粟”,[①]即引許君“鉅鹿之大橋”二條,爲許君注《史》之確證。然樸攷谿子巨黍一條,不特《文選注》引之,集解、索隱均引之。集解與《選注》同,索隱則曰:“許慎注《淮南》,以爲南方谿子蠻出柘弩及竹弓。”據此則此條爲《淮南》注,非《史》注。又鉅橋一條亦非特劉昭補注引之,《史記·殷本紀》集解亦引之,曰:“鉅鹿水之大橋,有漕粟也。”而《淮南·主術訓》“發鉅橋之粟”高誘注:“一説:鉅鹿漕運之橋。”高注所謂一説,即許君注,説詳内篇許君《淮南子注》下。[②] 則此一條又屬《淮南注》。餘如垂沙一條,《淮南·兵畧訓》“兵敗于垂沙”下注亦曰地名,《兵畧訓》篇題下無“因以題篇”四字,蓋即許君《淮南注》原帙。説詳内篇許君《淮南注》下。鵁鶄一條,《文選·魏都賦》注引許君《淮南注》曰:“鵁鶄,鶩鳥也。”象廊一條,《原本玉篇·广部》引許君《淮南》“桀爲象廊”句注同,則陶氏所謂許君《史記注》者,實皆《淮南注》耳。兹特詳辨而附之於此。

《新唐志》故事類有《永平故事》二卷、《漢諸王奏事》十卷,隋志

① 案,《後漢書》無《地理志》,當爲《郡國志》。下同。

② “君”,原誤作“與”,《補編》本同,據本書内篇許君《淮南子注》考證及下“説詳内篇許君《淮南子注》下”改。

及《舊唐志》皆不載，是否漢人所作，未能定之。

《御覽》八百二引“亡人以黄金塞九竅，則尸終不朽”，稱《漢東園祕記》。而八百八引一條稱“帝馮貴人，素國色，亡已十餘年，冢爲賊所發，形貌如故，但冷耳。盜共姦通之，后捕得之，此賊言貴人棺有數斛雲母”，攷馮貴人係和帝貴人，見范書《和熹鄧太后紀》，紀載太后賜周馮貴人策。此書所稱帝卽和帝，和帝崩，太后臨朝，故此書不言帝捕得之，而云后也。稱帝稱后，似是後漢人語。惟以當時人述國家故事，不應如此汚穢，可疑也。東園者，《前書・霍光傳》“東園温明”注：“師古曰：‘東園，署名屬少府，其署主作此器也。’”《續漢書・禮儀志》或稱東園匠攷工令，或稱東園匠武士，章懷注：“東園，署名屬少府，掌爲棺器。”列傳中亦數言賜東園祕器，章懷曰：“主作凶器，故言祕也。”此書葢專記漢家喪禮故事。

《御覽》一百六十二引“舜分齊營州之域，燕西置營邱郡於其城内，今柳城縣有營丘城”，稱《後漢地輿記》。樸攷柳城《前漢書・地理志》屬遼西郡，《續漢書・地理志》無此縣，疑此書非後漢人作。《太平寰宇記・河北道》七十一引《後魏輿地圖記》“齊分營州之域，置西營邱郡於其城内”，與《御覽》所引大同而小異，疑“後漢”即“後魏”之譌。攷《魏書・地形志》營州昌黎郡龍城縣注“真君八年，并柳城、昌黎、棘城屬也”，則後魏有柳城縣矣。然《續漢志》雖無此縣，而歷來地志亦無後漢廢柳城之明文，或司馬漏畧，亦未可知，姑存之以俟攷。

《太平寰宇記・江南西道》十江夏縣引：“應仲遠注《水經》云：‘夏口水入江，是爲江夏。’”

《隋志》子部儒家有《文檢》六卷，云似是後漢末人撰。《宋書・大且渠蒙遜傳》：茂虔獻《文檢》六卷。

《新》、《舊唐志》有《慎子》十卷，滕輔注。嚴可均曰：“《類聚》六十有漢滕輔《祭牙文》,亦作滕撫,又作騰撫。《後漢書》:滕撫字叔輔。《元和姓纂》:'騰本姓滕,因避難改爲騰氏。後漢相騰撫。'蓋滕、騰一姓,輔、撫一聲,故二文隨作矣。東晋有滕輔,《隋志》'梁有《晋太學博士滕輔集》五卷,《録》一卷,亡',《新》、《舊唐志》皆五卷。《慎子注》爲漢爲晋,未敢定之。"樸案《御覽》四百三十引《慎子》"折券契,屬符節,賢不肖用之"下引注曰:"券契不爲人信,人自用之。"即滕撫注,然未能定其爲漢爲晋也。

《御覽》八百六十一引:"《管子》曰:'左酒右漿。'蔡邕注曰:'左酒近體也,右漿上遠也。'"案所引《管子》蓋《弟子職》文。蔡邕注《隋》、《唐志》不箸録,羣書亦無徵引。

《文選·長揚賦》注引"堯之時,窫窳、封豕、鑿齒,皆爲人害。窫窳,類貙,虎爪,食人",稱應劭《淮南子注》。然《北户録》崔龜圖注載《修文殿御覽》引《風俗通》與此同,疑《選注》誤也。

《原本玉篇·言部》引"許慎注《淮南》、《楚辭》:謉,輕而害之;鬼謂魑",似許君有《楚辭注》,然目録家均未著録,唐人亦無引及,疑誤引。

補後漢書藝文志攷卷十終

長洲陳伯玉讐校　錫山文苑閣擺印

二十五史藝文經籍志考補萃編總目